U0117304

名詩人楊牧教授認爲：

羅門是詩壇重鎮　詩藝精湛

一代風範的詩人

文學叢刊之三十七

# 門羅天下

張漢良・蔡源煌
鄭明娳・林燿德◎等著

## 當・代・名・家・論・羅・門

文史哲出版社印行

國立中央圖書館出版品預行編目資料

**門羅天下——當代名家論羅門**／蔡源煌等著.
--初版.--臺北市：文史哲，民 80
面；　　公分，--（文學叢刊；37）
ISBN 957-547-090-7（平裝）

1. 羅門-學識-詩-歷史與批評

821.886　　　　80004725

文學叢刊 ㊲

門羅天下
——當代名家論羅門

著者：蔡源煌・張漢良
　　　鄭明娳・林燿德等
出版者：文史哲出版社
登記證字號：行政院新聞局局版臺業字〇七五五號
發行所：文史哲出版社
印刷者：文史哲出版社
台北市羅斯福路一段七十二巷四號
郵撥〇五一二八八一二彭正雄帳戶
電話：三五一一〇二八
定價新台幣五四〇元

中華民國八十年十二月初版

版權所有・翻印必究
ISBN 957-547-090-7

# 捕捉光的行蹤

## 《門羅天下—名家論羅門》代序

蔡源煌

民國四十三年，羅門的第一首詩《加力布露斯》在紀弦的《現代詩》季刊上刊出，從那時候起，羅門對於詩的經營未曾間歇過，在將近四十年的「詩的歲月」裏，羅門對詩的執著是那樣的堅持和誠摯。儘管我們偶爾會在他的作品裏看到一些基督教和佛教的字眼，但是我們知道，羅門所信仰的不是基督教或佛教，而是詩！

對羅門來說，詩是他的信仰，他的宗教。經由詩的追求，羅門爲自己建立了一座詩的天堂，藉以和上帝的天堂媲美爭勝；透過詩的冥想，他爲自己找到了通往涅槃之路。

羅門的詩不僅彰顯了他的藝術理念，同時也是他靈修的心路歷程記錄。

十九世紀末年頹廢派詩人對於「美」的高蹈派追求，使後人對美的執着產生某些定見，認爲關於美的沉思和言說總帶有空想或逃避主義的色彩。羅門卻不避諱談論美——詩之美、藝術之美——因爲詩的美不是那種「爲藝術而藝術」的玄想空談，而是他身體力行「精神的超越」所實現的一種境界，其中，有情也有悟。

多年來，羅門不遺餘力地鼓吹他的「第三自然」理論。他把山川日月星辰這些浪漫純樸的原始大自然景觀歸類爲第一自然，而把「現代性」所造成的人類生存空間稱爲第二自然。不論他寫愛慾，寫戰爭，寫都市生命，都像佛洛依德寫《文明及其不滿》那樣毫不隱瞞地直陳第二自然的「不滿」。透過性這個主題，羅門的確讓我們窺見了現代社會形態的一些面貌；但是就理念的本質來說，羅門以第二自然作爲相對於第一自然的範疇，事實上難免對「現代性」背後的原動力——理性——有所針砭，也正因如此，「第三自然」的說法方有被「正當化」的理由存在。第三自然指的完全是一種精神上的超越，是內心澄明清澈之際感悟和認知到的解脫之道。他曾表示：「在一切都被人類懷疑與重新估價的現代社會中……。我深信只有進入詩人與藝術家所開發的『第三自然』，使一切存在與活動於完美的結構與形式中，方可能認明上帝。」

一九八四年，洪範版的《羅門詩選》面世時，他自己寫了一篇序，文中說：

> 詩絕非是第一層次現實的複寫，而是將之透過聯想力，導入潛在的經驗世界，予以觀照、交感而轉化為內心中第二層次的現實，使其獲得更為豐富的內涵而存在於更為龐大且永恒的生命結構與形態之中。

第三自然便是詩人經由想像力在內心中轉化完成的「永恒的生命結構與形態」。關於第三自然的說法，羅門總是不厭其煩地述說它，而評論家論及它的也不少。坦白說，羅門自己的說法並沒有比他在詩作中所表達的來得具體或透明。追根究柢，關於禪悟，意會是一回事，形諸言說，着於文字又是另一回事，故而未熟讀其詩並感悟其境者恐怕無法從羅門的說明直接獲益或取得一把開啓詩的意義之鎖鑰。

爲什麼會有如此的尷尬呢？問題在於：爲了解說他的冥想，羅門不得不訴諸理性的架構和解析思維，而作爲一個詩人，其先天性、職業性的尷尬是：他總是會訴諸圖象思維，俾藉著意象和隱喩去表達。因此，在象徵方面，較顯著的如燈屋、螺旋錐或梯，都是第三自然「永恒生命的結構或形態」的表象（representation）；而在母題方面，光、透明、空間感覺的相對性等等無一不是指向冥想和超越。一九八九年四月羅門發表於《藍星》詩刊第一九期的《存在空間系列》便具體而微地呈現了這種冥想。第一則《天空與鳥》開頭兩行問道：

鳥如果不在翅膀上
天空的上面是什麼

用比較繁複的散文來說，「鳥如果不在翅膀上」，不就是說，牠成爲出了竅的靈魂嗎？脫離了肉身的鳥，在天空中飛翔，飛翔的不是一隻羽禽，而是一個消遙無羈無絆的靈魂；更進一步引申之，這鳥解脫了肉身之同時，牠無羈無絆的魂便佈滿了整座天空，駐進了天空的無限之中，所以接着詩人便有了答案：

事實上他是天空
　不是鳥
能一直飛的是天空

也不是鳥

也就是說，脫離了肉身羈絆的鳥由於某種「幻化」而取代了天空。但是，眞正在幻化的畢竟不是鳥，而是詩裏的說話者，是詩人，是羅門，因爲他才是這個沉思，冥想的源點，是這首詩的「主體」（Sulbect），所以這幻化爲天空的鳥是在冥想中的羅門的心情投射，也是賦與他（羅門）一種「異位」觀照的靈媒，而他的慾望——尤其是超越有限而臻於無限的慾望——也透過鳥去達成。

天空將各式各樣的鳥籠
留給早晨的公園
留給傍晚的樹林
將成千成萬的鳥巢

是對有形有限的生存框架進行批判。

用佛家的字眼，這或許可以稱爲名副其實的「觀」想。正如第三則《天空與眼睛》所寫的：

只有當環視看不見範圍
注視使一切穩住不動
凝視焚化所有的焦點
窺視點亮所有的奧秘
仰視再也高不上去

俯視使世界都跪下來
天空才會在最後
張開他的眼睛
從無看到有
從有看到無

※ ※ ※

我並不了解羅門的宗教生活，以上我對《存在空間系列》組詩所作的解釋，多少是我個人心情的投射。這幾年我嘗試一點宗教的靈修，而在佛經、佛智慧裏找到精神的泊居所，所以在解讀羅門這首近期之作時，難免也偏重於某些近似宗教性的意義，但無論如何，我說，對羅門而言，詩是他的宗教，這並非溢美之詞。畢竟羅門在將近四十年的寫詩生涯中，透過綿綿密密的沉思，而將點點滴滴的心得藉由詩作反映出來——那終究是詩的冥想、冥想的詩(Meditative Poetrg)，也是一種功課和靈修的努力。

藉着我相當個人化的解釋，我想說明的是：詩總是要由得分說，經得起解釋才有意義，而評論者訴諸個人主觀的立場去解詩，也有相當充分而正當的理由。

文史哲出版社所編印發行的這本評論文集《門羅天下——名家論羅門》蒐集了四十家之言，內容極為完備。這本書付梓，羅門請我寫序，我倒有些為難——並不是我不肯寫，而是難在這本書既已納入四十位名家，我的序頂多只是拋磚引玉，基於這樣的考慮，我想更不應該占用太多篇幅，就擱了迫切想讀評論的讀者。

我和羅門論交始於一九七七年，當年我擔任《中外文學》月刊的主編，本來有一項計畫，那就是對中國現代詩壇作個有系統的評估，一邊請評論家熟讀詩作而整理出比較具有全面涵蓋性的評價文章，一邊請詩人寫一篇自述和新作一併逐期刊出。這個計畫想要涉獵的詩人包括羅門、楊牧、洛夫、周夢蝶……等等，原來預計作十個詩人。當時，我還構想了一個相當具有挑戰性的做法，那就是事先不告知執筆的評論者和詩人，然後看登出來的兩造之言論是否精神旨趣能對應、銜接得上。於是我自己動手寫了《從顯型到原始基型——評羅門的自選集》，在二月號（中外文學五卷九期）和羅門的文章一併刊出。事先，我們並不相識；事後，發現我們彼此的文章相印證得相當接近。我那篇評文，也收入這論集中，或可做我個人對羅門創作較詳的評介。

十多年來，我發現，羅門對於詩始終堅持如故，不改其志。他不是唯美派的詩人；他的藝術執著爲的是要揭櫫精神上的超越，而不是遁世者的玄談。生活上，他實行他的超越論——經由創造，試着去碰觸永恒。同時，他也有他的道德堅持，所以他對性和都市文明，對物慾橫流人文枯索等種種現象的批判，總是還「夾帶」着某種道德定位的先驗價值觀。

羅門不是先知，也不以先知自居。他走過戰火砲聲，也像每一個大陸來的人望穿過回鄉的路。一九八五年，在香港的新界沙田遙望港九鐵路，他留下這樣的詩句：

祖國　你仍是放在地球上

最大的那張安樂椅……
到不了
只好往心裏望
多望幾眼
怎麼又望回這條線上來
原來是開入邊境的火車
又把一車箱一車箱的鄉愁
運回來

車走後
連土地都忘了
在那裏上下車
整條鐵軌
鞭過天空
聲聲迴響
陣陣痛

（《時空奏鳴曲》）

一九八九年，回去大陸一趟，才知道濶別的母親已經長眠地下二十載！儘管歷史的蒼茫留在詩人心上的是「淤血的內傷／有淒切的傷感／有潛藏的隱憂」，羅門還是以詩之手「推開天空與大地／先放雲與鳥進來／讓世界無限的遼濶出去……然後把圓寂與空茫／緊緊握成一朵渾成的永恒／把渾成的永恒／緊緊握成一朵不凋的芬芳。」在現代文明的重重圍牆中，他試圖構築他那「透明的時空建築」；在熙熙攘攘的臺北市，我們依稀聽到他對蓉子吟咏着：

隨便抓一把雪
一把銀髮
一把相視的目光
都是流回四月的河水
都是寄回四月的詩（《詩的歲月》）（註）

〔註〕羅門蓉子四十四年四月十四日星期四下午四時在禮拜堂結婚。

# 門羅天下目錄

## ——當代名家論羅門

# 從顯型到原始基型

## ——論羅門的詩

蔡源煌

「顯型」與「原始基型」涉及兩個完全不同的範疇：前者係遺傳學上的phenotype，指生命體在生存環境中所表現的可見的外在特徵；後者（archetype）係容格所創，應用在文學上——套用傳來的界說——是指「一個典型的或重複出現的意象……是將一首詩與另一首詩連繫，進而整合統一吾人之文學經驗的一種象徵」①這裏所謂現代生命的顯型，是指都市生活而言。都市生活的世界是一個拘囿於局部時空的有限世界。衆所週知的，美的要素包括時代性、永恆性兩個層面。詩人之爲藝術家，爲美的締造者，關鍵在於他能夠從這個有限世界中，去找到無限、永恆、絕對之象徵。職是之故，詩人乃必須訴諸想像之原始基型，而以眼前的都市生活意象作爲溝通現象界與理念界，現實與永恆的媒介。本人試從這個觀點來探討羅門詩中之精神探尋方向。

羅門在接受高歌訪問時，曾對「現代」一詞作了這樣的定義：

……「現代」是一種特殊的時空觀念，它肇始於科學力量所帶來的極度物質文明，以及因此所引起的人類生存環境的悲劇……。「現代」兩字，其實就是大多數人類精神

所已共通面臨的這一特別狀況的時空——它正以一種日漸都市化的壓倒性的生存力

> 量，逐漸地向世界每一個角落延伸②。

詩人的強烈「現代」觀念與他的自我意識不無關係。有感於自身所扮演的傳統角色，詩人冀圖藉現代感給予他的啓示，來探索人類的精神出路。就如羅門在同一篇訪問錄中所說的：

> 因為「現代感」對於個人或全人類的生存世界，永遠是具有強烈的變異性與超越性，能為人類存在不斷帶來新的經驗與體驗，去提供出昔日未有的貢獻③。

現代詩錄用都市意象，並非我國詩人所肇設。（不少人以爲現代感於我國讀者不易引發共鳴，因爲國內似乎尚未體會到西方那麼厚重的科技撞擊。）歐美詩人起用都市意象者，首推波特萊爾。波氏爲「惡之華」再版（二版）寫的序詩有兩行寫道：

> 我從每一件事物當中擷取其精華；
> 都市啊，你給了我妳的泥沼，我將之變為黃金④。

將城市的陰霾、紊亂化爲黃金，意味著詩人藉卓越的想像而臻至某種超越。然而，就如波氏「巴黎的憂鬱」一書的結尾詩所揭示的，儘管詩人想以唯美的超然觀點去欣賞巴黎，觸目所及卻是一片陰森醜陋。該詩全文堪值引述：

> 心滿意足地，我爬上了那座山
> 從那兒，你能凝視全城：
> 醫院、妓院、煉獄、地獄、監牢，

在那兒，一切愚笨的事物綻放如一朵花。
你知道，啊！撒旦！我的痛苦的護衞神，
我不是去那兒啜泣，

而是像一個老情婦的老登徒子，
我欲沉醉於那巨大的蕩婦，
她極惡的魅力令我年輕，不休不止地。
不論你依然在凌晨的床單中昏睡，
氣悶的，幽暗的，感冒了的，
或是妳在傲然而行，在飾以黃金的夜幕中，

我愛妳！啊！汚穢的首都！娼婦們
和匪徒們，你們常常奉獻那種逸樂，
庸俗的門外漢所不能瞭解的⑤。

本詩第三行指出鳥瞰巴黎所見的一些殘敗墮落之象徵：醫院、妓女戶、監獄；然而，最後一段，詩人卻說愛上了這一座「汚穢的首都」——包括它的娼婦和匪徒。詩人甚至離經叛道地尊奉魔鬼撒旦爲痛苦的護衞神。這種乖戾的體驗，若與波氏所說從道德的泥沼中擷取精華相提並論，就不難看出現代都市潛在的墮落與詩人之喪蕩游魂了！

羅門的詩，以都市生活爲題材的，比例甚大：都市之死、都市的落幕式、都市的五角亭，甚至咖啡廳……等等都是。舉個最簡單的例子「都市的落幕式」：紅燈一亮時，交通阻塞，都市頓時成了一具殘敗的軀殼，循環、消化、排泄等功能都停了下來。事實上，這就是現代人生活的空間，它所發生的一切事態、現象，幾乎是每個人天天要面臨的。都市生活所以成爲羅門詩中現代生命的顯型，其理由也是不言而喻的：

煞車咬住輪軸
街道是急性腸炎
紅燈是腦出血胃出血
十字街口是割去一半的心臟
只有那盞綠燈是插到呼吸裏去的
　　　　通氣管

這裏的綠燈，須臾就從交通號誌淪入另一種意義層次：

那陰處便對準你發洩
夜夜　綠燈戶是你的北極星

都市之死，與其說是肉體之死，不如說是精神的枯竭。在那裏，人們徒以楚楚衣冠來掩飾心震之汚染；試看這首「都市之死」：

櫥窗閃著季節伶俐的眼神
人們用紙幣選購歲月的容貌
在這裏 腳步是不載運靈魂的
在這裏 神父以聖經遮目睡去
凡是禁地都成為市集
凡是眼睛都成為藍空裏的鷹目
如行車抓住馬路急馳
人們抓住自己的影子急行
在來不及看的變動裏看
在來不及想的迴旋裏想
在來不及死的時刻裏死

上引最後三行，連續三個「來不及」，把人心的栖栖惶惶以及時間對生命的無情壓力寫得淋漓盡致。生命急促的漩渦，變化莫測；困囿於生命的深淵，時時刻刻都戰戰兢兢，可是一旦風起雲變，卻猶如一個被捲入渦流的人，倉促得什麼都來不及想，來不及看。神父無人問津，閒得以聖經當屏目障，昏昏入睡——禁地的醜陋是可能驚動他的寧靜的一場噩夢。「鷹目」一詞，顧名思義，是貪婪的象徵，將人們性飢渴的眼光醜化得令人怵驚。

這首詩裏，羅門雖曾提到巴黎、埃爾佛鐵塔，但是它與波特萊爾的巴黎，歐立德的倫敦一樣，已踰越了時空界限，而成爲墮落城市的典型。前面已經指出，都市生活祇是現代生命顯型之一。綜觀羅門詩作，讀者可以發現，環繞着現代生命的難題不外乎戰爭、死亡、性、寂寞。

「麥堅利堡」一詩，概括了前兩個主題。「麥」詩係五十年間羅門赴菲律賓遊該堡而作；全詩之連貫楔引，簡單地說，是「一將功成萬骨枯」這個老生常談：詩人因憐憫戰鬥者於沙場上的茫然心態而唾棄戰爭。此詩一開始，就將戰爭與死亡相提並論：

戰爭坐在此哭誰
它的笑聲　曾使七萬個靈魂陷落在比睡眠還深的地帶

戰爭被比喻爲一個喜怒不定的虐待狂；人們的廝殺是它的消遣。矛盾的是，沙場捐軀的士卒，並不知道他們被戰爭所調戲所愚弄；所以詩人爲他們哀禱說：「你們的名字運回故鄉，比入冬的海水還冷」。接著詩人又把死亡、戰爭推溯到一個失去的神話——童年：

……在死亡紊亂的鏡面上　我只想知道
那裏是你們童幼時眼睛常去玩的地方
那地方藏有春日的錄音帶與彩色的幻燈片

羅門並不諱言死亡。死亡就如歐立德在「荒原」組詩裏所表現的，是一種必然性。唯有透過死亡，新的精神生命方期肇始。同樣地，羅門亟欲表現的是一種永恆超越的嘗試：藉死亡而將穿梭急馳的時光隧道凍結起來，不也是一種永恆？

……你們是不來也不去了

靜止如取下擺心的錶面　看不清歲月的臉

在日光的夜裏　星滅的晚上

你們的盲睛不分季節的睡著

睡醒了一個死不透的世界

睡熟了麥堅利堡綠得格外憂鬱的草場

就這首詩的推演過程來看，羅門似乎在從事類似波特萊爾的努力，企圖從泥沼中擷取出珍貴的一面。死亡變成了一個似非而是的矛盾語詞。全詩的語調從哀禱嘆惜，一轉而爲勝利的慰藉，因爲死亡使「時間逃離鐘錶」。不幸的是，死亡的最後陰影仍然籠罩過來：

當落日燒紅滿野芒果林於昏暗

神都將急急離去　星也落盡

你們是那裏也不去了

太平洋陰森的海底是沒有門的

儘管如此，我們至少已看出羅門努力的方向。這便是爲什麼他在「死亡之塔」的題詞中指出「透過死亡對生命認知」的道理了。他說：「生命最大的迴聲，是碰上死亡才響的。站在『死亡之塔』上，我更看清了生命。」

關於「性」方面，羅門也做過同樣的努力。性的意象，在羅門詩中，多半是與紊亂緊密連結的。例如：

天一黑
某些東西不是找他按摩
便是接受她的電療
在那一擊便著火的空氣裏
她是一隻RONSON牌打火機——「歌女」（「都市之死」）

一排乳房
排好一排浪
夜
便
波
動
起
來
了——「咖啡廳」

迷你裙短得像一朵火花
一閃 整條街便燒了起來
行人發呆成風中的樹——「禮拜堂內外」

但是「都市之死」裏羅門卻說：

而腰下世界總是自靜夜升起的一輪月
一光潔的象牙櫃臺
唯有幻滅能兌換希望

原先詩人所坦露的「美麗的獸」，「美麗的荒野」，現在提昇爲一輪月，一具象牙櫃臺；於是詩人油然生起一種象徵性的「死願」(death wish)，圖以幻滅來兌換希望。這個主題，如果拿「海」一詩中所用的譬喻來說明，更容易理會。

想起種星
種月
種雲
種鳥
種風
種浪
竟種出那麼多的乳房

難怪太陽用力一吻
便吻成那片藍色的墳園
當黃昏踩著落帆走來
你便在最後的一張網中離去

不可諱言的，乳房是生命繁殖力的象徵，星月雲鳥風浪這些與浪漫想像息息相關的意象，和乳房相提並論，意味著想像的昇華。「太陽用力一吻」這個做愛的意象，卻導致生命的沒落終結，使天空海洋成爲一座藍色的墳園。性愛與死亡的並列，正說明了所謂的「幻滅」；而當人離開了生命最後一張羅網，擺脫了最後一具「人性枷鎖」時，「另一個世界」的希望也就端倪可見。

羅門第一次寫的「夏威夷」一詩，也表現了這個主題，夏威夷海灘的景致，閃爍在一連串具有明顯「性」象徵的火紅意象裏：「威士忌與櫻唇是兩種燃燒的玫瑰／紅在花園島的夜晚」，在「火把暴露的園景」。在這個前提下，踏著夏威夷海灘的花與浪——一如Andrew Marvell的「花園」("The Garden")——才能迎接天堂：「誰站在那裏，誰都會長出天使的翅膀」。

追究現代生命的癥結所在，羅門發現，人的另一個困擾是寂寞。人活在現代時空當中，「總是握住掌心而不知手在那裏／總是想不出鳥飛出翅膀的時候」(見「自選集」九一頁)，一無斬獲。寂寞是張無形的羅網，牢牢罩著人心深處；人際接觸疏索，而飄泊的心靈卻竭力掩飾自我，成了無根的種子：

人們藏住自己如藏住口袋裏的票根
再也長不出昨日的枝葉響不起逝去的風聲
一棵樹便飄落到土地之外去——「都市之死」

「流浪人」坐在咖啡檯旁邊，形影相弔，「用燈栓自己的影子」——影子是「他隨身帶的一條動物」。

羅門詩中運用了兩個古老的典故——上帝的退隱與童年的消逝——來強調人的無助。「死亡之塔」有一節這樣寫道：

主啊　連你自己都失業與斷糧了
叫我們如何從奉獻箱裏要回你的借款
如何在一個破洋娃娃裏挖出嬰兒時的哭聲
如何在林蔭道上拾回孩童時滾鐵環的輪響
如何在鐵軌上收回那些逃奔的日程

個人生命的歷程中，純樸無邪的童年是黃金時代，面臨成年人的現實世界壓力，人心裏上往往有股潛傾，想退縮到那個永遠有人看顧呵護的時代。就整個人類命運來看，人類的黃金時代乃是未墮落以前的伊甸園時代。樂園既已失於一旦，人們乃只有指望於上帝的天國，可是上帝已然遠離茫茫衆生，遙不可及。然而，神的力量之消失，人們也難逃其咎。在羅門詩中作者隱約地指出人們並未全心全意去擁抱上帝：

教堂的尖頂 吸進滿天寧靜的藍
　　却注射不入夜都市的黑色血管
十字架便只好用來閃爍那半露的胸脯
那半露的胸脯 裸如月光散步的方場
　聳立著埃爾佛的鐵塔
　　守著巴黎的夜色 守著霧 守著用腰祈禱的天國

所以，儘管「亞門像電鈴呼叫在萬物紊亂的門號上」，又能怎樣？況且上帝又不是「那扇啓閉的百葉窗／在兩根繩來回的反拉裏」唾手可得。

童年的黃金時光，在時間頻頻壓榨之下，已淪爲一片虛無痛苦：

一種刀尖也達不到的劇痛常起自不見血的損傷
當日子流失如孩子們眼中的斷箏
一個病患者的雙手分別去抓住藥物與棺木
一個囚犯目送另一個囚犯釋放出去
那些默喊 便厚重如整個童年的憶念
被一個陷入漩渦中的手勢托住
而「最後」它總是序幕般徐徐落下

「不見血的損傷」，亦即精神上、性靈上的戕害，遠較肉體的損傷厲害。童年厚重的憶念，托在一個即將溺斃的人手上，須臾即逝之夭夭。精神上的兩個歸宿——上帝與童年——既已告敗，生命之淒楚無依自不在話下。難怪乎詩人一再「理性化」死亡凍結時光移轉的作用，仍無法擺脫死亡「最後」的陰影！

羅門試圖超越現代生命現象的壓抑，其動機至此已極爲明顯。羅門於六十五年十一月號「中外文學」發表了重寫過的「夏威夷」；該詩結尾附了一個註腳：覺得前一次寫夏威夷時，未能將它那種由「自然性」與「人性」所滙流的強烈與特殊的美感力充分表現出來，故再度來表現它。質言之，羅門所要表現的，也就是他所謂的「第三自然」⑥。第三自然的塑造，是以萬法唯心爲出發點；包括了超脫、永恒的追求，乃至原始基型的緣用等。

「超脫」一詩中，「生命」已被置之度外：

這種流動
是與河無關的
管它有岸或無岸
　岸上會有什麼山色
這種流動是不帶身體的
有了身體一流動

便須去想起搖籃
想起那塊石碑
是無人操作的帆
這種流動
是不須去想的
一去想 誰也想不通整個天空
會交給那朵雲

本詩所揭櫫的「超脫」便是一種永恒的追求；本身是一種手段，同時也是目的。達到這種境界，才不會去思慮人之謎：搖籃與墓碑所標示出來的生命之始終。最後一行的「整個天空交給一朵雲」，乃是視野的緊縮，自遼闊而至一個焦點上的靈視，指出了追求永恒的努力可資循就的一個方向——就像面對著恒河而坐的悉達多⑦，將生死萬態注入客觀之中，宇宙萬象與個人生命方得結合，而臻至心靈永恒之地。

又如「孤煙」中的這一段：

天空漲成一隻大乳房
那是唯一站起來流的河流
流天空成一棵棄體而飛的樹

鳥翅是飛行的葉子
空濶也是棄體而飛的
…………
你虛脫成浮昇之峯
一聳立便得軸
一迴旋便見心

「棄體而飛」便是超脫（或「虛脫」）。「虛脫成浮昇之峯」一行，已將感知過程的絕對超越勾勒出來，與最後兩行所用的轉輪意象配合。唯有把握輪軸——轉輪的中心點，才能見到迴旋的心；而這個軸心本身雖不停地轉動，卻停留於一個同定點，是永恒之境最恰當的譬喻。

類似這樣的努力，在「隱形的椅子」第六段寫得猶爲玄測：

森林以千萬種意象
　架構著藍天
寂靜是一面鏡
只要鳥聲劃空而過
便有一把鑽石刀
對著它劃過去

劃開許多門許多窗

這正是所謂靜觀自得最好的寫照；全神貫注，投靈機於森林之靜謐中，一聲鳥叫清澈地掠過心底，劃開無數的心靈之扉。

大致說來，羅門最常用來表現這種永恒的意象是窗、螺旋、燈屋以及某些意示原始生命力的象徵⑧。

「窗」寫於六十一年，卻列爲「自選集」的第一首，羅門似乎有意以它爲序詩。

猛力一推　雙手如流
總是千山萬水
總是回不來的眼睛

雙手猛力推出，其動作卻如流水一般順暢，暗示內在的迫切慾望與千山萬水的外在誘惑力；千山萬水盡納入眼簾，故而收不回靈魂之窗的眼睛。緊接著，在眼睛「遙望裏」，觀者與千山萬水的自然景致，已達到渾然交融之地步，所以

遙望裏
你被望成千翼之鳥
棄天空而去　你已不在翅膀上
聆聽裏
你被聽成千孔之笛

**音道深如望向往昔的凝目**

本節第二行的「你」是個問題的「你」，姑不論它究竟何所指，一個至爲明顯的蛻變過程展現在讀者眼前。遙望裏，觀者遊思千山萬水之間，脫羈而出，化成千翼鳥在天空「棄體而飛」地翺翔，又化爲音質深邃感人的千孔笛——音道像眷戀往昔而入神的眼睛一般深邃。自肉體實質而至千翼鳥、千孔笛的蛻變，耐人尋思。

**猛力一推　竟被反鎖在走不出去**
**的透明裏**

「走不出去的透明裏」本身是個矛盾語，走不出去意指其界限，而透明卻是「無限空間」(empyreal; adinfinitum) 的相關影射。乍看之下，「反鎖」的「反」字似乎是多餘的；不過，它的語氣與拉鏗 (Philip Larkin)「上教堂」(“The Church-Going„) 一詩的前兩行是不謀而合的，充滿張力：

*Once I am sure there's nothing going on*
*I step inside, letting the door thud shut*

反鎖在走不出去的透明裏，說明了 adinfinitum 的莫大吸引力。

羅門在「螺旋形之戀」的題詞中，刻意將唱片旋轉的螺旋形立體化說：「唱盤旋出螺旋形的年輪；樂音旋成螺旋形的心靈世界。螺旋形，深且看不到底；進去，也不易出來。所以螺絲釘便是屬於那種堅定與釘了而不易拔出來的東西。」螺旋代表永恒的意義至爲明顯。開始，羅門說：

> 門窗緊閉成堅然的拒絕
> 簾幕垂放成幽美的孤立

詩人片刻地排斥現實，而遁入音樂的「世界」裏，頓時屋裏屋外成了兩個截然迥異的實在：外面的現實世界成了風，任其吹嘯而去，而屋子裏，音樂中的大自然（例如貝多芬的「田園交響曲」）「像波流涉及岸」一般展現在詩人的想像靈視中。陶醉在音樂「再塑造」的大自然田園中，將現實拋諸九霄雲外，那種感覺——也只有借用電學的隱喻才能表達——就像

> 全然絕緣的觸及
> 是驟然在空氣中誕生的鐘之聲　電之光

經由這種超脫的感覺，詩人便「在心壁上繪一幅畫」：「在那無邊無底地廻旋的空間裏／養一林鳴聲，著滿天雲彩」。於是，詩人也愛上了這個螺旋：

> 我便愛人般專情　順著旋律的螺旋梯
> 跌入那把握不住的迴旋的傾向裏
> 直到心抓穩了那種死

那種死猶如佛家所說的一種圓寂、涅槃似的境界。其福祉也是一種 adinfinitum：

> 怎樣也流不盡葡萄裏的甜蜜
> 怎樣也看不停噴水池裏的繽紛

> 怎樣也拾不完睡嬰醒時眼中的純朗

羅門還特地指出：這個「宴會」上帝與凱撒都缺席。因爲上帝已然遠去，而凱撒一生戎馬倥傯，想窺探這種境地都不得其門而入。心靈隨著音符的引導而步入自然之中，永恒的美感凍結起來，永不凋朽；那一瞬間，時間對生命也莫奈之何而停擺了。最後，詩人說，這種意境是

> 一種醒中的全睡　睡中的全醒
> 一種等於上帝又甚於上帝的存在

因爲詩人是這「另一個世界」的造物主，他的存在乃至於「甚於上帝」。

燈屋的意象，在羅門詩中，大半是指詩人的自宅而言，但是，進而言之也指燈塔。燈塔是航海人的航路標誌，其位置形勢足以使它成爲世外桃源的象徵。看守燈塔的人，經年累月看管著鯨油的燃燒，爲海上航行的船隻亮一盞紅燈。燈塔的世界因而也是遠離塵囂的超脫世界。

羅門的「燈屋」一詩，開始卽重複「螺旋形之戀」的意境說：

> 光的噴泉　無聲地交織
> 音樂流入音樂　色彩溶入色彩
> 綠窗向海　以寧靜的默呼相望
> 晚霞在守塔人的臉上圍成玫瑰園

第二行的「流入」、「溶入」二詞使「螺旋形之戀」的意境又延伸到另一個層面；「流」、「溶」兩字意示了屋內洋溢的「超脫」。第三行的綠窗又與晚霞、玫瑰園形成顏色的鮮豔對照。「螺」詩訴諸聽覺的美感，而這首「燈屋」則訴諸視覺的美感。

瞬息間的永恒　坐在守塔人的眼上
守塔人的世界　精巧如目之焦點
遮以軟軟的明暗　映著萬象

反之，塔外世界卻是一個醜陋的塵世——「一個垃圾箱／虹不會由那裏昇天」。

原始基型與詩人的文學想像是密切不可分的。按傅萊氏的界說，上述三個意象廣義地說也是文學想像的原始基型。除了這三個意象之外，「海、山、河」組曲所運用的原始生命力之象徵，是道地的原始基型。「海、山、河」三首詩開始兩行一貫用條件祈使句的語氣呼出。河被喩爲「一條原始的歌／唱高了山／唱深了林／唱遠了鳥的翅膀」；海是「那透明的空闊」，它的靜謐深沉「用整座天空去碰也碰不出聲來」；山開出「那朵高昂」——高昂一如超脫、虛脫、透明等字眼，是 adinfinitum 所綻放的花朵。海山河等自然實體，透過詩人的想像，而提昇爲生生不息，生命力取之不竭用之不盡的源泉。茲以「海」的第三段來說明：

整個寂靜在那一握裏
伸開來　江河便沿掌紋而流

滿目都是水聲
山連著山走來　走來你的形體
翅膀疊著翅膀飛去　飛成你的遙遠
在遠方　那顆種子已走成樹林的秩序
那滴水　不也是種子
　　已走成你
　　走成你的波動
　　你的翅的層次

掌心握住江河之流這個意象，喻指用所有的官能感知去擁抱大自然，去理會大自然的秩序的意圖。海的遼闊，用山脈的綿亙和翅膀飛去的遙遠來表現。在「孤煙」一詩中，我們已經看到所謂「棄體而飛」所代表的意境；然而，這裏重疊的山峯與翅膀則更進一步給人一種「連續」的感覺。所以詩人很容易就牽引出從種子到樹林，自滴水而成滄海的孳繽，最後「翅的層次」一詞，刻意複述海所代表的無限感——不休止的原始生命力。

本文所稱從顯型到原始基型的過程，並不是指依寫作時間順序而成形的演變，而是指詩人心靈中潛存的一種超越嘗試。在主題精神上，羅門的顯型與原始基型是自成因果的進展。不容諱言的，羅門詩中之次要意象，艱深晦澀者諸多——至少不像史蒂汶斯（Wallace Stevens）或意象派詩人的意象那麼順暢——因而多少影響讀的了解。本文旨在試探一個精神追尋的方向，願能拋磚引玉，爲羅門詩作的主題了解提供一點線索。

**【附　註】**

① Northrop Frye, *Anatomy of Criticism* (Princeton University Press, 1957), p. 79.原文是："...a typical or recurring image...a symbol which connects one poem with another and thereby helps to unify and integrate our literary experience."

② 「羅門自選集」（黎明，六十四年）二四六頁。

③ 「自選集」二四七頁。

④ Charles Baudelaire, *Oeuvres posthumes* (Paris, 1908), p.20.

⑤ 譯文見胡品清譯「巴黎的憂鬱」（志文，六十四年），一六一～一六二頁。

⑥ 「自選集」五～二二頁。

⑦ 指赫塞（Hermann Hesse）*Siddhartha* 一書的主人翁。

⑧ 「三重奏A」第一節「廻旋的燈屋」（「自選集」九七～九八頁）就融合了前三個意象。

「中外文學」一九七七年二月一日

# 分析羅門的一首都市詩

張漢良

以民國三十八年政府遷臺爲分水嶺的中國現代詩，前後兩期可鈎勒出某些相異之處，包括語言的運用與題材的選擇兩方面。後者的具體表現之一，是詩與現實世界的摹擬（mimetic）關係。現代化造成的社會結構與生活型態的改變，往往衝擊著敏感的詩人。反映這種社會現象的都市詩（urban poetry）乃應運而生，最具代表性的詩人便是羅門。

在西方，都市詩濫觴於象徵詩人波特萊爾（Baudelaire）的「惡之華」（*Les fleurs du mal*）；十九世紀後半葉與寫實主義小說並駕齊驅；經過頹廢詩人與「世紀末」（*Fin de sicle*）詩人的宏揚，如湯姆森（James Thomson）的「惡夜之城」（"The City of Dreadful Night"）。布卡南（Robert Bucahnan）的「倫敦詩鈔」（*London Poems*）；到二十世紀初，由艾略特（T.S. Eliot）的「荒原」（"The Waste Land"）總結。這個傳統在中國並不明顯，羅門可算是獨樹一幟者。

羅門是臺灣少數具有靈視的詩人之一，他的靈視與象徵系統，基於個人的三元（或二元）世界觀。第一自然是「日月星辰、江河大海、森林曠野、風雨雲霧、花樹鳥獸以及春夏秋冬等交錯成的田園與山水型的大自然景象」①；亦卽浪漫主義者所嚮往的自然。第二自然是與大自然抗衡的人爲世界，「現實生活環境與社會形態」②；亦卽古典主義者用以肯定人定勝天價值觀的世界，其具體象徵便是城市。第一和第二自然構成了人類生存的「兩大『現實性』的主要空間」③。但對詩人與藝術家而言，這個空間祇是起點；創作的心靈，「追隨著詩與藝術的力量，進入那無限展現的『第三自然』④。我們可以說，第一自然與第二自然爲詩的素材；而作爲摹擬藝術的詩，所呈現的便是第三自然。如果把羅門的一、二自然歸納爲現象界；那麼詩所營構的世界，便是超越此現象界的本體界。。這正是「超越象徵主義」(Transcendental Symbolism)的藝術觀，葉慈(W.B. Yeats) 的拜占廷 (Byzantium) 便是一例。

作爲批判現代生活的都市詩人，羅門經常表現的主題之一，是第一自然與第二自然的衝突，或前者被後者的挫敗與戕害，如「鳥」中所示：

要不是鳥籠
使原野瘦了
翅膀怎會想自己
是天空的兩扇門
眼睛也不會望成
窗外的風景

另一常見的主題，是詩人運用類似自然主義的手法，如外科醫生以手術刀把現實人生或社會切開，呈現血淋淋的「人生切片」(*tranche de vie*)。這種「切片」分別有理論的基礎與實踐的特色。第一、由於人被視爲一種自然生物，他服膺於自然的決定論，即受遺傳與環境的影響。第二、詩人取材不受限制。以往認爲不雅的、不入詩的，現在皆可入詩。但有時詩人矯枉過正，鏡裏反映的社會與人生反倒是黑暗的、病態的。如「都市的落幕式」所示：

煞車咬住輪軸
街道是急性腸炎
紅燈是腦出血　胃出血
十字街口是割去一半的心臟
只有那盞綠燈　是插到呼吸裏去的
　　通氣管
都市你一身都是病
氣喘在克補與克勞酸裏
癱瘓在電梯上
痙攣在電療院裏

於瘋狂症發作的週末

在這兩節詩中，都市被擬人化：街道是腸；紅綠燈是控制輸送的樞紐；都市的病也是人的病。治療這些疾病的藥物與方法：克補、克勞酸與電療院，一方面經營著都市與人的暗喻關係；另一方面也相當濃縮與逼眞地刻劃出現代人的病態生活。這正是最典型的都市詩。

羅門喜愛表現的第三個主題，是人扮演著第一自然與第二自然之間的介中因子。以下筆者援用結構主義的批評方法，分析「咖啡廳」一詩，以爲例證。

一排燈
排好一排眼睛
一排杯子
排好一排嘴
一排椅子
排好一排肩膀
一排裙子
排好一排腿
一排胸罩
排好一排乳房

一排眼睛
排好一排月色
一排嘴
排好一排泉音
一排肩膀
排好一排斷橋
一排腿
排好一排急流
一排乳房
排好一排浪

夜
便
波
動
起
來

「咖啡廳」這種使用串連句法的詩，由於貌似自動寫作（*L'ecriture automatique*），往往爲人詬病。受潛意識操縱的自動寫作，與語言衍生現象以及成品的關係如何，此處不論。但有兩點需要說明。第一、自動寫作的問題不在句構（syntax）。它的句構與普通句構並無不同。第二、問題在語意（semantic）。自動寫作的局部語意可能成立，但從整個文義格局（semantic context）——如果文義格局一詞能夠成立的話——看來，亦即從作品的目的論（teleology）看來，可能會發生問題⑤。本詩——或任何詩——是否自動寫作，需要詳細論辯，此處不論。事實上，本詩的結構異常嚴謹，此處所謂之結構，包括意象與節奏兩方面，而後者並不指狹義之押韻與格律。此爲現代詩俗成體制，無庸辭費。

結構主義批評家雅可布遜（Roman Jakobson）指出人類語言結構的兩大原則：換喩（metonymy）與暗喩（metaphor）。前者是連貫性、時間性的，形成語言的直線型句構，亦即德索許爾（de Saussure）所謂的 syntagmata；後者是置換性的、空間性的，往往形成語言的非直線型意構，其關係亦即德索許爾所謂的paradigmata。一般說來，散文的結構是換喩式的，是邏輯的（logical）；詩的結構是暗喩式的，是類比的（analogical）。詩的功能，套用雅可布遜的名言，便是「把相同原理從選擇軸上投射到連貫軸上。」（"The poetic function projects the principle of equivalence from the axis of selection into the axis of combination."⑥。這語言的兩大原則與夢的結構原則完全相同，已由結構主義心理分析學家如拉岡（Jacques Lacan）等人指出，適爲自動寫作之辯護，此爲餘話。

羅門的「咖啡廳」是說明上述語言結構的最佳例子，試分析如下。首段單數行（一、三、五、七、九行）的意象，如「燈」、「杯子」、「椅子」、「裙子」、「胸罩」，皆屬「第一自然」（此處爲人體）以外的物件；更確切地說，它們屬於人爲的「第二自然」（咖啡廳）。這些物件的關係是隣近的（contiguous）、啣接的（consecutive），燈→杯子→椅子→裙子→胸罩。這種啣接關係，無疑呈現一個時間性的行動過程，我們很容易以一散文的句構表示：「〔進入咖啡廳的〕燈〔下〕；〔端上咖啡〕杯子；〔坐在〕椅子〔上〕；〔撩起〕裙子；〔露出〕胸罩。」方括弧裏的字，是散文意述（paraphrase）或文法正常化（normalization）時所加上去的字。此處閒話一句。新批評者反對意述，布魯克斯（Cleanth Brooks）認爲它是「異端」（"heresy"），殊不知他們忽略了文學作品作爲傳播行爲，需要涉及接受狀況。接受詩時，讀者很自然地會把文學的體制性語言（conventional language），意述爲自然語言。「正常化」之所以被稱爲「自然化」（naturalization）⑦，正是這個原因。新批評最大漏洞，即忽略了作者的意圖（intentionality）與讀者的接受情況（reception），卻強辭奪理爲專注訊息（message），甚至提出似是而非的「意圖謬誤」（Intentional fallacy）與「效應謬誤」（Affective fallacy）。這現象在國內尤其嚴重，此處暫且不談。要之，我們發現，本詩第一段單數行的意象關係，透過散文意述，是換喻式的。

類似的結構亦見諸偶數行（二、四、六、八、十行）的意象關係。眼睛、嘴、肩膀、腿、乳房同屬人體的部份，暫且稱之爲「第一自然」的部份，它們彼此的關係亦爲隣近的、連續的換喻關係，因此可產生與單數行平行的行動過程或句構。

然而，單數行與偶數行意象之間的關係，則是暗喻的。例如一行的視覺意象「燈」被置換爲二行的視覺意象「眼睛」；三行的「杯子」被功能性地置換爲四行的「嘴」。依此類推，「椅子」與「肩膀」；「裙子」與「腿」；「胸罩」與「乳房」的置換，皆基於類似的功能性。

第二段單數行的意象，完全是第一段偶數行意象的重複。不同處在於此地的「眼睛」、「嘴」、「肩膀」、「腿」、「乳房」（原屬「第一自然」的人體），由於在第一段與「第二自然」發生功能的聯繫，已轉變爲人爲的「第二自然」的屬物。和它們對位的是偶數行的「月色」、「泉音」、「斷橋」、「急流」、「浪」等屬於「第一自然」的意象。而同爲視覺意象的「眼睛」與「月色」又互爲暗喻關係；「嘴」與「泉音」復爲功能性的暗喻置換。底下依此類推，最明顯的便是「乳」、「浪」這個俗成的暗喻所建立的意象關係。

如果我們以符號代替一、二兩段的意象，A（燈）、B（杯子）……代表「第二自然」；A″（月色）、B″（泉音）……代表「第一自然」；那麼A′（眼睛）、B′（嘴）……便是這兩層自然之間的介中因子，調和了兩者的對立。圖示如下：

一段

E←D←C←B←A
↙　↙　↙　↙　↙
E′←D′←C′←B′←A′

二段

E′←D′←C′←B′←A′
↙　↙　↙　↙　↙
E″←D″←C″←B″←A″

A（燈）……與A″（月色）……兩組意象羣之間，顯然是暗喻關係，如對角線箭頭所示。介於「第二自然」與「第一自然」之間的，便是A′（眼睛）……這個分屬兩重自然的介中因子。「人」指出這兩層自然彼此的離異；或者溝通它們。事實上，構成本詩行動句構(syntagm)──或套用藍遜（John Crowe Ransom）的名詞「邏輯結構」的，便是一連串相連的、互爲換喩的人體器官，如水平箭頭所示。人介於兩層波動的「浪」之間，便是這個意思，因此本詩末段爲水平排列。

總結一句：本詩一、二段的兩組意象羣，「燈……」與「月色……」分屬第二與第一兩層自然；它們的關係是暗喻式的，認同卻又牴觸。它們與人體器官的意象羣，又分別爲暗喩關係。結合前兩組意象羣的，便是兩段皆出現的、連貫的、一系列的人體器官換喩。本詩說明了詩是語言的暗喻結構（選擇軸）投射到換喩結構（連貫軸）。

透過本詩結構的分析，我們看出羅門的觀念：人如何介中於「第一自然」與「第二自然」之間，指出它們的離異，或調和它們；或如何能夠藉詩的活動，創造出一個超越這兩層自然的新秩序。這新秩序就是他所謂的「第三自然」。

## 【附　註】

① 「羅門自選集」，臺北，黎明文化事業股份有限公司，一九六五年，頁五。
② 同上，頁六。
③ 同上。
④ 同上。
⑤ 參見Michael Riffaterre., "Semantic Incompabilities in Automatic Writing," in Mary Ann Caws ed, *About French Poetry: from Dada to "Tel Quel"* (Detroit: Wayne State Univ. Press, 1974), pp. 223-241.
⑥ 參見Roman Jakobson, "Linguistics and Poetics," in Thomas A. Sebeok ed., *Style in Language* (Cambridge: MIT Press, 1960), pp. 350-377. 換喩與暗喩的討論，參見Roman Jakobson and Morris Halle, *Fundamentals of Langauge* (The Hague: Mouton, 1956), Ch. 5.

⑦「正常化」爲結構主義批評極重要觀念。參見 Jonathan Culler, *Structuralist Poetics* (Ithaca, New York: Cornell Univ. Press, 1975), Ch. 7.

（「中外文學」一九九七年五月一日）

## 【附】都市詩言談——臺灣的例子

張漢良

臺灣都市詩的大宗師羅門喜歡處理都市／自然的辯證以及人的中介現象，試以〈玻璃大廈的異化〉爲例。

站在街口
看玻璃大廈
將風景一塊塊
冷凍在玻璃窗裏
坐着火車出城
看玻璃大廈
在飛馳的車窗外

很快解體
飛成一幅幅風景
溶入山水
化為煙雲
眼睛追不上
便轉回車內
望着空空的雙目
竟又看到另一座玻璃大廈
閃亮在那個鄉下小孩的
孔瞳裏
走過去
要五十年

（一九八七年）

物質文明的發展造成人的異化：人與自然以及人性的離異。這個通俗的「批判」概念與羅門大力宣揚的三重自然藝術觀可相互發明。作爲第二自然都市換喻的玻璃大廈，象徵着人與第一自然的異化（首段）。要克服異化祇有回歸第一自然，即二段所述玻璃大廈被解體爲山水。但這種慾望是挫敗的，眼睛已追不上山水。回眸望車內，另一座玻璃大廈在鄉下小孩的瞳孔內成形，半個世紀的異化過程已經改變了人性。在人爲的都市內，玻璃大廈規模自然，將風景涷住，走出城外，人爲規模又被解體。中介兩種自然，參與與詮釋它們的抗衡關係的，則爲人的眼睛（二、六、十二、十四、十五、十七行），一個羅門慣用的象徵，也是符號生產原則的第一因。依前述符號模式變型律，符號的生產以知覺模式的建立爲始，其實，閱讀過程豈不也有賴此知覺模式。羅門的詩正文（第三自然）昭示了這種符號的轉化過程。

羅門的〈玻璃大廈的異化〉在編年史上是近作，然而構成詩正文的主導符號「大廈」與「眼睛」非僅書寫了都市人作爲生活空間的觀察者，也是城串符號正文的工具……羅門的眼睛中介了都市與自然的衝突。

（節錄該文中羅門詩例部份—當代雜誌32期一九九八年十二月一日）

# 比日月走得更遠

## ——評介「羅門詩選」

鄭明娳

「羅門詩選」共收有詩六輯：曙光、第九日的底流、死亡之塔、隱形的椅子，曠野、日月的行蹤。分別代表羅門創作的六個時期。這六輯中，除了「日月的行蹤」（收一九七九至一九八三年作品）未曾結集外，其他五輯分別從羅門五本詩集精選而出，所以，從「羅門詩選」便可看出作者創作的歷史軌跡。

一九五四年羅門認識女詩人蓉子——後來成爲他的妻子——而且開筆寫詩。他的第一首處女作「加力布露斯」，爲當時詩壇祭酒紀弦破格擢用，以紅字刊於「現代詩」特刊，在四年後出版的處女詩集「曙光」裏，充滿了熱情奔放的浪漫色彩。越六年，「第九日的底流」出版，風格丕變，雖然他的語言仍有濃厚的抒情風格，但是在詩想和詩質上都轉入高度的知性層次。在雄厚的思想架構上，發展出主題與技巧並重的幾個大方向。他最重要的幾首詩如「第九日的底流」、「麥堅利堡」、「都市之死」等都是此一時期的作品。「第九日的底流」實爲羅門的躍昇期，在短短數年間，完全擺脫一般詩人持續甚久的少年浪漫期，一轉爲成熟深刻的思想家形貌，用語言的魅力建構出一個羅門式的心靈世界。「第九日的底流」一詩是羅門第一次大規模製作以死亡與心靈爲主題的詩篇，且已經援用「圓」、「塔」及「河流」三大造型來進行他內心世界的層層探索。羅青稱譽他是現代詩人中最擅長使用意象與譬喻的詩人。在此輯中可以得到印證。

「都市之死」是羅門另一重要的發軔。他被陳煌譽爲「都市詩國的發言人」，康旻思也曾揭櫫羅門都市詩的貢獻及深遠的影響。這首「都市之死」是羅門最早的都市詩。雖然尚未如後期詩如「都市、方形的存在」，「廿世紀生存空間的調整」及「麥當勞午餐時間」等詩那麼深入都市的本質，但已對都市有深入的看法。要之，此一時期詩人的思想架構及重要主題如死亡、心靈、都市、戰爭，都已發軔茁長，實爲詩人關鍵性的時期。

從「死亡之塔」以迄「日月的行蹤」是詩人穩健而更趨成熟的時期，在本詩集中，我們可看到他深沉厚實的詩風，朗暢繁茂的意象，迭迴宕旋的音響及與內容詩質結爲一體的形式表現。無論就詩的廣度與深度而言，他都是戰爭世代詩人中最傑出者之一。

這本詩選較遺憾的是未列出羅門創作年表。羅門的創作年表曾數度發表，最完整的是刊於一九八五年元月出版的「心臟詩刊」第七期，記錄詩人一九五四至一九八四年創作歷程，可配合本書閱讀。

有關羅門詩的主題及詩想，詩評家林耀德曾作系列的主題研究，大體而言，羅門開拓了幾個大方向，最重要的是戰爭與都市。這兩方面詩人足堪執牛耳。例如「麥堅利堡」、「板門店卅八度線」及尚未收入詩集中的「時空鳴奏曲」（一九八五）等作品，是中日戰爭結束以來中國較重要的戰爭詩，雖然他們描寫的範疇遠伸至外國——這其實適足以表現他包容宇宙的胸襟。在二次世界大戰後，全世界各民族幾乎都有戰爭文學出現，例如德國的返鄉文學、日本的廣島文學、法國詩人艾呂亞、加拿大詩人麥凱等，都有戰爭詩作。我國在抗戰期間雖然有許多朗誦詩以激勵士氣，但羅門不但在主題，且在內容技巧上都能有更深刻的反省及創獲。

其次值得注意的是羅門的都市主題。雖然余光中曾經批評「六十年代的臺灣現代詩，在西方文藝的影響下，也曾慨歎現代人在大都市裏的孤絕和失落。其實那些詩都嫌早熟……」但是，筆者認爲羅門的都市詩不啻爲重要的預言。如果沒有他在都市題材的開拓，八〇年代新崛起的「掌握都市精神的一代」是否能夠在一開始就能有很好的表現，是值得懷疑的。回頭再看羅門的都市詩，縱貫了將近三十年歲月，從「都市之死」到「麥當勞午餐時間」，其觀點愈見成熟，能與時代同步，在都市的圓點上，既能回顧其歷史，又能探測其未來。其見識廣遠，自非一般詩人所可比擬。

羅門也有自然詩，如集中的「觀海」實是代表作。在音節及詩想的緜密安排上，均是難得一見的佳作。誠如作者自註：詩中的「海」已成爲對人類內在生命超越存在的觀點。他的自然詩其實仍然針對人類內在生命的探索。還有一個值得注意的現象是，羅門的都市詩常援引許多自然意象來探討都市問題。例如「咖啡廳」中使用「月色、泉音、斷橋、急流、浪」，在「都市的旋律」中使用「河、山、月、花、海浪」等等，可見羅門從大自然中擷取意象及造型的企圖，顯示了他認爲人與自然的聯繫是永恆的。

在「第九日的底流」時期，羅門的語言已具有個人的風格。他未曾受到其他詩人的影響，獨自創造個人化的語言系統。他的語言有相當的哲思性，許多句子已具有警句功能，例如「死亡之塔」中：「生命最大的迴聲，是碰上死亡才響的」，「提〇〇七的年輕人」進出銀行：「他不是提著一座天堂——便是提著一座墳」等，都是精練警闢，金色閃爍的句子。他擅長對偶句型，透過語言規律的運作而達到內在外在雙重的協調。且通常在一連串對偶句型之後，會凸出一、兩行非對偶句爲締結。

這是羅門個人習用的獨特手法。「咖啡廳」是他的名作之一，也是這種結尾法。此詩的形式安排及名詞間的置換與對照關係，已成現代詩的經典之作，在句型的整體安排上，他特別能掌握全詩內在、外在雙重的音樂性，並扣合詩的本質。至於詩的結構，其調度更見匠心。尤其大規模的長詩，往往能在時空秩序上得心應手的剪裁，把握長詩最難處理的部分。值得詩評家重視。

「羅門詩選」很能呈現作者個人的發展及成長的軌跡，又能結合時代精神，具備現代化觀點，誠然是位不屈不撓，把生命奉獻給詩神的桂冠詩人，不愧是現代詩人的典範之一。我們衷心盼望在「日月的行蹤」之後，羅門的創作生涯將比日月走得更遠。

大華晚報一九八六年六月一日

# 火焚乾坤獵

## ——讀羅門的時空奏鳴曲

林耀德

『時空奏鳴曲是自由中國詩壇在七十三年歲末的一聲巨響。比較起前此羅門對時空思考的詩，這一首更顯得悲壯，更能夠把詩人羅門三十多年來的動狀呈現出來』爾雅版七十三年詩選的編者按語給予時空奏鳴曲極高的評價。筆者不但贊成本詩確是當年度歲末的一聲巨響；甚至認爲稱之八〇年代初葉的重量級代表作亦不爲過。至於本詩是否在營造氣氛的成績，以及呈現羅門詩生命軌跡方面，均超越他三十多年來所有『對時空思考的詩』，筆者仍認爲不無商榷餘地，且留待他文探討。

### (1)「只能跳兩跳的三級跳」

「只能跳兩跳的三級跳」是時空奏鳴曲的序曲，一開局，三行十三個字，用語平實，卻充分呈現一個氣勢龐大的遠景：

整個世界

停止呼吸
　在起跑線上

整個磅礴的場景並非客觀描寫下的鋪陳，而係透過詩人知感合一、精密運作的心靈投射出來的蒼茫境界。停止呼吸的整個世界危立在沒有寬度只有位置的起跑線上，寓動於靜的構圖，充滿緊張、不安、失衡的容態，處於不穩定平衡中的整個世界，彷彿正欲迸跳出我們思考的網羅。

在首段三句成功地達成藥引功能後，羅門簡潔地勾勒出自己在時空中的座標，並且將無限的悲愴渲染其間。

車還沒有來
眼睛已先跑
跳過第一第二座山
到了第三座
懸空不下來
往前　茫茫雲天
回頭　九龍已坐車
　　竄入邊境
將我望回臺北市

李白山中與幽人對酌詩：「一盃一盃復一盃」，李白以報導性質的客觀敍述來說明兩人連續而急遽的對酌，看似平凡，但是在整首詩中發揮了巨大的效用，使讀者感受到時間的遞嬗和對酌者狂疏的性格；在「車還沒有來」以下的五行中，羅門的眼睛等不及車來，已經脫離眼眶，隨著心眼的趨勢向前跑去，連續躍過兩座山，當到達第三座山的上空時，遽然停頓，「懸空不下來」，這時，整個時代的悲劇，所有個人的徬徨感傷，全部凝聚在這對特寫的巨眼之中；受到阻滯的巨眼不僅成爲本段焦點，更成爲人類良知與悲憫心的唯美象徵。詩人對於鄉愁這種難以捉摸的感覺，並不以露骨甚至肉麻的手法處理——譬如直接以「鄉愁」這個高度抽象概念性的名詞入詩，做一種膚淺的塡揷。諸如此類低層次的表現方式已被羅門放棄，他以銳利準確的動作，劃破時空的網惘，切入情結的核心，貼妥地將感情投射在讀者的心靈上。

接著，羅門把焦距暫時拉回現實——「往前 茫茫雲天」，但是下面幾句：「回頭 九龍已坐車／竄入邊境／將我望回臺北市／泰順街的窗口」，在人與景觀主客的易位，以及時空的轉換調度上，又出現大開闔的蒙太奇手法。元好問潁亭詩：「春風碧水雙鷗靜；落日青山萬馬來。」寫落日時天地色澳變易，青山猶如萬馬奔馳逼向眼前，用超現實的觀點將落日景色處理成這樣的鮮活潑辣的視野；羅門自已被「已坐車竄入邊境」的九龍望回泰順街燈屋的窗口，手法之奇，與元句實爲異曲同工。

## ⑵「望了三十多年」

在第二部分，起手，羅門寫道：

> 那個賣花盆的老人
> 仍在街口望著老家的花與土

想起日片「繁華街的候鳥」，有個著名的鏡頭連接法，一個滿面紅光的怒漢臉部特寫鏡頭，在觀衆未及思考的瞬間，鏡頭一變，成爲陋巷的夜景，在不遠一家診所的簷下吊著紅色的門燈。羅門在連結「只能跳兩跳的三級跳」和「望了三十多年」兩部分時，即採用這種鏡頭重疊法，平滑地移換場景，足見其受電影表現手法影響之深。

讓我們進一步檢驗這三行詩句的精妙。賣花盆的老人肉眼所見，就經驗法則而言，絕對只能見到本省的花與土，但是羅門卻告訴讀者，老人仍在街口望著「老家的」花與土，因此筆者進一步發現羅門不僅在調度場景時運用重疊技巧，他更善用了詩語言本身意義的重疊技巧，「老家」和「在地」兩種花土的叠合，淋漓盡致地表現出被時空凝凍的哀傷。「望了三十多年」，這是另一種，較羅門的鄉愁更無助、更淒涼的類型化鄉愁，一種「跳」不起來的鄉愁。

接下來的四段九十九行，除了最後一段的十二行很明顯是作者站出來向大衆做個結論以外，其餘的部分，羅門主要藉助賣花盆老人的一生代爲傳達自己對於時代的體驗和批判。陳寧貴在「把鄉愁運回來」（載於七十三年三月廿五日臺灣新聞報西子灣副刊）一文對於此處有尙稱中肯的再詮釋：『第二大段，詩人特別敍述一個賣花盆的老人——他是一個退伍軍人。從他的身上，我們看見中國的近代苦難。羅門一開始就點出了那個老人，仍在街口望著老家的花與土。然而他矚目所及，都是一些玻璃大厦，呼嘯而過的野狼機車，以及一大羣忙著上禮拜堂和百貨公司的人。天黑之後，這個老人又推著花盆回去，他晚上唯一的娛樂便是——把行動不便的雙腿，交給那隻洗腳盆。然後臨睡前，他習慣性地去看儲存在存摺與日曆牌上，那越來越少的歲月。最後才抱著那張單人床睡去。他的日子便如此週而復始地無奈輪迴，彷佛沿著悲劇的軌道在運行，除非死亡，否則無法掙脫這條鎖鍊。羅門運用了極爲準確銳利的詩語言，將老人的悲劇性投影在這片土地上：「玻璃大厦沿街開著一排排亮麗的鄉愁，在建築物龐大的陰影下，他坐來大榕樹下的童年」——羅門將老人內心的感情世界，與這個外在的新世界相對照，新世界並未爲他帶來什麼，反而加深了他對往昔的懷念：

他已想不了那麼多
見到羅馬瓷磚
便問石板路
見到香吉士
便問井水

時空的壓力，逐年逐月在老人的背脊上加重。他猶若背負著生命的十字架，沉默地向世紀的末日走去。我們不禁想與之同聲一哭，並且想逼問：這悲劇是誰造成的？我們能夠阻止這悲劇惡化下去嗎？』

最後一段，是羅門基於人道立場所發出的讖語，句句點出人類悲哀的宿命，在此，羅門已經超越一己，甚至民族的立場，用強大的靈視洞悉整個人類歷史的荒誕：

睡到有一天醒不來
太陽仍會起來
鐘錶停了
路自己也會走
至於槍聲還會不會響
安全理事會還要不要開
到時候報紙會說
只要地球還在
鐵絲網還在
白晝與黑夜還在
白色的乳粉與黑色的彈藥都會在

是的，上帝與撒旦、愛與恨、文明與戰亂、「白晝與黑夜」、「白色的乳粉與黑色的彈藥」都無法割離地並存於人類的歷史與未來，羅門一向能夠完整地掌握住這種夾雜悲憫與無助的心靈大鴻濛，更讓筆者想到杜甫的句子：「火焚乾坤獵」那氣吞寰宇的企圖。

⑶ 「穿過上帝瞳孔的一條線」

「穿過上帝瞳孔的一條線」是時空奏鳴曲的總結，這條線貫穿全篇，更貫穿中國人的淒涼、委屈、夢想以及不折撓的意志。

這條線
從板門店
繞東西德走廊
來到這裏
較雲去的地方還遠
却比脚與泥土近

只要眼睛
碰它一下
天空都要回家
這條線望入水平線時
連上帝也會想家

是誰丟這條線
　　在地上
沿著它
母親　妳握縫衣針的手呢
還有我斷落在風箏裏的童年

在社會主義極權體制和民主體制傾軋、僵持下的「這條線」，實際上「比腳與泥土近」，精神上卻「較雲去的地方還遠」；羅門竭力誇大地告訴讀者：「只要眼睛／碰它一下，天空都要回家……／連上帝也會想家」繼而他提出了詰問，倒底是誰將這條線丟在地上？而沿著它的走向，「母親／妳握縫衣針的手呢／還有我斷落在風箏裏的童年」緊接著提出三個環環相扣的問句，一句句掌握人心，直指問題的要害，正如同羅門在後記中所提及的隱痛及憂慮：

「……遙望廣九鐵路，感慨頗多，想起在『炮聲』與『鄉愁』中渡過的年代；想起全人類共同面對戰爭的苦難；想起子彈與刺刀，一直要穿過人體去探索與證實生命存在的意義……這種悲劇已形成的事實，神與上帝也只能用祂禮拜堂中的『禱告』，來治療人類的傷口了。當子彈播種在土地與人的臉上，隨便用那一隻手去收割勝利，另一隻手就必須去握住人的血；可是爲了自由、人道與生存，人又無法不去面對戰爭。在鐵絲網的兩邊，有著誓不兩立的恨，也有純粹是『乳房』與『嘴』緊緊相連的母子之愛……這種一直被『卡』在難境中的苦情，使我們看到上一代踩著彈片從炮火與苦憶中伸出來的臉，……由於鐵絲網、槍彈與制服，使一切都與理想有了一段痛苦的距離……任誰都會在內心的深處，感知到這種潛在的隱痛與憂慮。」

第一句問語「是誰丟這條線／在地上」是因警策而詰；第二句「母親／妳握縫衣針的手呢」與第三句「還有我斷落在風箏裏的童年（呢）」則係因自傷感懷而詰。羅門在運用詰問語氣時，甚得李白之神髓，有一股高曠的氣質，烘托著詩人大悲的胸襟。

以下羅門順著「線」的線索，一瀉千里，峯迴路轉，直到他望回廣九鐵路，看著開入邊境的火車把一車箱一車箱的鄉愁運回來：

母親　如果這條線
已縫好土地的傷口
我早坐上剛開出的那班車
　沿著妳額上痛苦的紋路
　回到沒有槍聲的日子去看妳
如果這條線
是一筆描
動便長江萬里
靜便萬里長城

那些凍結在記憶與冰箱裏的冰山冰水
都流回大山大水
把鐵絲網與彈片全沖掉
祖國　你便泳著江南的陽光
來
　　　滑著北地的雲原去
然後　打開綠野的大茶桌
　　捧著藍天的大瓷壺
　　　不在那小小的茶藝館裏
從「黃河入海流」
飲到「孤帆遠影碧空盡」
從「月湧大江流」
飲到「野渡無人舟自横」
讓從巴黎倫敦與紐約
　　進來的照相機
都裝滿第一流的山水與文化回去
讓唐朝再回來説

那是開得最久最美的
　一朵東方

祖國 當六天勞累的都市
　已想到週日郊外的風景
鳥便在天空裏對飛機說
　巍然的帝國大廈
永遠高不過你
　悠然的南山
任使一張張太空椅
　往太空裏放
祖國 你仍是放在地球上最大的那張安樂椅
只要歲月坐進來
打開唐詞宋詞
沒有槍聲來吵
世界便遠到
　山色有無中

太空船眞不知要開多久才能到了
到不了
只好往心裏望
多望幾眼
怎麼又望回這條線上來
原來是開入邊境的火車
又把一車箱一車箱的鄉愁運回來

於此連續不可分割的段落中，羅門開始伸展他樂觀而充滿童稚天眞的一面，以無限欽仰的心情遨遊這傷口合癒的綿邈大地，「湧著江南的陽光來／滑著北地的雪原去」，而祖國終於成爲地球上最大的一張安樂椅……詩人赤裸裸地將內心的憧憬坦誠出來，他的憧憬正是一切具備良知的華人所共有的唯一心事。然而「到不了／只好往心裏望」，一直到望回無比殘酷的現實，所有的夢想和欣悅都跌碎了一地，所有的哀傷與悲慟也都浮出了天空……。

在全詩的最末一段，羅門展露了一手完美無瑕的「剎車技術」，以短勁有力的結尾支撐住詩整體龐大繁複的架構：

車走後
連土地都忘了
在那裏上下車

整條鐵軌
鞭過天空
聲聲迴響
陣陣痛

尤其是「整條鐵軌／鞭過天空／聲聲迴響／陣陣痛」這四句，描述做爲主詞的鐵軌，整條飛離大地、鞭過蒼穹，在詩人四次元的心靈空間中擊出聲聲迴響、陣陣痛，張力之強，實可獨立爲一首「絕句」；意象之詭奇，則幾可直追稼軒。羅門，能夠寫下這四句詩的手，已經以絕對溫度般堅定的力量把握住魔幻寫實主義的精魄。

（大華晚報一九八五年六月三日）

# 世界的心靈彰顯

## ——羅門的時空與死亡主題初探

林燿德

## 一、導論

李瑞騰「曠野精神」①一文中提及：

> 羅門一直要探索的純粹生命本體的存在，企圖藉著凝神觀照生命體在空間的形象，甚而通過表象以進入生命最原始的曠野。他之所以選擇寫詩做為一生執守的事業，無疑是肯定透過詩的表現可以抵達他所欲抵達他所欲追尋的終點。……當他把自我理念放射到現實層面，去剖析披著彩衣的文明都市的一些潛在病根，或者是戰爭背後所蘊藏的無奈與苦難之時，他所關心的課題，仍然是，生命的存在問題……

……

基於這樣的詩之觀念，羅門以自我為基點，一方面往內以挖掘心靈世界，另一方面則往外去追蹤（反映或批判）客觀世界（事象、物象）的本相，雙線平行或交疊發展，是羅門從「曙光」、「第九日底流」詩集以降一直到最近出版的「曠野」的創作走向。……

羅門的詩是企圖通過表象以進入生命最原始的遼闊之曠野。

除了簡介性的文章外，李瑞騰這篇「曠野精神」可以說是切入羅門創作精神核心的評論中最短小精悍的一篇，篇幅恰好等同於時下流行的「八百字小品」的體裁，但卻是論及羅門有關時空與死亡主題最深刻的篇章之一。值得惋惜的是這篇論述儘管觀點正確、歸納得法、斷語中肯，惟未如蕭蕭在「論羅門的意象世界」一文②就詩作例舉剖析，以鞏固論點，否則必能鋪陳出一篇體例完整、首尾相顧的評論佳構。在此我們不妨將之視爲一篇傑出的導論，以做爲本文之「藥引」。

羅門有關時空主題的作品，目的乃在探索世界與歷史的認知和其與人類的關聯，就哲學觀點來說，趨近於「應用形上學」中的「宇宙論」（Cosmology）部分；死亡主題則追蹤著人類面臨死亡威脅的情境；死亡內在於生命，是寓於個人可經驗生命內的「不可經驗到的核心」——一旦經驗死亡，個體便同時脫離「存有」的狀況，因此死亡主題趨近於西洋哲學中「存有學」（Ontology）的研究範疇。死亡的威脅以及人與宇宙的互動關係，是人類亙古的課題，像羅門這種思想家型的主知觀點詩人，當他面對這兩項人類最重大的挑戰，也逼使他運用畢生的智慧，不斷利用詩作來探討時空與死亡主題。相對於戰爭主題和都市主題③，時空與死亡更直接迫近詩人的自我存在，就羅門而言，也意味著這兩個主題與他創作的背景思想與原始動力更有緊密的關聯，戰爭、都市以及其他主題都來自羅門生命的外緣，它們增加了羅門在取材上的廣度，但是環繞著時空、死亡，以及鎖扣兩者的「自我存在」等主題的作品，和前述主題作品相較，詩質與詩想均更具深度、厚度，最能呈現羅門詩觀的核心部分，羅門之所以成爲一個「重量級」詩人，端賴此兩大主題爲其礎石。實則「時空」與「死亡」在羅門的思想體系與詩作中經常是二而一的，呈現平行、錯綜甚至糾結的發展，因此實有歸併討論的必要。

生命在羅門的觀念中被比喩爲一道牆④，「死亡」和「永恒」分別處於牆的兩側，在兩個互相違反的生之意志間，人的存在，猶曠野感知著太陽的腳步聲來來去去，在去來之際，羅門發出了他悲憫的聲調：

> 在時空與死亡的紡織機上，我們紡織著虛無也紡織著生命！⑤

希臘神話中的薛西佛斯，以及中國傳說裏的吳剛，都不斷進行著他們亙古的工程，這是時空與死亡給予人類文明的宿命外衣；詩人羅門坐在『時空與死亡』的紡織機前，他截住了生命觸及時空與死亡的巨大回聲⑥，這些強烈的感悟置放在羅門用詩語言建構的『存在的第三自然』⑦裏，也成爲他思想軌道環繞的中心點。筆者以爲羅門的時空與死亡意象，乃是透過純粹形式的直覺，來進行精神的形象創造，因此已經超越了區分現實性與非現實性的淺陋問題。詩作出現的是一種綜合經驗與超越的意識，這種意識投射到語言層面，而運用語言的排比，組織展示詩思。筆者於此提出羅門運用語言思考與完成造形的流程，表列如左：

〈死亡、時空與環繞兩主題的諸現象〉

↓ 投射

〈心靈空間潛在的美感意識〉

↓ 引發

〈情緒經驗的直覺反應〉

↓ 鍵入

〈語言的聯想軸運作〉

↓ 產生

〈死亡、時空的形象化提出〉

這套程式是由三度空間的現實世界，通達語言塑造的N度空間的實現過程。

羅門的時空、死亡主題，探索的層面具有普遍性，而歸結於一種類似「泛心靈主義」（Panpsychism）的世界觀。世界靈魂在羅門寫詩的右手中獲得彰顯，那是人類整體超越個別有機形體而趨向泛愛目的的生命呈現。在羅門的觀念中，一直在追求一種完美的心靈世界造形，這種造形包含了象徵東方精神的「圓」和象徵西方精神的「塔」，這兩者共同組成出一個螺旋塔結構⑧，就拓普學的圖象顯示，此模型爲一由螺線盤旋而成的圓型；而自三度空間的視覺觀察，又係一向上衍生的角椎體。羅門的心靈世界造形代表他理想中的精神構造：東方的圓融渾成與西方的尖端抗爭滙爲一體。「圓」與「塔」的意象，在另一方面，又在羅門的作品中產生多重複合的象徵系統，「第九日的底流」以及「死亡之塔」中的「圓」與「塔」，皆爲著例。

羅門是擅長驅使語言思考，而不被語言驅使思考的詩人，他在後述的死亡與時空主題中，能夠擺脫超現實主義詩作中意象投射表現的浮濫，用精準的語言擊中內在於人類心靈最隱蔽、最深廣、最眞切的「存有」實況，『以原本的遼闊，守望到最後，／凡是完美的，都將被它望入永恒』的「曠野精神」，確確然充塞在羅門的藝術生涯裏。

## 二、三百六十度的重疊空間

——論羅門詩中的「圓」與「塔」

「圓」與「塔」是羅門「時空」與「死亡」主題中最重要的兩個造形。羅門在一九六三年五月推出了個人第二本詩集「第九日的底流」（「藍星出版社」出版，「榮泰印書館」初版），內收一九五八至六一年間作品，此一時期可稱之羅門的「第九日的底流」時期。在「第」集中，「圓」與「塔」兩大象徵系統已經挾萬鈞之力席捲而來。自羅門第一階段的「曙光」時期（一九五四—五七）到「第九日的底流」時期，羅氏詩中洋溢的熱情、浪漫和狂放，通過了知性的捶煉，轉化爲一股沈潛、壯闊而悲憫的精神。在「第」集中，羅門的作品擺脫了標點和一般性語言系統的束縛，溶滙了抒情氣質的知性語調已經成熟，「第」集無疑是羅門創作生命中一個關鍵性的提出，五〇年代和六〇年代交替期間，也無疑是詩齡迄今已逾三十年的羅門第一次「躍昇」的完成。

一次大戰末迄二次大戰爆發前夕，位於伊朗高原的蘇撒和土耳其斯坦的阿腦，發掘出可遠溯至公元前九千年的新石器時代文明，當時人類已知應用輪盤於轆轤，「圓」於彼時已非日月星辰的天文造形而已，更誘發人類發明了以「圓」之觀念而製作的實用工具。「圓」的造形不僅止於生產工具的利用厚生，它更有其生命的姿勢，從靜的觀念到動的工具，「圓」意自輪盤及轆轤的運轉中生出流利純美的生命節奏；「圓」是音樂的源泉，也是器物文明的地基——人類精神領域調合境界的象徵；同時又是人類所存在的時間和空間整體運轉變異的一個代號。在中國以博愛和倫理爲根柢的文明中，「圓」則衍生爲一種渾融、完滿的意象。

羅門作品中之「塔」是「圓」之變，其造形自「圓」中拔昇，自三百六十度的邊境旋起一根向上層層環繞的螺線，漸漸接近由圓心引出的立軸，終於在最後交於一點，形成塔尖。「塔」與宗教有緊密關聯，人類文化學家咸信人類的第一座「塔」爲祭司所建，以塔之高崇與朝上的姿態象徵與天通連的企盼，聖經中「巴貝塔」卽爲著例；或謂「塔」的基型出自原始崇祖信仰的立柱。

羅門的「圓」與「塔」雖截取自人類文明發展的過程，但他確然在「第」集中將之引爲己用，在三百六十度的層疊空間裏醞釀時空與生命之奧秘。我們可以發現，羅門擅長提煉現象界事物爲抽象符號，或將抽象符號援引入具象的模擬世界而與實物的形象疊合一致，意欲於虛實之際，把握「本質」。試觀完成於一九五八年的「光穿著黑色的睡衣」：

紫羅蘭色的圓燈罩下　光流著
藍玉的圓空下　光流著
邱吉爾的圓禮帽　光流著
唯有少女們旋動的花圓裙下
那塊春日獵場　光是跳著的
而在圓形的墳蓋下　連作為天堂支柱的牧師
也終日抱怨光穿著黑色的睡衣

全詩僅七句，一、二、三、四、六句分別出現了「圓燈罩」、「圓空」、「圓禮帽」、「花圓裙」、「圓形的墳蓋」等圓的造形，而以「流著」、「跳著」的光貫穿其間。「圓燈罩」映讀顯物，「圓空」孕育衆生包容萬事，「圓禮帽」籠罩政治家的思考，「花圓裙」圍繞著少女被詩人形容爲「春日獵場」的青春肢體，其中莫不有「光」的運動，字裏行間流宕著暗示性的喜悅，末二句急轉直下，「光」與「圓」之指涉乃大彰顯，「圓形的墳蓋」結束了「光」的光明，「光」在墳蓋下不得不穿起「黑色的睡衣」，至此讀者可以理解，此詩中繁複呈現的「圓」，正是人類一切生存時空的縮影，投射在個別的人生階段中而變幻出各種具象的象徵；「光」當指生命的存在與活動，一旦面臨死亡，也必須嚴肅地穿起「黑色的睡衣」而息止了無所不至的舞蹈。同樣的主題出現在「生之前窗通向死之後窗」：

可感的　美於內
名望・脚步・輪子這鋪造方向之國的玻璃磚
恒以種種彩色與閃光　彫飾三六〇度的內外空間
但終如升燃的煙火　覆滅在夜裏
渾漠的坐標圖上　到最後總只乘下那條虛線
懸在兩崖之間
它很短　如目之啓閉
它很直　如雙塔對視」(第六至十四行)

「名望・腳步・輪子」恒以種種光彩「彫飾三六〇度的內外空間」，而一切生命的彩色與象徵死亡的「覆滅」「煙火」的「夜」只有一道「虛線」之隔。末三句，生命與死亡以「兩崖」的意象出現，生死之界，開啓如「目之啓閉」，對立如「雙塔對視」。「塔」的出現，若徵之前引「光」穿著黑色的「內衣」一詩，恰是「圓燈罩」、「圓空」……「圓」以及「圓形的墳蓋」這兩組「圓」造形的立體化，兩者絕決對峙，特別強調著死亡的強烈威脅。

「第」集中出現的「圓」造形甚夥，其指涉大體而言以上述意義爲核心，而有其個別、局部性的投射，如：

(1)「當一千道紅門在你眼中急轉
拉蒙娜　你的眸子是輪盤

人們死死盯住骰子轉到最後靜止的點數」（「拉蒙娜」第七至末句）

(2)「這一塊從時間之屋伸出的小露臺上
仍放著那張空的旋椅」（「白蘭地酒櫃似的下午」第二至三句）

(3)「在燃燒與熄滅之間鋪設美麗的過程
讓地球繞太陽的圓舞休息在一朵雲裏」（「香煙的魔笛」第四至五句）

(4)「兩隻手壓在牧師掌心下的時刻似鐘
藍眼睛躲在面紗裏的日子似鈴
遙念便被靜夜輕輕搖響了」（「我的愛人到海上去了」第六至八句）

(5)「你的笑聲　方方的
如方糖落響在聽覺的高脚杯裏
甜乳便自心的圓杯中不斷流出
流成河　流成溫泉　流成海倫裸浴的愛琴海（「小巴黎狂想曲」第十七至二十句）

(6)「坐在虛無的白色裏　光找不到光
握燃燒的圓柱　却感到那聯繫　那浮昇
看不見的扇面徐徐在藍煙中展開
沈思的眼睛　磨尖如鑽子
將緩步的夏日釘入貪睡的下午

遠處街車的鳴叫　排成好看的圓錐形
寂寞却空如一張圓椅　坐著倦乏的海
在回流裏　我平靜的深居貌似美麗的寡婦」（「在回流裏」第一至八句）

(7)「你步返　踩動唱盤裏不死的年輪
我便跟隨你成為迴旋的春日」（「第九日的底流」序曲第九至十句）

(8)「而在你第九號莊穆的圓廳內
一切結構似光的模式　鐘的模式」
（「第九日的底流」第二節第十至十一句，引自一九八四年洪範版「羅門詩選」之修訂稿）

(9)「眼睛被蒼茫射傷
日子仍迴轉成鐘的圓臉」（「第九日的底流」第三節第一至二句，出處同(8)）

(10)「而腰下世界　總是自靜夜昇起的一輪月」（「都市之死」第二節第十三句）

(11)「時鐘與輪齒啃著路旁的風景
碎絮便鋪軟了死神的走道」（「都市之死」第三節十五至十六句）

以上引詩中，(1)、(3)、(11)中的「圓」係時空延伸的代號；(4)、(5)、(6)各個「圓」的呈露，為詩人「心靈空間」的自我素描；(7)、(8)、(9)諸「圓」的出現，則糅雜音樂家貝多芬「命運交響曲」與詩人的形上學思維雙重的心理時空總綰於「圓」的造形統制之下。

「塔」之造形於「第」集中崛起紙面，而其造形意義的展現，直到羅門第三部詩集「死亡之塔」中「死亡之塔」（一九六三）一詩，已完全底定、成熟。在「死亡之塔」中，「塔」之做為死亡之象徵，有其弔詭之處，原為與天接連的道具，又為生之源的性器象徵，「死亡之塔」則反向成為死亡之代言者，生死一線之隔，其加於人類存在的永恒威脅，遂為羅門在「塔」的象徵系統中所欲表現的中心思想。自「解構主義」的形上批評觀點視之，「存在」之存在，乃由「不存在」的存在所烘襯，生與死實係互相依存的兩個觀念，故「塔」之為「死亡」張目，又可視為人類堅持生命、珍惜存在的反證，亦即為「生命」張目。人的尊嚴屈服於死亡，又因死亡而成立。詩人的「塔」，卽原因於形上學的辯證。在「燈屋」一詩中，詩人以「守塔人」自居，指稱：「那塔尖已高過城市與教堂的屋頂」，洵不誣也。

「第」集中「塔形的年代」一詩，又以「塔」的造形框廓現代文明：

香煙　對象與我
架三角樓在都市之夜
一羣吃屍鳥
自夜都市的廣場上嘩然飛起
飛去啄裂維納斯的臉　阿波羅的胸
飛去搗亂亞利斯多德墳園裏的靜穆
當「年代」與「未來派」在急轉的輪軸裏私奔
蘇格拉底登空的虹橋便遭閃電擊斷了

柏拉圖的理想國也被控為違章建築
二十世紀乾脆用來儲藏罐頭零件與小夜衣
人們爬上年代的塔　雲浮在腳下　沙漠睡在眼裏
我香煙與對象
構成一隻三腳架
停泊著手拉住手的對象香煙與我
在塔形的年代裏　寂寞似塔

第三至十一句敍寫第一句中與「香煙」、「我」共同構成三角關係的「對象」——現代都市文明。在五〇年代末期，這無疑是羅門的「都市寓言」，彼時臺灣仍處於以農業爲經濟主導的經濟階段，羅門的創作已一腳跨進初期工業文明。在詩中預言的時代，被詩人形容爲「塔形的年代」；所謂「塔形的年代」實係「圓形的年代」的對稱，在農業文明階段，一切事物都處於循環消長的文化生態情境中歷史興衰如「圓」之週而復始；而初期工業文明階段，科技、經濟的成長卻是不可回頭的，猶如「塔」之向上發展，永無返復之時，故詩人逕封新時代以「塔形年代」的名號。末二句點出現實的「對象」、現象的「煙」以及代表文學家反省心靈的「自我」三者，在「塔形的年代」俱「寂寞似塔」。時代改塑一切，現實與現象的「寂寞似塔」，來自初期工業文明冷漠化、機械化的本質，文學家反省心靈的「寂寞似塔」，則來自悲憫而沈潛的燭照。

在「初夏，半露性的現代標題」一詩中，「塔」成爲建築中的慾望之具體化：

易熟的慾望隨赤道的火力沸出
潮一樣嘶喊的鷹目巡視在危崖上
以一種追擊　一種尖銳　一種燃燒性
築成高塔　操縱失靈的機械人向上爬步（第三至六句）

「塔」的築成，充滿了噴張和內斂兩種抵觸的力量，緊張的氛圍中，控制慾念的非自主神經系統被形容爲登塔而上的「操縱失靈的機械人」。相對於「初」詩，「第九日的底流」中「塔」以純粹的精神象徵出現：

鑽石針劃出螺旋塔
所有的建築物都自目中離去（第一節第一至二行，引自一九八四年洪範版「羅門詩選」修訂稿）

「螺旋塔」被唱針在「圓」形的唱盤上「劃出」，此處「塔」的意象在迴旋的音樂和迴旋的唱盤中轉出，其指涉貝多芬得自人性中至爲純粹優美部分而完成的心靈結晶，自不待言。面對如許聖潔高尚的精神象徵，詩人得以排除了一切現象世界的干擾——終致「所有的建築物都自目中離去」，而遁入「螺旋塔」此一妙境。

「圓」與「塔」兩種造形自「第九日的底流」一書中均衍生出多功能、多向度的象徵系統，在現代詩源流中，能夠將「圓」與「塔」兩大造形運用得精妙無比者，當無出羅門之右。

## 【註　釋】

① 見李瑞騰「詩的詮釋」頁三一一～三一二，時報文化版，一九八二年六月十日初版。

② 是文收入蕭蕭評論集「鏡中鏡」，幼獅版，一九七七年四月十三日出版。

③ 有關羅門戰爭與都市主題，請參見拙作「火焚乾坤獵——讀羅門的時空奏鳴曲」，大華晚報淡水河副刊，一九八五年六月三日；「人與神之間的交談——論羅門的戰爭主題」，藍星詩刊第五號，一九八五年十月；「在文明的塔尖造塔」，藍星詩刊第六號，一九八六年元月。

④ 參見羅門「時空的回聲」頁八～一一，及頁八八以下，德華版，一九八一年初版。

⑤ 前揭書頁八九。

⑥ 羅門在論文及演說中曾都提及『生命最大的廻聲是碰上死亡才響的』。這句話第一次出現，可能是在一九六三年的「死亡之塔」一詩。

⑦ 所謂「存在的第三自然」，是羅門所提出的名詞，他自稱這是『一具冒險性的觀念：「詩人與藝術家創造了存在的第三自然」』，在前揭書頁五三以下「詩人與藝術家創造了存在的第三自然」一文中，羅門用了很多的篇幅來形容和解釋何謂「存在的第三自然」。用筆者個人慣用的思考語言來說，簡言之，「存在的第三自然」，其實就是「心靈空間」，是一種由「反省的自我意識」(Reflex Ego-Consciousness) 提煉出來的秩序化精神世界結構，當「心靈空間」經由語言提出，「存在的第三自然」的創造活動也同時完成。

⑧ 有關這個論點，將在後文與另文有關羅門「自然主題」部分深入究結。

「藍星詩刊」一九八七年元月五日

# 論羅門的意象世界

蕭蕭

羅門的世界理應是心靈的奧秘眞境之呈現，此種呈現旨在叩醒「人」自身的內在完美，羅門相信「凡是離開人的一切事物，不是尚未誕生，便是已經死亡。」（參閱他所著「現代人的悲劇精神與現代詩人」）也就是說，羅門的詩作一直企圖開啓每扇異樣的門戶來窺視人的心靈，而心靈的靈妙與美好是詩人傾心專注的信仰，因此，從「曙光」到「第九日的底流」到「死亡之塔」，羅門對於使心靈蒙塵的戰爭、物慾等等不時加以拂拭，對於增加心靈的色彩、光芒的各種藝術（如貝多芬的音樂）和神，則給予無盡的優惠，羅門所掌握住的正是「人的心靈透過藝術所顯示的完美性」。這一點，從他的諸多論文中可以體味得出，如果我們再沿著「詩中的語言，必須是心靈同一切在最短距離相碰擊所發生的聲音，這聲音將成爲一種連續性的廻響，在生命與事物的深處，將『美』驚動。」（見「死亡之塔」前言）來論羅門的話，我們所能做的也唯有更多的詮釋和舉例而已。所以，此處我們將完全拋除羅門一己的詩觀和創作經驗，客觀地就「意象」這扇門來研究羅門的世界，但這並不意味：羅門的詩是意象詩，或羅門是一意象主義詩人。

## 一

從「曙光」開始，羅門對於「意象」的敏感已經顯露出他在這方面的成就先聲，這或許跟他固執「心靈的美」有所關連，因爲，詩的意象不論其爲纖秀或悲壯，自然有它的纖秀之美和悲壯之美，同時，意象應該是一種全心靈奉獻的結果，這點我們將詳細討論於下：

文心雕龍物色篇有兩處言及「心」與「物」的溝通，大抵可以解說意象之所由生。第一處是「寫氣圖貌，既隨物以宛轉；屬采附聲，亦與心而徘徊。」可注意的就是「隨物宛轉」和「與心徘徊」兩句，這裏拈提的並非單純的一種現實的寫實，而是一種生機的賦予，隨其物而宛轉，因其宛轉而不至於使詩黏滯，宋太祖有一首詩「詠初日」：「太陽初日光赫赫，千山萬水如火發，一輪頃刻上天衢，逐退羣星與殘月。」雖然有帝王雄偉的豪氣，但總是不夠宛轉，難免有拘泥之感，這就是「隨物」而未「宛轉」，欠缺詩的盎然生意，再拿杜甫一首「曲江」的開頭兩句來看：「一片花飛減卻春，風飄萬點正愁人」，則是隨物而宛轉，寫氣、圖貌都能握住「春去」的那份外在的實景和內在的眞情，一片小小的花飛就是春色的減卻，風飄萬點，不是更愁人嗎？從這兩句詩可以曉得杜甫不僅是「隨物宛轉」而已，並且還進一步做到「與心徘徊」，與心徘徊在這裏專指「屬采附聲」而言，亦卽是一種外界的自然景像進入詩人心中，在詩人心中反覆湧動，試圖尋覓最爲妥切的「聲采」以表達出情景交融物我兩合的境界，這種最爲妥切的聲采，以我們的「術語」來說，就是「意象」。能夠隨物宛轉，與心徘徊的意象，必定可以賦給詩活生生的契機，如前面所引的「一片花飛減卻春」，正見出詩的生長意態之無可限量，同時，王國維「人間詞話」所揭舉的「造境」與「寫境」，也可就這兩句——「隨物宛轉，與心徘徊」來加以申述，王國維言：「大詩人所造之境，必合乎自然；所寫之境，亦必鄰於理想」。葉嘉瑩教授在「迦陵談詩」中曾經有所解析，她說：「『造境必合乎自然』者，是說所寫者雖爲理想之意境與抽象之情思，然而此種意境與情思卽必須憑藉自然中之實物來表達，因爲如此始能將之化成爲具體而眞切的意象；至於『寫境必鄰於理想』者，則是所寫雖爲自然之實物，而讀者卻往往能自其所寫之具體意象中，喚發一種理想之意境與抽象之情思，而如此讀者所感受的也才更加深遠。」（三二〇頁）亦卽是：「隨物宛轉」跟「與心徘徊」必得做某種程度的交結，方爲圓滿的展現。

但是，意象的興起當然不只是爲了外表的「寫氣圖貌」而已，必有更進一步者，如物色篇贊語所說的：「山沓水匝，樹雜雲合，目既往還，心亦吐納。春日遲遲，秋風颯颯，情往似贈，興來如答。」這一節，前面四句言「物」與「我」的往還吐納，仍然是隨物宛轉的意思，後面四句則因外物的遲遲、颯颯，而引發「情」「興」的迭代，在心中自成丘壑，心中的丘壑與外有的丘壑乃成爲意象興起的原本形態。因此，隨物宛轉的「物」也兼指著自然的有限風光和心中的無限山水，而所謂「寫氣圖貌」必然也不是只狀外在的聲色而已，一個「氣」字容涵了難以言喻的、形而上的精神活動狀態（廣義的），或是一種事物深處心靈深處的內在本質之提昇。從此處回到「寫氣圖貌，隨物宛轉；屬采附聲，與心徘徊」，便可以初步了解「意象」一詞所指爲何，綜合以言：意象該當是詩人在心中抓住「物」的實存意義而以「聲采」再現其最精美的一點，企圖經由這點突破「物」的限指，擴展詩的衆多耳目。「意象」一詞原本來自西方(Image)的翻譯，中國古詩的創作雖無「意象」之名，而有「意象」創造之實，但中國文字的特性使得詩對於「聲采」的要求特別嚴格(另文撰介)，因此，就詩的鑑賞來言，聲采所造就的意象在激蕩心靈或提昇心靈方面，卻頗能劍及履及，聲采之爲中國詩人所重，從「關關雎鳩，在河之洲」開始，便成爲詩人吟詠時最爲關懷的一件事，即使是致力於創作「老迷人眼，淺草才能沒馬蹄」，足見中國古詩人對聲采追逐之一斑。現代詩人對意象的追求不遺餘力，但大抵喪失古詩對聲采的那份重視，其中唯羅門的意象較能保存古詩聲采的優美，雖然他們所取用之角度和達及之境界有所不同。羅門的意象的聲采從「曙光」中已現其優美之端倪。以下我們將討論到這點。

構成「曙光」的意象特色之一，是由於以下列舉的句子：

那愛情的純淨的香檳流溢，
那希望的美好的日暉絢爛，
那自由的意念的星光的明麗，
那金色的歲月之流是天上潺潺銀河呵！——摘自「COBE！我心靈不滅的太陽」

趁擁抱漲潮便升滿蜜吻之帆，

點著凝視之燈向前尋找寧馨的港灣。
妳的眼睛藍得如幻境。
妳的呼吸芬香似芒果園
——摘自「夜會」

分析這些句子，可以知道羅門在「寫氣圖貌，隨物宛轉」方面，此時尚未有傑出的表現（「曙光」初版日期爲民國四十七年五月），這些句子顯然都保留著「物」在詩中，譬如：

那金色的「歲月之流」是天上潺潺的銀河
趁「擁抱」漲潮便升滿「蜜吻」之帆

因此要想突破「物」的限指意義，只能依賴整首詩的「氣勢」，但是一方面這些詩句卻又是羅門發展想像，以奠立日後在「意象」之獨創上別樹一幟的必經過程。我們且分開來論說。先言「氣勢」。大凡一首感情極濃的作品，其氣勢通常較知性濃的作品爲大，因爲氣勢存在於感情之上者爲多，可是這裏的氣勢所要求的並非「無邊落木蕭蕭下，不盡長江滾滾來」勝於「穿花蛺蝶深深見，點水蜻蜓款款飛」的所謂氣勢之大焉者，而是要求「氣勢」的「貫串」，由於氣勢的貫串自然造成一種「暴風半徑」，在這半徑以內所旋成的「花」可以泯沒了物的原始的限指意義，「曙光」集中的「我心靈不滅的太陽」「加力布靈斯」「宮庭馬車」「海鎭之戀」等詩大抵可做爲氣勢貫串的代表，氣勢貫串，在消極方面泯除物的個別意願，在積極方面則成爲羅門寫作長詩的一大佐助，後來的「第九日的底流」「麥堅利堡」「都市之死」以及「死亡之塔」，均有賴於氣勢的貫串使之化爲有機的生長，這就是氣勢在羅門詩中的兩大運轉。次言「意象」在「曙光」階段的意義。亦卽是羅門意象創造的最初面貌在其創作過程中所顯露的兩個意義，其一爲「聯想的飛越」所造成的意義，羅門的意象大抵以此取勝，譬如前面所引的詩句，擁抱與漲潮，密吻與帆，卽爲聯想飛越之所得，聯想飛越由於現階段的「物」的留存，往往容易失其精確，譬如擁抱與漲潮，無論如何不能說是十分妥切，因此，如果能夠隨物宛轉，與心徘徊，聯想飛越所帶來的意象則是非常可觀的，這個優點對羅門來說是要到「第九日的底流」這本詩集才有所發揮：

> 行人的視線集攏成美的V形
> 像一束花擲在那裏

羅門的意象世界，其實也是在「第九日的底流」才開展他的雀屏，但在「曙光」中雖然尚未盡如人意，已可稍見光芒，這一點便是我們在此多加指陳的理由，基此，我們將繼續指陳羅門意象的最初型態之二——「喻詞的連鎖」所造成的意義，喻詞的連鎖在「曙光」中到處可見，前面所引的「那愛情的純淨的香檳流溢」等四句，又如「曙光」這首詩的句子：「我雙手撩開妳夜一般低垂的黑髮，盯住妳美目流著的七色河上，太陽正搭著黃金的橋通入白晝的宮殿」，這樣的連鎖可以貫串氣勢，使全詩爲渾和的，圓融的一種氛圍所涵籠，而在這種涵籠之中作者所反覆吐納的氣息將會漸次往返於讀者與詩之間，這是羅門詩的另一突出的地方。然而，由於這種喻詞的連鎖，一不小心，詩的秩序便誤入「黃牛灘」——「朝發黃牛，暮宿黃牛，三朝三暮，黃牛如故」，對於具有濃厚求知欲的讀者，這或者就是一種令他不耐煩的原因，所以，如何就「喻詞連鎖」這層，發揮優點避免缺點，實在也視個人功力而有著極爲懸殊的高下之別。羅門後來的詩作中，對於避免秩序的停滯這點所採取的有效手法，就是「促使意象跳動」，如此，詩有諧和一統之情，復有起伏跌宕之景，而後完成一渾然之境，例如「都市的五角亭」中的「送早報者」：

那是在牛乳瓶的響聲之前
安娜還未游出那人的臂灣之前
他的兩輪車領先在太陽的獨輪車之前
「昨日」像花園被他搬回來了
人們的眼睛便擦亮成各種瓶子
等著插各色各樣的花

以上，大略分析了「曙光」意象的某些特色，接著我們可以欣賞羅門此一時期的意象對於前面提到的古詩聲采所做的回應。論者以爲「曙光」是一極富浪漫色彩的詩集，這種浪漫主義的傾向多少影響了羅門詩中聲采的揮揚，然則，古詩所顯現的聲采必非止於縱放一己情覺以務異尙美而已，同時，所顯現的聲采也非字字吐艷，語語出奇，乃是基於中國文字的特性及古詩格律已完成的美好節奏而達及，舉一首崔顥的名詩「黃鶴樓」來看：「昔人已乘黃鶴去，此地空餘黃鶴樓，黃鶴一去不復返，白雲千載空悠悠。晴川歷歷漢陽樹，芳草萋萋鸚鵡洲，日暮鄉關何處是？煙波江上使人愁。」全詩瀰出「聲」「采」之美，只要加以吟誦即可感知，文心雕龍有「聲律篇」「情采篇」，袁枚「續詩品」也有「振采」「結響」之目，可見聲采之於古詩人，原來就是重要的一課。而羅門對於聲采的回應，在「曙光」中隨手可得，就以「寂寞之光」的後半節來說：

> 此刻我焚無數火焰樹在彩窗前迎你，
> 獨為你放下那道防止行人通過的吊橋，
> 在無光的冬夜 我這裏通明溫馨刻刻等你，
> 我已熟悉你來時踏響我心的樓梯之音，
> 如那造訪的馬車的蹄聲，擊亮我深居的幽暗的庭園，
> 而我將燃亮腦海中所有的燈塔，當你駕著靈感的巨輪經過。

其中「在無光的冬夜，我這裏通明溫馨，刻刻等你。」和「我已熟悉你來時踏響我心的樓梯之音」兩句，尤具聲采。中國現代詩人中，有葉珊和鄭愁予能在聲采上與羅門爭一短長，粗略比較一下，三者的不同在於取材的迥異，葉珊選擇「水之湄」「花季」「燈船」（「傳說」略異），愁予擅寫「夢土上」「窗外的女奴」，羅門則於都市文明（物質文明）跟人類心靈在眞實時空中搏鬬的悲劇性，做著一種求取穩定的努力，所以，前兩者的聲采素有「婉約」之風，乃題材使然（作者之所以選用某種題材，歸根究柢還是跟個性與才具有關），羅門則為了追求心靈的力感與完美性，追求悲劇的意識，而推尋意象聲采，依據羅門自己的術語，這或許就是所謂的「思考性的美感」，「將美建立在精神的深度中」，換言

之，前兩者從事物中提取美的質素，羅門則賦事物以美。因此，對於中年人，他說：「若是夜光已照入你們的額門，叫我怎不從你們哭泣的愁眼中，窺見人間最悲慘的無聲火災，正焚燒在你們心靈的田園裏。」（見「陽光下的陰影」），對於晚年人，他說：「晚年來時，你的眼睛成了寂寞的家，沈靜如深夜落幕後的劇場。」（見「小提琴的四根弦」），透過「無聲火災」「落幕後的劇場」可以感出意象的聲采，同時也窺見陽光下的陰影。這或者正是羅門和古詩聲采之所以相異處。

## 二

「第九日的底流」第二輯中的短詩，乃承襲「曙光」而來，因此有些詩作（如「A、B、C型智慧」「廿世紀的酒徒」）仍然有著曙光的缺失，但有些詩作（如「一個異邦女郎」，「小巴黎狂想曲」）則在聲采的表現方面更能創造出特異的效果，看看「小巴黎狂想曲」的句子：

凝望與天地線已排成好看的等待
只要你的美目如風車轉動　禁城的鎖鬆掉
桅燈便會由幾千里遠的霧浪上浮現
帶來一船威尼斯城的狂想
滿艙布拉姆斯的琴聲

從這裏我們應該更進一步探求羅門的意象如何繪出美感。據分析，可以就以下三說來立論：

### (1) 瓜葛說

羅門的「一個異邦女郎」曾有這樣的句子：「把那羣眼球似一堆彈子撞的滿車亂滾」，對於「意象」，羅門的一個處置方法也正是這樣——把眼球像一堆彈子撞的滿車亂滾，所以如此，便是「瓜葛」的應用。

瓜葛，簡單的說，是指意象之間的相互聯屬，這些意象有時尚未完全成熟——如前面所說的「物的留存」——但羅門仍然將它們羅列在一起，這樣的羅列不管是有意或無意，必得使它們相互之間發生聯屬的關係，而後讀者才能根據這種關係，進而感受整體的詩味，譬如陶淵明的一首「歸園田居」：

種豆南山下，草盛豆苗稀。
晨興理荒穢，帶月荷鋤歸。
道狹草木長，夕露霑我衣。
衣霑不足惜，但使願無違。

首先我們必須指出這首詩的層次非常分明，其瓜葛的型態乃因此易於辨識。此詩的瓜葛可說是一脈相承，而羅門的瓜葛方式則反是，嘈嘈切切錯雜彈，大珠小珠落玉盤，譬如「我美麗的小巴黎」：

而我美麗的小巴黎
睡在初夏的晚霞裏
當太陽雙脚踏入你剛修剪過的髮林
你的眼睛亮如燈市　好看的街車往來不絕
寧靜不再坐在深夜的鐘樓上
……
……

讀者在接讀這首詩時會有「美不勝收」的感覺，第一個原因當是羅門在詩中已經選取了屬於優美的那些形象，意象，而在讀者眼中喚起美。第二個原因則是擬喻、意象互相錯綜，羅門未曾理清這些意象之間的層次，因此在讀者眼中產生瓜葛的現象，又是初夏、晚霞，又是髮林、燈市，讀者不知置身何處，只覺得四周佈滿了美的事物，這些美的事物又緊密地糾結在一起，久久不能移去，所以這種美的印象有賴於意象的擇取，同時也需要相互之間的瓜葛。瓜葛的產生，一則由於作者自覺的排列，二則由於讀者心中不自覺而浮升，前者是一種藝術的手法，可以經得起分析，譬如「白蘭地酒櫃似的下午」：

四年後
另一座太陽擊昏我的雙目

那是音樂季園花綻開
我坐在一個鑲寶石邊的下午裏
面向藍藍的海灣 觀看琉璃的海景
那許多不可思議的姿色與風貌
似酒陳列在那個白蘭地酒櫃似的下午

由於「另一座太陽擊昏我的雙目」而引述到當時的「風景」，接下去的五句便是一種風景的「瓜葛」。由於中國字一個字有一個字的音義，在它本身自足存在時，它需要與另外的字發生關係，第一層關係即是「瓜葛」，亦即是：這個字由它的本身延展字義，另一個字也由自身延展字義，兩個字延展的結果便會產生瓜葛，字愈多，瓜葛愈複雜，所以「音樂季」與「園花」各自伸展他們的「義涵」，「姿色與風貌」跟「酒」也伸展他們獨立的義涵，兩兩之間起了瓜葛而引發詩意。事實上，中國現代詩人很少講究「鍊字」，注意到詩的瓜葛而應用的，幾乎沒有，羅門的這些詩作其實也不能說是十分允當的瓜葛的例子，羅門的詩之所以引起瓜葛，主要的還是起於「浪漫主義」上天入地無所不取的想像，將這些想像「錯綜」在一首詩裏，便容易引起讀者欣賞時的瓜葛，這種瓜葛利弊互見，作者愼重而妥切地處理意象，讀者能明理地引起共感，是爲其利，作者安措蕪雜，引起意象的錯亂，或是讀者本身未能洞察作者的意圖，以至無法在心中重新安排層次，是爲其弊，例如前面引用的「我美麗的小巴黎」，便有陷入「瓜葛」之弊的危險。但是，就羅門來言，羅門氣勢的貫串使全詩廻環不絕，籠罩讀者於其詩的氣氛之中，即或偶有意象間的不當措置，也往往爲全詩所瀰繞的美感掩蓋。

基於是，我們將從意象的「瓜葛」進入「交感」。

## (2) 交感說

交感與瓜葛最大的不同是：瓜葛只起「物理作用」，交感則爲「化學作用」，亦即意象與意象或物與物之間引起交互的感應，其中的關係不再是平面的聯屬，而是立體的超越意象之外的應通。拿一首爲大家熟悉的散曲來做例證：

**天淨沙**　馬致遠

枯藤，老樹，昏鴉，
小橋，流水，人家，
古道，西風，瘦馬，
夕陽西下，
斷腸人在天涯。

這首散曲的成功在於「枯藤」、「老樹」以至於「西風」、「瘦馬」之間產生了交感，此種交感並不一定需要表動狀態的辭彙，乃由「物」之本身，「意象」之本身，自我完成，如這首「天淨沙」可以說不用一個動詞，即使是「夕陽西下」也是指著夕陽西下予人的那份感受，而不在陳述夕陽漸漸西下這一動作，又如王維的絕句「鳥鳴澗」：「人閑桂花落，夜靜春山空，月出驚山鳥，時鳴春澗中。」也是在靜態中自我完成交感。

但是，這並非意味隨意臚列某些現象即可完成詩作，詩人必須考量可否交感這個問題，以這點來看羅門的「白蘭地酒櫃似的下午」的前半節：

四年前
這一塊從時間之屋伸出的小露臺上
仍放著那張空的旋椅
仍有一種言語似飄旗
聖歌　鳴鳥　碧流　成熟了那年的四月
彼此的笑容　是大自然富麗的外衣
牧師默默把未來放入禱告的搖籃

很顯然，羅門是注意到「意象」的交感問題，「仍放著那張空的旋椅」「仍有一種言語似飄旗」，前者的開蕩，後者的瀟洒，自然交感而旋出另一氣象，「聖歌、鳴鳥、碧流」「彼此的笑容」又跟前二者起了交感作用，一片祥和的氣氛因以抒出。然而，交感並非前面所說的「泯沒物的限指意義」——那是「氣勢」的工作。交感仍然需要保持「物」「意象」的原有義涵，以之交感而衍生更爲精純的詩意。

羅門的意象得力於交感的地方很多，在意象形成之前，羅門便以多竅的心思考交感的問題，譬如：「她像一張七十六轉的爵士樂唱片，被獵人發亮的鞋釘磨響」，譬如：「常驚遇於走廊的拐角，似燈的風貌向夜」，這些意象在未形成之時，羅門注意到「以交感使之孵化」，因此我們欣賞到的意象是渾然圓美之意象，而當意象與意象再度交感時，美感的產生自在意中，而且這樣發生的美感較諸「瓜葛」所有的美感，更能爲讀者所悅納。

可以說，羅門意象的成功在於「交感」的全然渾成，但是，羅門整首詩如果都產生高度的美感，也容易令人疲乏，因此，不能不討論一下「距離」對於羅門意象的影響。

### (3) 距離說

古人曾言：「入芝蘭之室，久而不聞其香。」便是一種距離的失卻所造成，長期浸淫在羅門營造的詩的國度，對於詩作的美感便無法再加以吸取，因此，保持適度的距離以產生美感，實爲美學中至重要的一項原則，譬如前面瓜葛說，交感說，實由距離而產生（玆事體大，此處不贅）。在此我們願意指出羅門意象未能控制適當距離所造成的缺失，以爲這一節關於美感討論的結束語。

距離，不只是創作時要保持自身與事物間的距離，同時也要注意到作品裏面意象間的距離，以及作品可能引起的跟讀者之間的美感距離，就羅門來說，羅門所忌的是採取較近的手法，例如「美的V型」曾有這樣的句子：「一個童話世界與一個患嚴重心病的年代，不相干地坐在巴士上。」對於熱切追求美感的詩人，這顯然是一種失誤。另一是欠缺高潮，這個意思也可說是整篇詩都在高潮中，因此無法感知高潮的所在，譬如一張緊繃的弓，繃久了難免會失去它的彈力，雖然羅門的詩大多以渾和的美好氣氛所涵籠，但是如果能在必要的時候處理好一處或兩處高潮，則羅門的詩自然達及完全的美好，從距離來說，整首詩作者所「介入」的程度一樣，則保持一定的距離而不能隨勢起伏，這也算距離執持不當所造致。當然，這種誤失，並非指其大部份的詩，但對於熱衷尋求美感的羅門，爲了盡善盡美，實在應該愼防與制止的，所以特別提指，以引起注意。（羅門在「麥堅利堡詩寫後感」曾提及「抽象距離」，顯然他已注意到這點。）

實則，意象非僅爲了求取聲采求取美感而已，意象背後所深藏的意願才是詩作創造的最大理由，以下我們將試圖從意象揆撥羅門對生命之獨特回應。

## 三

佛家以爲：諸行無常。羅門似乎在無常之諸行中，堅持他心靈的老管家是唯一可以趨近永恒，可以形諸美感的，所以，一首「第九日的底流」完全從貝多芬的第九交響曲興起諸多意象，以追求永恒和美。「序曲」中，我們可能注意到的是三次出現的「生命」，和兩次出現的「童時」：

(1) 我慈心的乳娘　你透明的七色乳
　直使我童時的神采煥發
　在你聲音簇擁的森林裏

我生命不死的綠色流動著
年華與季節被紮成花束
⑵沈入深海 我已攀到你投下的繩索
感知生命在高處顫動
⑶在昏暗裏 你聲音的閃星不斷照明我生命的死谷
世界便如一隻彩色氣球 飄向我童時的視境

大略，由此可以窺知進入「第九日的底流」的遵行方向，不論是「不死的綠色流動著」的生命，「在高處顫動」的生命，或是「生命的死谷」，羅門所要求的無非是更爲深入的一種探詢——一種精神深度的勘測，這樣的探詢勘測無一日可以停止，而其過程就是邁向永恒的過程。至於「美」，羅門在這一階段所強調的是回返本位的美，如「序曲」所詠「童時的神采」「童時的視境」，便是經歷了時間長期的干涉而悟覺到最初的童眞對美所抱持的摯誠，如同習禪者最喜歡提到的那種「見山不是山，見水不是水」之後所領會出的「見山依然是山，見水依然是水」的境界，才是眞正清澈、透靈的境界。在中國古詩人中王維與孟浩然是所謂「自然詩派」的代表，但兩人詩境則大所殊異，王維少年宦場得意，中年領悟富貴如浮雲，退隱於山水自然之間，唯焚香論禪爲事，故其詩恬然淡遠，境界甚高，孟浩然則反是，早年隱居，中年始熱中功名，偏偏宦途又未順遂，故其心境少有平復之時，其詩作自然遜於王摩詰。這就是經歷了苦中之苦（對王維來說，宦場是苦，對孟浩然來說，不順遂是苦），而能否加以自我的內省和回返，（以輕取美中之美的差別。羅門所特意完成的意象之美，現階段卽是以此爲依歸——深入而又回返，與前二節所述大異其趣。「第九日的底流」，意象紛陳，舉出「生命」和「童時」，只是在於提綱挈領而已，以下我們將以這兩個方向來審閱九節十四行的詩。

㈠提「永恒」之綱：

當永恒被打碎在都市的廊下
時空的破片以繁複的光襲擊米羅的視境
世界便在一面破境中驚愕自己的失態

永恒是易於碎裂的「東西」嗎？應該不是，因此當詩人說：「當永恒被打碎在都市的廊下」，他的意義有二，一是永恒與都市的對立，因爲「都市」是破壞「原始」的最大因素，是阻遏回返本位之美的最大障礙（這點我們在討論美感方向時再加研究）。另一意義則是「設想」的，設想「永恒」被打碎時，時空也碎裂而以「繁複的光」襲擊米羅的視境，世界因此「失態」，意卽是，永恒的存在維繫著時空遙轉的意義，所以永恒如無法保存它的「行常」，則時空也失其運行的秩序。基此，對於「永恒」的第一個觀念便該是：永恒不是一種境界，而是一種追索的「過程」，當這種過程停遏或是紊淆，則時空也將亂其腳步。那麼，追索什麼呢？

在第三節，羅門提出他對宗教的觀念，「當桑塔耶那的藍目爬上教堂的尖頂，一個上升的存在便步入仰視」，這是對神產生的肅穆的景仰，一種虔敬從「一個上升的存在便步入仰視」可以體味得出，但是這並非羅門的虔敬，「方向似孩子們的眼神於驚異中集會」馬上提出了他的懷疑，接著的句子更是一種嘲諷式的否定——以爲禮拜日在老牧師那裏替靈魂換上一件淨衣，而在以後的六天卻又輕易地弄髒它。對羅門來說，基督不是他的救贖者，雖然他並未更進一步探討或否定基督存在的深義，但他確信六與一之比是極大的諷刺，然則，羅門的安息日是什麼呢？

在你第九號莊穆的圓廳內
一切結構似光的模式，似鐘的模式
我的安息日是軟軟的海棉墊，綉滿月桂花
將不快的煩躁似血釘取出
痛苦便在纏繞的綳帶下靜息

這樣的安息日是因爲在暗冬「爐火通燃」，因爲「沒有事物再去抄襲河流的急踐」，而且「都齊以平靜協和的神色參加合唱」，故知基督非他所要追索的，天國自然也不是。「院園仍用溢出牆外的繁茂攔住行人」，攔住了行人，並未攔住羅門，羅門所願意執著的就是「樂聖」所提供的「音色輝映的塔國」。

同時，時間與死亡的陰影下，羅門相信人所能仰賴的依然是使心靈得以安舒的貝多芬。

通常總認爲「現在」應該是人所最能把握得住的，羅門則以爲時間恒在運行之中，現在也是多所變化，所以他說：「『現在』仍以它揷花似的姿容去更換人們的激賞」，花固然美，但容易萎落，現在雖被緊緊握住，也容易在下一秒或再下一秒失落，所以他說：「重疊的失落亦似方磚加高死亡之屋」，在層層失落之中，死亡便步步逼近——「人是被釘斃在時間之書裏的死蝴蝶」，正如第五節所述的困境：「在迷離的鏡房受光與暗的絞刑」，在這種困境之中，羅門認爲：「你的樂音在第九日是聖瑪麗亞的眼睛，調度人們靠入的步式」，也就是在人們必得屈服的時間與死亡之前，做一種適度的步式的調整，而這種調度仿如聖瑪麗亞的眼睛令人不能不心悅誠服。

「第九日的底流」前五節，對永恒的探討只做了消極性的比較，可以說這種比較旨在襯顯貝多芬的世界所提供給人類心靈的安挿能力。而眞正從事探索人類精神和心靈的某些動向，期使音樂及詩作本身能因精神深度的勘測以臻於永恒，則有待後來的四節詩作。

實則，第五節已經開始了這種更爲深入的叩尋工夫，第五節將人置於「迷離的鏡房，受光與暗的絞刑」，在這種迷亂的困境，羅門以爲必先「逃脫」那些交錯的投影，「然後把頭埋在餐盤裏去認出你的神」，而在那一刹間的廻響裏，另一雙手可以觸及永恒的前額，換言之，餐盤與神之間產生了一層微妙的關係，這層關係正好呼應這節開頭的句子：「人是一隻迷失於荒林中的瘦鳥，沒有綠色住入饑渴的深度」，因此，「餐盤」便發展爲一具有更大義涵的物，基於此，我們理會到「突破」「需索」的意願，而對於「禁黑暗的激流與整冬的蒼白的體內，使鏡房成爲光的墳地，色的死牢」這句所透露的整首詩的精神面貌，可以得到整體性的認識。

第六節以後，意象的紛陳較前爲甚，雖然基本上仍然沿著「禁黑暗的激流與整冬的蒼白於體內」所激發的認識，以維持氣勢的一貫，但意象的突起則係仿用「爆破」的方式，如春節此起彼落的爆竹聲，保持「遙遠的呼應」，此種遙遠的呼應不僅指著句與句間的距離，更指著意象造成的情境有著顯然的差異，因此，理解一節詩也將隨著意象而做往復跳動的思考，這種思考的跳動或者與精神面貌有關，譬如第七節說：

許多焦慮的頭低垂在時間的斷柱上
一種刀尖也達不到的劇痛常起自不見血的損傷
當日子流失如孩子們眼中的斷箏
一個病患者的雙手分別去抓住藥物與棺木
一個囚犯目送另一個囚犯釋放出去
那些默喊便厚重如整個童年的憶念

精神面貌的不安和多樣，即使是深思熟慮，也起了跳動性的轉移，詩人的意象乃不能不跳躍著推進，從此我們知道：羅門的意象有它一脈相承的創造方法，而其創造的基線仍然不離氣勢一貫和意象跳動的把握，從「曙光」進入「第九日的底流」，雖然就精神深度的探求來說，其吃水量更大，而意象之創造仍然有著根本上的共通，分析它的因果關係，我們以爲有兩個最主要的緣由，一是詩人感性的衝擊力甚大，二是詩人創作時所保持的清醒——清醒地知道自己將要表現什麼（雖然不一定確切地知道）。

「第九日的底流」到了最後一節，採取一種「渾和」與「圓熟」的表現：「我的島終日被無聲的浪浮彫，以沒有語文的原始的深情與山的默想」，「我的眼睛便昏暗在最後的橫木上，聽車音走近，車音去遠」，這或者就是羅門在「麥堅利堡」這首詩的引句上所表達的：「超過偉大的，是人類對偉大已感到茫然」，我們對詩的一個基本態度也正須如此，申言之，就是「詩的最高效果，是存在於那不可指定的無限的感知性上」（「死亡之塔」一七頁），如同中國的「絕句」，句絕而意不絕，所以，前面兩節所指稱的「物」必須突破限指意義，宛轉昇化爲「意象」，而後更使意象走向無可拘泥之境，由此來看「超過偉大的，是人類對偉大已感到茫然」，便可以感知繁華落盡後的一片清明，此乃王維詩勝人之處，也是「第九日的底流」圓融而高明的結束。

## (二) 挈「美感」之領：

我們將試圖指出的是羅門所執著的「美感」由來，先以「第九日的底流」的首節來看：

> 萬物回到自己的本位仍以可愛的容貌相視
> 我的心境美如典雅的織品置入你的透明
> 啞不作聲地似雪景閃動在冬日的流光裏

羅門的美感起於這種回返本位所引發的美，如「透明」所給予我們的印象——「透明」不是空無，乃是經由實有將之透視而能自由出入或取境，所以「童時的神采煥發」，是因爲經過成年人的「滄桑」而回顧童時的「天眞」，因此有人以爲寫詩應該保持童稚的心境，應用童稚的語言，其實這必先基於詩人已經脫離童稚之期，飽經困頓流離之苦，而後加以返觀，才能有所「感」和「動」。羅門的美感便是基於這樣的一往一返乃至於數往數返。

試再以羅門的「時間」和「鐘錶」來說明這點，關於這兩個名詞，詩人有兩句很好的詩：

一是「純淨的時間仍被鐘錶的雙手捏住」

一是「時間逃離鐘錶」

無庸贅言，時間才是眞正最初始最基本，往古來今以至無限者，能與空間對舉，而鐘錶、日曆只是時間的一種刻度，表明時間的一種方法。但是時間一與鐘錶比稱，卻產生更廣袤的意義，再讀上面的兩句詩，心靈的震顫當不是「光陰似箭，日月如梭」這樣的句子可以比擬，所以如此，我們的理由仍然是：回返本位所造就成的，亦卽「時間」通稱「鐘錶」而產生更高的詩的效果。

進一步看，「啞不作聲地似雪景閃動在冬日的流光裏」，乃意象本身顯現的美，此種美是一種事物回返本然之眞的美，這樣的詩句在羅門詩中可以隨處見到，我們只引一句做證：「當航程進入第九日，吵鬧的故事退回海的背景，世界便展現如英格蘭古老的原野」，因爲這句很明顯地表達了羅門之厭惡喧嘩，可以說，從詩人的意向來看，羅門是類似於陶淵明的「返樸歸眞」，但詩的表現方法則截然不同，羅門注意歸返的過程，陶淵明擒舒返歸後的境界，羅門介入，淵明隱逸，所以羅門色彩濃厚，淵明沖澹眞淳，最大的不同則在於羅門藉此以求其美，淵明則求其美之外，更見其眞。（注意羅門並非推崇自然）。

所以，羅門之有「都市之死」這首長詩，從美感之擷取來說，正是做爲一種擴大展覽的表示，在這以前的「BB的彫像」「塔形的年代」等詩，及以後的「進入週末的眼睛」「彈片·TRON的斷腿」等詩，可以說都是「都市之死」的先聲和遺緒。這首詩的意象顯然要比「第九日的底流」來得輕快，可能是詩人在處理「第九日的底流」的素材時，很愼重地將之視爲深入人類精神內部工作的美感活動，而「都市之死」則帶點嘲世味道，譬如：

誰也不知道太陽在那一天會死去
人們伏在重疊的底片上再也叫不出自己

更深一層來看，「都市之死」雖然旨在通過「都市」（包括夢露、週末、戰爭等）以尋求美的廻返，可是美的廻返乃基於一種理念的認可，這種理念支持詩人去逆推事物，去剝呈事物，讀者在欣賞「都市之死」，詩人介入後的抗拒意識及其導引的美感的浮昇，不能不注意羅門在這首（類）詩中所表露的更廣大且壯濶的他的思想背景：

都市，做爲物質文明的表徵，是人類追求而又嫌惡的，也就是在嫌惡它的速度而又不能不追求速度的矛盾中，羅門藉以探討人類生存的困境及其尷尬，並將之推昇至精神這一深入的層面加以研究，至此，我們可以回味「第九日的底流」第一節的詩句：「永恒被打碎在都市的廊下」。亦即是，詩人不僅從正面去明訪精神世界的每扇門，更從阻遏心靈觸鬚之伸向的「都市」來暗查。

人們也拉緊自己風帆般換向的影子急行
在來不及看的變動裏看
在來不及想的迴旋裏想
在來不及死的時刻裏死

如此的捉摸不定，變動不居的都市，羅門穿過並且帶出他所要提供的理念，這樣的理念一則展示羅門詩作的另一廣大且壯濶之思想背景，一則也爲廻返本位之美奉贈一有力之佐助。

## 四

從「第九日的底流」及「都市之死」的「V型」交點，趨向更深沈更隱定的那座塔，就是羅門的「死亡之塔」。也就是說，在理解「第九日的底流」及「都市之死」的思想背景之後，進而理解「死亡之塔」，是可以按圖索驥的。因此，以下我們討論羅門現階段之意象成就時，將不再一一指出「死亡之塔」冷凝的哲思，同時這也因爲羅門的詩在精神活動方面，「死亡之塔」是承繼前兩詩而來，至於意象，在「死亡之塔」這本集子裏及以後的詩作中，卻自成一「斷代」之美。

先舉例說明這點：

山的波浪沖擊著晴朗的天壁
聽不見的迴響是喊出寧靜的一面鏡
在藍與綠相交成的夾角裏
穿不過去的是流浪人的視線——擷自「臨窗的眺望」

鞭子一響
旁的馬都成為跑鞋了——擷自「野馬」

我們可以指出這樣的意象已經突破平面的形色之美，進而樹起立體的，身歷聲的，非靜態的綜合意象，更重要的是：這樣的意象顯著地與前期詩作別樹一幟，如果要具體地指出造成面貌殊異的原因，可得而言者有二，一是前期詩的意象雖有陽剛之氣，但尚陰柔之美，近期詩則洗盡鉛華換下舞衣，還其本來面目，二是更多「憑空而來」的形象與形象之結合，且這種結合衍生更繁複的奧義。第一點可以由比較得之，第二點可以拿以下的四行詩做例證：

鋸木聲叫著林　箭簇聲叫著鳥
火焰叫著煙流　煙流呼醒域外

質言之，前期意象或者只為本身之存在而存在，近期意象則為詩之整體性提供全面的呼應，沒入詩中共同完成大業。前期意象容或有過多的枝節及說明文字，如「掙扎的手臂是一串呼叫的鑰匙，喊著門，喊著打不開的死鎖」，其中「掙扎的手臂」即是駢枝，「喊著門，喊著打不開的死鎖」即是無謂的說明，就意象之純淨而言，只留存「一串呼叫的鑰匙」便可以完成這一節詩（「都市之死」第五節）的主要義涵（羅門之所以寫成目前的樣子，似乎著重於氣勢的鋪陳），近期詩如「鋸木聲叫著林，箭簇聲叫著鳥」可以說是言簡意賅——不只意賅，甚至於豐富原有之美涵且無盡衍去。

基於此來探視羅門的永恒觀，自會察覺永恒與美之結合更向前趨近一步。他說：「永恒這刻不需襯托，它不是燭臺銅與三合土，也不是造在血流上朽或不朽的虹橋，它只是一種旋進去的沒有阻攔的方向，一種屬於小提琴與鋼琴的道路，一種用眼睛也排不完的遠方，一種醒中的全睡，睡中的全醒，一種等於上帝又甚於上帝的存在」（摘自「螺旋形之戀」），這樣的永恒觀即是先前所論的追索過程再酌以意象之美，羅門目前的方向正是促使二者合一以求其白熱化，以下我們將討論羅門的一首短作來見證這點，這首短詩意象突出而能代表近期羅門的詩思和風格，我們以為是羅門最完美的一首詩：

車禍

他走著　雙手翻找著那天空
他走著　嘴邊仍吱咕著砲彈的餘音
他走著　斜在身子的外邊

他走著　走進一聲急煞車裏停了下來
他不走了　路反過來走他
他不走了　城裏那尾好看的週末仍在走
他不走了　高架廣告牌
將整座天空停在那裏

這詩的結構無懈可擊，第一句「雙手翻找著那天空」與最末句「高架廣告牌將整座天空停在那裏」，正好是架起帳蓬最有力的兩根主繩。第一節的四句——因爲雙手翻找而吱咕，由吱咕而身心兩離，以至於走進一聲急煞車裏——也自然形成完整的結構，第二節的三句更以「不走」形成另一氣漩，在兩氣漩相觸及時。「他走著　走進一聲急煞車裏停了下來」和「他不走了路反過來走他」兩兩對應，自然，簡捷，在中國現代詩中實不可多得。（本詩的唯一瑕疵應該是多出「停了下來」四字）。

就意象而言，羅門的世界本來由「線」去圍剿，目前則藉「點」來突破，前者是聚螢成囊，後者是鑿壁偷光，雖然各有千秋，不過因「點」而見「面」得「體」，卻更顯出詩的存在意義。

「他走著雙手翻找著那天空」，「那天空」實際上已成爲一種象徵，或者說，他的原存的理想境界現在是失落了，而失樂園是值得費勁加以翻找的，他正在翻找。如果我們重視

「翻找」這個動作，可以將「那天空」視爲實際的天空，即使這樣，它仍負有象徵的意味。亦卽是，不管翻找的是他理想中的特定的那天空，或是希冀天空中翻找出什麼，他的渴求，他的急切，是從這句詩中透露出來的。接著，「他走著，嘴邊仍吱咕著砲彈的餘音」，在他的「嘴邊」，是砲彈的「餘音」，我們可以聽出這正是上了年紀的咕噥習慣，他或是歷盡戰火洗禮的人，詩人有意爲那天空暗示一點尋求的路徑，可是他僅僅止於此。詩中的他，走著走著，卻已「斜在身子的外邊」，就因爲他是那樣出神地翻找，忘我似地吱咕著，忽視了他所行經的是「都市」——羅門眼中的都市——所以他勢必走進一聲急煞車裏，爲都市的洪流淹沒。

他是不走了，「路反過來走他」，「城裏那尾好看的週末仍在走」，死亡的卑微、低賤，正由此可以看出，雖然羅門在「死亡之塔」中說：「一槳樹倒在最後的斧聲裏，樹便在建築裏流亡到死亡」，說：「死亡！它就這樣成爲一切內容的封殼，成爲吞吃上帝黑袍子的巨影」，以爲「死亡」無時不在人類的四周，在人類的內裏威脅著；「死亡」跟性、戰爭，成爲人類生存的困境，那是因爲人類自己親身撫觸到它們的恐怖陰影，從這首「車禍」中我們確實感知死亡君臨一切，然而，如果深一層看，人際之間的溝通可能已經降至極低的限度，基本的人間同情似乎由於都市的聳立而瀕臨蕩然的危險，卽使同在都市、戰爭或死亡之困境中，人類所付出的感情依舊是極爲有限的，所以，他不走了，路反過來走他，「城裏」那「尾」「好看的週末」仍在走。再說，「高架廣告牌將整座天空停在那裏」，一則這是憑空而起的詩思，仍然是獨立的自足的意象，將詩托奉於玄思的象徵意念上，二則去回想停在那裏的整座天空，是否就是他所翻找的那天空？三則注意到「廣告牌」正是虛僞的、浮誇的，無視於生命之存在，這三者構成此詩的眞正價値。

說「他不走了，城裏那尾好看的週末仍在走」，不就是指著生命消逝的微不足道嗎？死亡的卑微正是生命的卑微，羅門以爲「生命最大的迴響，是碰上死亡才響的」，所謂「透過死亡對生命認知」，倘若依據前面所論述的，這依然是一種本位的迴返，質言之，羅門寫戰爭，寫都市，寫死亡，不是站在膚淺的表而做天眞的歌誦或否定，而是透過死亡去感知生命的眞正本質，藉著都市去揆撥精神和心靈的內涵，經由戰爭去體認人類存在的悲劇性及其偉大精神的趨向，以這樣的觀點來欣賞他的「都市之死」和「死亡之塔」等詩，便不至於陷入迷陣，而能更上層樓探討他廣大的思想背景，和精神的動向。

是故，此一時期的羅門意象雖然有它的揉合之美，發展出異於「第九日的底流」之意象。但千根總歸一樹，探討羅門的意象世界旨在五花八門之中尋出他的脈絡，進而返歸羅門之心靈的最純展現，這也就是本文所試圖達成的主要目標。

「藍星詩刊」一九七一年年刊

# 意象層次剖析法

## 並試辨羅門的超現實詩之謎

陳山瑞

### 一

「意象層次剖析法」是純就藝術的觀點透過意象本質層次的解剖，對於現代詩從寫實到超現實的諸多表現手法，試圖提供一條在創作與欣賞雙向交通的可能途徑，使得詩在做為一種藝術發展的過程中，能夠落實在合乎人類思維運作的準線上；進而讓現代詩健康地活於人們的心田而不再老是遭人誤解。

回溯臺灣的中國現代詩之發展，自五、六十年代受西方表現手法影響而議論紛紜的超現實詩風到今天所謂重視本土的現實詩風；可說給讀者經歷了一種兩極化的感受。前者往往是意象離奇，晦澀得甚至大學裏講授詩學的學者都自嘆「慧根」不足，而後者又常常在遷就現實的考量下，詩表現得近乎白描、淡泊的類似宣傳品。然而，不論上述那一種情形的發生，皆可謂源於詩人在創作時對於意象羣的掌握出了偏差。

詩是文學類型裏密度最大、最集中的形式，而意象便是構成詩做為有機生命體的重要血脈。當我們檢視一下文學的流變，從古典主義、中世紀經過文藝復興到新古典主義、浪漫主義、寫實和自然主義以降迄今的現代主義各種流派，那些傳世之作大抵能透過意象層面的精確性，超越了各種主義的畛域，在讀者心靈產生共振效果。於此可見意象是不受任何主義（ism）拘限的。讀者在閱讀文學作品時是尋著作品中意象羣的有機結構去摸索，而不是去讀它所代表的流派；譬如，當你閱讀海明威的「老人與海」時，你是透過它裏頭精準的意象羣去肯定這部作品的偉大，還是去讀它所代表的流派來肯定呢？

從修辭學的角度來看，詩中的意象多半經由三種方式來呈現，㈠直陳：如元代馬致遠的「天淨沙」——「枯藤、老樹、昏鴉。小橋、流水、平沙（人家）。古道、西風、瘦馬。夕陽西下、斷腸人在天涯。」㈡明喻：如義大利女詩人麗娜・烏娜麗（Lina Unali）有句：「你的臉／緊張、僵直、傾聽／像個白癡在風中。」①㈢暗喻（或稱隱喻）：如莎翁商籟詩第十八首：「我可將你比做夏日嗎？……粗野的風正搖撼可人的五月之蕾。」一般說來，意象藉著這些手法以顯露其本質中的一些特性；甚至造成它的象徵效果，例如非洲迦納（Ghana）詩人科飛・阿烏諾（Kofi Awoonor, 1935-）在「大門前」（At the Gates）詩中寫道：「我將喝它；我的神把它賜予我／我要飲盡這葫蘆（（calabash））／因爲這是神給我的禮物。」②另一位迦納詩人科飛・安義德厚（Kofi Anyidoho, 1947-）也在他的詩「誕生水中之靈」（Soul in Birthwaters）提到「葫蘆破裂了／腦液四溢在路上／獻給過路人一個破碎的故事。」③葫蘆這個意象在詩中經過有機的處理後就變成了一種「權柄或生命」

的象徵了。詩裏又以明喻和暗喻使用最多，最富暗示性，而直陳則較淺顯易懂。

關於明喻與暗喻的內涵，加拿大的文學理論家諾斯羅普·富萊(Northrop Frye, 1912)在「暗喻的動機」(The Motive for Metaphor)一文裏有扼要的闡釋。他說：「聯想、類比和等同(identity)的二個主要種類是兩物間的相像和兩物互爲彼此。」接著又說：「關於暗喻手法，在你說『這個就是那個』時，事實上，你已完全地反邏輯、反理性了，因爲就邏輯而言，任何兩物根本不可能爲等同的一體，它們仍然是各自的獨立體。……依據華勒士·史蒂文生的話，暗喻的動機是一種慾望——最終要把人的心智和外在的事物等同起來。」④

在詩的創作與欣賞兩方面，明喻通常較暗喻容易爲人們所掌握和理解。詩人與讀者的溝通，最易造成堵塞的地方就在於暗喻的把握。由於語言乃是人們賴以傳達意象的媒介物之一，也就成爲溝通的媒體。在一個社會中，人們對於語言的認定大都會沿一種約定俗成的「意義地帶」去理解，否則法律條文怎麼能行得通呢？但是每一個人同時也或多或少對於某些負載著意象的語言有他私人意識或經驗裏的獨特「意義」。這原本就是一件不易解決的問題。所以當詩人在創作中選擇某些意象，以暗喻的手法將它們訴諸一種屬於「私人獨特意義範疇」內來表現時，此刻讀者若無法在「約定俗成的意義地帶」去理會它們，那麼這種雙向的交通便無疑地宣告中斷。因爲暗喻手法在詩裏的美學效果即是叫人去做「等同思考」，換句話說，就是讓讀者去思索爲何A會等於B；它們之間到底存有什麼明顯的或潛在的關係。

如富萊所言：「『這個就是那個』，事實上，它們根本不可能爲等同的一體。」既然如此，詩人在他的有機結構裏到底是在那個基礎上把這兩種意象同拉環一般底扣連在一起呢？這就成爲作者與讀者間交通的「焦點」，也就是本文所要解決的地方。

當譬喻在詩中發生時，你不可能在這兩個意象本身所涵蓋的意義層次之間全部連上等號比方說，你在臺灣看到某位唱搖滾樂的歌手，你可能會說：「他是臺灣的麥可·傑克遜。」此時，你顯然是將他唱歌的某些特質同麥可·傑克遜的某些特質之間劃上等號，但他不可能全等於麥可·傑克遜這個人，亦卽這兩種意象永遠無法是同一體。不過經過了這番譬喻，你卻成功地製造了一次言簡意賅且生動的訊息傳遞。詩人佛洛斯特（Robert Frost）在「詩教育」（Education by Poetry）一文中曾提到：「所有的暗喻皆會在某處出現斷層（break down）。這就是它美的所在。」⑤他又進一步指出，雖然在哲學上企圖透過以「物質喻精神」或者以「精神喻物質」的方式去達成最後統一體，不會成功，但這卻是「詩的最高峰，所有思考的最高峰，所有詩思的最高峰。」⑥佛洛斯特認爲詩是從一些細小、瑣屑的暗喻開始的，由一些你「喜愛」的意象進展到我們深奧的思考裏。⑦若我們仔細來分析他的名作「未走過的路」（The Road Not Taken）會發現佛洛斯特在此詩裏所選用的意象如路、黃樹林、矮樹叢、草、樹葉、旅人、分岔、腳步、早晨、踩踏……等都是些平日慣常的意象，但是經過詩人的藝術手法加以有機統合時，遂使得「路」的意象與「人生之旅」拉上了環扣，進而對人生命運的選擇做了深奧的警示。由此更可深信詩提供了一條讓你以一物喻另一物的可行途徑。佛洛斯特在此幾乎肯定暗喻卽是詩了。因而意象間譬喻法的運用已是詩構成的必要條件之一。

至於如何才能在創作與欣賞時精準底掌握詩中意象呢？首先，便要對每個意象所涵蓋的意義層次做個有系統的探究。大體而言，一個意象整體意義的形成約來自五種基本的層次。

㈠**形樣層** 所謂「形樣層」，係指一個意象所具有的外貌而言；有時候指它在空間裏所佔的形相，比如一座山的底廣頂尖，一條河的長條帶狀或者一道橋的二定點間的長寬和墩子等；有時候也指某一物體的共相概念，如各種不同形的桌子、椅子、車子在人們心中所產生的抽象觀念；有時候也指實際存在但不易爲人掌握的物質，像光、風、空氣之類。形樣層可說是屬於空間意象的範圍居多。

㈡**元素層** 所謂「元素層」，係指一個意象構成的元素以及它的本能。就物質現象上講，它是科學解析般的元素，例如水爲兩個氫原子和一個氧原子的組合（$H_2O$）。以及水本身的能力，像流動、滅火、氣化等。就精神現象上講，它是指實際存在人們心靈，但無法做佔有空間形體的展現，諸如愛、恨、憐憫此類情感。這個層次的意象較複雜且有的會和別的層次交疊，可說是含有感覺、關係、意識、時間、眞實等多種意象存在的範圍。

㈢**質感層** 所謂「質感層」，係指一個意象在人們心理上或生理上所造成的感受；此層的意義帶有較多主觀（移情）的成分。如雪給人的是冰、柔、白的感受。溪流是動的、向前、向下的感受。鋼鐵則是堅、硬，而岩漿是熱、燙、火紅、可怕、流動的感受。還有像大、小喇叭聲、瓦斯味、煙味以及一些令人作嘔、發寒、暈眩等的感受。質感層可說是屬於感覺意象的範圍。

㈣**歷史或神話層**　所謂「歷史或神話層」，係指某些已被人們接受的意象，但它們的意義範疇實已超出了它們自身本質的內涵，然而在某些文化、風俗裏卻廣泛地被認定。例如李白的「月下獨酌」：「花間一壺酒，獨酌無相親；舉杯邀明月，對影成三人。」這裏頭的「三人」，眞正屬於「人」的祇有詩中的飲酒者，其餘的「二人」壓根兒不是「人」。這就是李白的詩藝創造了歷史！再如，中國塡古詩詞時用來做「借代」的意象，譬如表示「月亮」的意象，多得不勝枚舉，像學扇、望舒、進退牛前、清蟾……等，尤其蟾，俗稱癩蛤蟆，更是遠離了「月亮」的內容，但此皆歷史文化沿革下來而爲騷人墨客所接受的。⑧另有屬於「藏詞」的修辭，有「小和尚唸經」喻「有口無心」，「鴨子上岸」喻「抖一下」等。⑨屬於神話傳說中的意象，則中國的「龍」是一典型例子，從來沒有人眞正目睹龍的長相，然而每一位中國人的心中都有這麼一條神靈般的意象和龍所代表的內容，當然，中國的「龍」的意象與英國古代史詩貝爾渥夫（Beowulf）中的那隻「龍」（Dragon）是絕然不同的。又如中國人對於「狼」的狡猾、奸詐的認定就與南斯拉夫人的認定不一樣，「狼」的意象在南斯拉夫人心中是「國寶」的地位，所以該國詩人瓦士科·波帕（Vasko Popa）在詩中便以「跛足之狼」來象徵南斯拉夫所受的災難與憂傷。⑩因此，歷史、神話層又可略分爲本籍性和外籍性：(1)本籍性指某些意象在特定的時空內文化、生活所產生而爲當地人傳統上能接受者，如上諸例證，以意象交通而言，這是問題較少的地方。⑵外籍性指任何外來的意象在進入本籍性的讀者時所激起的反應。這是個問題較多的地方，也是讀者和作者問交通時觸礁較多的時候。通常除了一些人類所共有的原型意象如水、火、山、河、海、土地……之外，這類問題端賴國際間學術、文化的交流來逐步解決，誠然，這非一蹴可成的。舉證來說，一九八六年諾貝爾文學獎得主奈及利亞作家渥里・索引加（Wole Soyinka, 1934-）有一首詩叫「阿比庫」（Abiku），它所代表的內容恐怕不祇是中國人會感到陌生，甚至許多西方人也會覺得這意象很「非洲」吧！「阿比庫」是指命定要早夭的孩子死了以後再從同一位母親身上轉世的「靈轉子」（Spinit Child）。⑪有位奈及利亞朋友說：「這早夭子死後，他們便在他的身上某處烙個卻記，這位母親再生的小孩，如果身上的同一處出現那個疤痕的話，那麼這孩子就是『阿比庫』」。緣此，我們可以清楚地看出，譯介作品到另一外籍地時，若遇上屬於當地的具有歷史或神話性之類的意象，給它一個註解是有其必要的，而不是炫學的表徵。

㈤**藝術家的魔力層**　所謂「藝術家的魔力層」，係指藝術家在他的作品裏透過有機的組織將選定的意象按著自己的意圖去塑造一種傳統之外的新「形象」。這種高度的藝術手法會驅使讀者尋跡步入他的私人世界裏。像中國現代詩人羅門的「都市之死」一詩中透過系統地安排使讀者經驗了都市是「一隻美麗的獸」、「一頭吞食生命不露傷口的無面獸啃著神的筋骨」、「等於死的張目的死」和「一具雕花的棺，裝滿了走動的死亡」。⑫這樣「都市」與「獸」與「死亡」新意義的建立純靠著詩人的魔力來達成的。自然，「都市」是「獸」、是

「死亡」的新層次被創造成功後，便進入「歷史或神話層」成爲人類文化的一部份。或者像法國象徵主義詩人波特萊爾(Charles Baudelaire)的詩：「有一匹獸，更醜惡汚穢兇險！／雖然不大聲叫亦無誇大之舉，／牠卻樂意將這大地化成廢墟，／而在一個哈欠中將世界呑噬；此乃『倦怠』！」⑬於此波特萊爾結合「倦怠」意象與「獸」意象，而創出了一嶄新的「倦怠」意象層新意。

綜合以上五個層次，可窺知一個意象整體意義的形成是相當繁複的，而且是一個生命體，仍不斷地在新陳代謝、成長演進；它又宛似一個小宇宙，在很多時候，不是單憑個人有限的知識可以完全理解的。雖然如此，如有了上面的初步認識，並熟稔這種意象層次的掌握，則在創作與欣賞兩方面是會有裨益的。底下，就援用「意象層次剖析法」來試解羅門超現實詩之謎。

## 二

羅門從民國四十三年在「現代詩」季刊上發表第一首詩「加力布露斯」以來，在中國現代詩壇便一直以他強力的意象和深邃的詩思享譽迄今。也由於羅門的詩質較偏向西方「側重知性」的美學感受一邊，所以他的詩在以抒情傳統爲主流的讀者羣中就顯得不甚流行；加上在詩的表現形式上他採用比喩、象徵、超現實乃至電影、繪畫、雕塑等手法⑭；在詩的內容上強調進入生命與一切存在的眞位與核心去表現隱藏在事物深處的不可言喻的奧秘的世界

⑮。這兩種特質使得一般讀者不易掌握羅門詩中繽紛的意象羣，而覺得他是一位相當困難的詩人。幸好藝術不是流行的同義詞，羅門詩中藝術的純粹性依舊熠熠閃爍。自民國五十六年以「麥堅利堡」一詩獲得菲律賓總統金牌獎到民國六十九年他的作品被選入美國狄洛拉紀念基金會（Delora Memorial Fund）出版的「世界詩選」（World Anthology）迄今，羅門的作品已有英、法、日、韓等譯文；可謂是一位相當重要的中國現代詩人。而且，羅門在詩裏深而廣底探討「現代人生存場景」的風格，衡諸當今詩壇亦是不多見的。

對羅門的表現形式與內容有了大概的認識後，底下就以上述的「意象層次剖析法」來試解羅門的超現實詩之謎。首先，以「時空奏鳴曲——遙望廣九鐵路」來分析。這是羅門的近作⑯且較爲淺易的一首詩。其中第三章「穿過上帝瞳孔的一條線」有三段寫道：

這條線
從板門店
繞東西德走廊
來到這裏
較雲去的地方遠
卻比腳與泥土近（省略一段）
是誰丟這條線
在地上

沿著它

母親 妳握縫衣針的手呢？

還有我斷落在風箏裏的童年

母親

如果這條線

已縫好土地的傷口

我早坐上剛開出的那班車

沿著妳額上愁苦的紋路

回到沒有槍聲的日子

去看妳

在這裏「線」是個主要意象。羅門很顯然選用了韓國板門店、歷史性的三十八度線來象徵任何分離的觀念，遂加以運用在香港遙望廣九鐵路時內心所體會到的和母親、家鄉分隔的實境上來。我們來約略地剖析一下「線」這個意象在日常生活中的層次：㈠形樣層：成條狀，可直、可曲。㈡元素層：可由棉、麻、鐵、鋼、銅或各種人造原料做成；在精神上，它有經緯、領域、範圍、極限等概念。㈢質感層：長、短、細、粗、軟、白、黑、紅、透明……等。㈣歷史層：韓戰後的北緯三十八度線、越戰時的北緯十七度線、各國的歷史疆界以及孟郊的「慈母手中線，遊子身上衣，臨行密密縫，意恐遲遲歸……」。從上面前四個層次觀之，羅門是以板門店的三十八度線所產生的「分隔」的概念來統合了東西柏林的圍牆以及今日分裂的中國。就意象的特質來說，羅門選擇了「線」意象層的「元素層」中精神上的經緯與範圍的觀念和「歷史層」的三十八度線以及疆界的事實。所以，他便以三十八度線來暗喻中國的分裂。其次，來看羅門如何拿「線」來縫地球傷口的超現實情境。當你讀到這段時，你會有股感受便覺得很合理地去接受詩人的如此安排。但如果有人問：「你爲什麼會覺得合理，而不覺得它很荒謬呢？天底下那裏會有人拿針線去縫土地的，又不是瘋子！」那麼你很可能會回道：「平常當我們手裏握針線時，多半拿來縫衣服或什麼的；或者手術臺前的醫師用它來縫切口或傷口。這種比喻很自然嘛！」然而爲什麼你會覺得這樣比喻很自然呢？這種超現實是否不違背人類的思維邏輯呢？

關於「線」的意象層我們上面已談過了，現在來分析「土地」的意象層，之後再來看「布」與「土地」之間的關係。土地：㈠形樣層：多種不定形，爲一種面，厚度深、且有高低。㈡元素層：沙、泥、石、礦……等。㈢質感層：褐黃、暗紅、灰黑、髒、冷、價值、掩覆……。㈣歷史或神話層：如聖經裏人是泥土造的，終歸泥土去；或者鄉土、國土、居住地的認同；或「你儂我儂」中的「我泥中有你，你泥中有我……」等。那麼「布」的意象層呢？㈠形樣層：可裁成多種不定形，爲一種面，厚度通常不高。㈡元素層：棉、麻、絲、綢、塑膠以及各種人造纖維。㈢質感層：柔、粗、薄、價值、溫暖、掩蓋、黑、白、紅、黃等色彩。㈣歷史層：如中國的「布衣卿相」、「布衣之交」或外來之翻譯詞像「布丁」、「布拉格」（Prague）等。由上面初步的分析，我們可以很清楚地發現羅門以「土地」來做爲「布」的暗喩，其基點是設定在這兩種意象所共有的「面」這個形樣層次上；既然「土地」被喩爲「布」了，於是，很自然地「線」便可援用來「縫」它了。於此，詩人的創造成功地爲讀者所接受，也就是到了第五層：藝術家的魔力——以線來縫土地傷口的超現實效果。

同樣地，廣九鐵路上的火車實際上是不可能在母親額上的紋路上跑的。羅門這個超現實效果的製造是以「線」的意象來統合了鐵路（線形的構成）與額上的紋路（線條狀）。如此一來，「火車在線上跑」便成爲大家所能接受的事實了。

在這裏讀者便可品味出「暗喩」手法在詩中所產生的美學張力；更可以領悟到「暗喩」運用的來龍去脈——它一定是遵從著人類基本的思維邏輯來發展的，即使是要從現實層面躍入超現實的境界，也不能離開此道，俗話說「萬變不離其宗」就是這個道理。詩人若脫離了此道而任意象雜陳詩中，便是對意象失去控制。美國詩人慕禮生（Madison Morrison）在一首論詩的詩「查理士・坎佩爾的詩之圓石切片鑽面(Poetry'a Cobblestones Cut Diamond-Faceted by Charlee Campbell) 裏頭寫道：「雖說語詞／投射出內心的一切／但詩人的語詞必須／與理知聯結，因爲我們／皆企求著一條更一致的準線。……不管想像之燈如何螢光熠耀／詩總該要引領我們／沿一可辨識的小蹊前進。」⑰這兒所謂的「準線」與「可辨識的小蹊」可說就是沿著人類基本的思維邏輯之路而走的。換句話說，詩的組成必須是一種有機的結構，它的每一個意象在詩中必須要相互關聯以造成一個生命的正常體，而不是畸型兒。這類結構上適當性的要求就如亞理斯多德「詩學」(The Poetics) 中所提到的要合乎或然率 (Law of Probability) 或者必然率 (Law of necessity) ⑱，這話講的雖是悲劇情節的結構，但做爲一有機的藝術生命的呈現，詩也是不例外的。

無可否認的，羅門的詩有些患有「意象失控」現象的，亦卽是說，有些舖陳在詩中的意象無法產生有機的或然或者必然的依存關係。例如他的「死亡之塔」詩中第一章第二段內至少有六組意象沒法與整體結合成統一體。這首詩曾被顏元叔教授提出來討論過，而羅門也以「現代詩人強調精神內在的串聯空間和內在性的結構觀點」來反駁⑲。然而問題的關鍵是：詩人在透過事物的表象去挖掘「內在本質」來串聯時，詩人是否已精準地抓住了這些事物的「意象層」間的意義來做串聯呢？因爲讀者了解詩唯一的方法便是透過對詩中意象本質層次的認知。而意象是個媒體，每一媒體都表徵著它自己的特質。當然，客觀來說，讀者對每一事物本質的認知也都有程度上的差異，因而在理解上也自然會有差別。所以「意象層次剖析法」的使用也僅是建立在讀者對詩中意象羣認識的範圍內來做賞析的。因此「意象層次剖析法」也很尊重「藝術家的魔力」，也就是當詩人自覺遭到誤解時，他便可挺身而出來加以把他「個人的獨特經驗」向讀者（甚至整個社會）來闡釋。因爲如前面所講，「意象」就宛如一個小宇宙，在很多時候，人們是不太可能完全理解的。像當年愛恩斯坦在宇宙的意象裏洞知了「相對性」這個意象層一般，不是常人可以立刻了解的。如果詩人的解釋能合乎他詩中所呈現的結構性，如愛恩斯坦，那麼讀者就該擊掌鼓勵，若是曠世巨作，就頒給他「諾貝爾獎」感激他的啓蒙；假設詩人無法「自圓其說」時，那麼這首詩便祇好要加以修正或者丢棄了。

就意象層次的標準而言，羅門的詩，如「悼佛洛斯特」、「麥堅利堡」、「流浪人」、「窗」、「板門店三十八度線」、「露背裝」、「光住的地方」、「礦工」、「傘」、「山的世界」、「都市方形的存在」和「廿世紀生存空間的調整」等每一首詩都可說是意象精準、結構嚴密的創作。現就舉「光住的地方」這首近乎抽象的詩爲例：

光　沒有圍牆
光住的地方　當然也沒有
燈屋只是一個露天的艙位
在時空之旅中
眼裏帶有畫廊
耳裏帶有音樂廳
什麼也不用帶了
這樣　雙手可空出來
　　　　抱抱地球

雙腳可舒放在水平線上
頭可高枕到星空裏去
　把世界臥成遊雲
　　浮著光流而去
　　　月是堤
　　　日是岸
登步上去 光就住在那裏

羅門運用了高超的詩藝逼使讀者在他的詩裏去接受了「光」的另一種暗喻新意：光卽是人類的想像思維。隨後又無形中以「部份」表現「全體」的修辭法把「思維」拿來暗喻「人」（也可代表詩人本身）。這就是本文所提及的第五層：藝術家的魔力。一旦「光」的新意被完成後，它自然地便轉入意象的第三層而成爲人類歷史文化的一部份了。

經由「意象層次剖析法」檢定羅門的詩，我們可以察知他的詩具有幾項特質：

㈠羅門的語言予人一種架構性的質感，亦卽他的語詞是直接地切入事物的本質，例如「廿世紀生存空間的調整」的第一段：「公寓與鄉居／坐在高速公路的兩端瞪目相看」這兒每一個子都站在應站的位置，載著應有的意義；見不到一些貧弱無力的修飾、形容辭藻。又如「生存！這兩個字」的第一段：「都市是一張吸黑最快的棉紙／寫來寫去／一直是生存兩個字。」一字字都直指核心，沒有贅字，令人無置喙的餘地。

㈡羅門超現實語言效果之造成是源於他超越了被用來傳達意象的媒介——語言——的字面意義，而直接進入意象本身的層次裏去做意象與意象間本質意義的結合，如「光住的地方」這首抽象又難懂的詩裏，「光」意象與「牆」意象兩者的結合，絕不是文字表象的造句，而是直接深入這兩個意象本質的層次內去組合的。因爲「牆」的意象層次內含有一「範圍與界限」的意義；而「光」的意象層次內含有一「無所不在」的意思。這是兩組正相反的內容但羅門在詩中用了一否定詞「沒有」將它們有機地扣住了。而「圍牆」這個意象也同「住的地方」、「露天的艙位」以及「月是堤／日是岸」相呼應。當這「光」神遊太虛之際，若眞的要住下來的話，它也要住在用光（日、月）築起的「圍牆」那裏。雖然「堤」、「岸」帶有「牆」意象層次內的特質，但日、月都是發（反）光本體。因而羅門用暗喩的手法告訴讀者：「月是堤」就可等於「光是堤是牆是光」、「日是岸」就可等於「光是岸是牆是光」。羅門在此顯出了高度的辯證術，不著痕跡地解決了他詩中「不住在牆裏」卻又「住在牆裏」的矛盾。所以羅門詩的造句法實質上已不是文字表面的結合，而是在意象本質的上限下限間取捨後的一種「內在意義層」的結合。這點正是羅門令人難懂的地方，也可能是解開羅門超現實詩之謎的一把鑰匙。

㈢羅門詩的題材與風格，可說以具有「思考性」的居多，稱它們是「思想詩」（poetry of thought）也不爲過。這是在以抒情爲傳統的中國詩壇上較不多見的。雖然羅門的詩風由浪漫派而象徵派而進入超現實的階段[20]，但他詩中題材卻大都針對著日常生活而發的，他管它為「現代人生存場景」。他寫戰爭苦難的詩，都市文明與性的詩；當然他也寫對時空與死亡的冥想以及一些寄情山水的作品。羅門的詩觸深而廣，猶如人在大海上垂釣，放下的線深，釣上的魚自然就大。是以，羅門的創作是屬於「智慧型」的，而非「取寵型」的。他的詩，在表現形式上雖然常是超現實的，但在內涵上卻又是很入世的。這兩項看來似乎是相互矛盾的特質，羅門以藝術的手法在他的系統世界內將它們有機地統合了起來。正因為「超現實」與「入世」是共存於人類心靈生活的兩種旋律；也唯有眞正領悟出「人性」的作家，才能不偏限於一些狹隘的文學主義和流派，而開創出一個完全屬於人的文學世界。

以上是運用「意象層次剖析法」的理論實際用來解析羅門超現實詩的嘗試。從這個過程中，我們可以歸納出「意象層次剖析法」客觀地採用一種近似科學性的分析法來檢驗詩中意象間本質的關聯性，但也兼具尊重詩人或讀者主觀的、獨特的創作或欣賞魔力。然而，就如同在哲學裏一樣，從來沒有任何一種方法可以完美地解決全部的人生問題，但它卻可用來有效地處理某些難題。雖然，在詩的探討上「意象層次剖析法」並不是一條唯一的途徑，但是它卻強烈地提供了一項重要的訊息：誰能精準地掌握並創造意象在人們心中的普及性，誰的影響力就能較大。

## 【註　釋】

① Lina Unali, "Tropisms, of person," in *Modern Italian Poetry: An Anthology*, ed. Lina Unali and Franco Corona (Taipei: Bookman Books. Ltd., 1986), p. 44.

② Kofi Awoonor, "At the Gates," in *Modern African Poetry*, ed. Gerald Moore and Ulli Beier (New York: Penguin Books, 1984), p.95.

③ Ibid, p. 104.

④ Northrope Frye, "The Motive for Metaphor" in *The Norton Reader*, ed Arthur M. Eastman and others (New York. London: W. W. Norton & Company, 1984), p. 592.

⑤ Ibid, p. 602.

⑥ Ibid, p. 603.

⑦ Ibid, p. 600.

⑧ 黃慶萱，修辭學，臺北，三民書局，民國六十八年三版，二五九～二六〇頁。

⑨ 同上，一三〇頁。

⑩ Vasko Popa, "The Worshipping of the Lame Wolf," in *Vasko Popa Collected Poems*, Trans. Anne Pennington (New York: Persea Books, Inc., 1978), p. 127.

⑪ Op. cit. 2, p. 193.

⑫ 羅門，羅門詩選集，臺北，洪範書店，民國七十三年初版，五一～五八頁。

⑬ 波特萊爾，惡之華，杜國清譯，臺北，純文學出版社，民國七十四年三版。三～四頁。

⑭ 羅門，時空的回聲，臺北，德華文化事業公司，民國七十年版，四一八頁。

⑮ 同上，一六二頁。

⑯ 羅門，「時空奏鳴曲——遙望廣九鐵路」，發表於七十三年十二月三十日商工日報「春秋」副刊。

⑰ Madison Morrison. "Poetry's Cobblestones Cur Diamond-faceted by Charles Campbell" in *A* (Norman, OK: the Working Week Press, 1986), p. 23.

⑱ Aristotle, "The Poetics" in *Criticism: The Major Texts*, ed. W. J. Bates (New York: Harcourt Brace Jovanovich, Inc.,1970), p. 24.

⑲ 同註⑭，二三〇～一頁。

⑳ 同註⑫，「哥倫比亞太空梭登月記：並追記卅年來創作的心路歷程」，三〇四～五頁。

「文訊月刊」一九八七年十一月

# 評羅門的「都市之死」

張健

「都市之死」是羅門的力作。那種寓批判於感受的作法，自非無前例可援。而主題之凸現，又較同型的「深淵」（瘂弦）、「咆哮的輓歌」（方莘）爲甚。除了朗然的風格外，更予人堅實矗直的感覺。

本詩的六節，可謂漸入佳境，愈後愈郁。首節首段開始得差強人意，很可能立即使人不耐深入細讀。第二節後，漸次扣人心絃，至：

誰也不知太陽在那一天會死去
人們伏在重疊的底片上再也叫不出自己

情感上的壓力已臻高潮，末竟結以「沒有事物不回到風裏，如……」使人覺得作者的藝術才能已前躍了一大步。

作者對宗教給予二十世紀人類的作用之批判，已屢見不鮮。但在本詩中可謂集大成。第三節由「人們逃亡六天後回到牧師那裏」寫起，直到「十字架也用來閃爍瑪麗（按：似應用「夢露」）半露的胸脯」，皆是宗教與物慾的交織及爭議。其中「而腰下世界，是自靜夜升起的一輪月」是「一光潔的象牙櫃臺」有一種出乎意表的淒然之美。

第四節升起了「死亡」——「站在老太陽的座車上」，且「向響或不響的事物」、「醒或不醒的世界」呼喚。在詩人的眼中，「生命是去年的雪，婦人鏡盒裏的落英」，而人們則在都市的「獸」腹中蠹盪。讀至「指針是仁慈且敏捷的絞架」諸行，直覺作者筆下未免太忍了。

第五節的「掙扎的手臂是一串呼叫的鑰匙　喊著門　喊著打不開的死鎖」，已是悲劇感的高度意象化；歲月的回音，靈魂的人造花畢竟都何所值？詩人向此悲慘的時代「發出驚呼」了。末節，「都市，在復活節一切死得更快」，可說是一個濃化的總結：

而你是剛從花轎裏步出的新娘
是掛燈籠的初夜　菓露釀造的蜜月
一隻裸獸　在最空無的原始
一扇屏風　遮住墳的陰影
一具彫花的棺，裝滿了走動的死亡

大刀濶斧的比喻之羅列，破釜沉舟的死亡之爆發，造成了一股鮮有其匹的尾聲。

它比瘂弦的「深淵」觸及的面廣泛，與現實則多了一層象喻式的距離，但此點並未減弱了其雄渾的力量。較之「咆哮的輓歌」，它沉著些，焦點也清晰些。但羅門卻未能釀就那種「風蕭蕭兮」的氛圍。

甚至在這首最能融合智慧、人性與美的大詩裏，羅門亦未能全然避免生硬的處理。有些造句仍不夠圓潤，如「仍用眼去想造物藏在女人身上的秘密」，「急著將鏡打碎，也取不出對象」，「所有的拉環與把柄都是斷的」。但爲過多的比喩擠塞的情形，本詩中已較「第九日的底流」鮮見。只是某些部份與「精鍊」尙有若干差距。

「都市之死」除首節較弱外，餘均鏗然有聲；且首尾的處理已能做到似鮮朗實盪漾，節與節之間恍若有不可察見的鎖鍊。這些都是本詩的特殊成就。

現代文學季刊二十期一九六四年三月

（註：此文節錄自張健教授的「評羅門的『第九日的底流』」書評。）

# 評三首「麥堅利堡」

張健

兩年以內，有三位中國詩人先後到巴士海峽彼岸的鄰國菲律賓去了一趟，除了許多散文的報導外，也收穫了不少詩篇，其中最值注目的，便是以馬尼拉城郊美軍公墓——麥堅利堡(Mckinley Fort)爲吟詠對象的三首詩。

余光中的「馬金利堡」發表於去年六月十日的藍星詩頁，覃子豪的「麥堅利堡」發表於本年六月的「皇冠月刊」，羅門則發表於十月二十九日的聯副。覃詩引了維尼的名句「沉默是偉大的」，羅詩在前面自擬「超過偉大的，是人類對偉大已感到茫然」二行。而三詩所詠的對象雖一，其表現的氣象則各有千秋，由此足見詩與報導文學之差異，正如繪畫與攝影——那是經詩人人格浸洗後的結晶。

討論這三首詩也許可以看出三家風格之互異，大致說來，余詩是把此堡當作一名勝地來寫的，他著重的是那兒大自然的投影；覃、羅二位則把它視爲一段史詩來詠歎。以份量而言，羅門的那首不僅最長，也是最能予人心靈上一種肅穆的「窒息感」的。

余詩所吟的是「那一種抒情的藍」，「四月的印象主義」，而聯想到「雲外有雲，羣島之外有羣島」，主要映現了一種悠閒的情調，試讀「鷓鴣在公墓的那邊數著念珠」，「金合歡的髮簪無所謂地墜著」，可睹作者開豁灑逸的心境，末後雖亦有「陌生的靈魂」「在大理石壁上陷得更深」，「任沉艦的銹魂在南中國海底作祟」諸句，但整個說來，由於前三段已造成輕盈的節奏感，末段遂相對的缺乏動人的力量。故本詩亦予人「即興重於感賦」的印象，甚至可以擬爲新印象主義之作，它的優點是感覺新穎，用字有奇特效果（如「姑仰臥在此的『姑』」，「餐四月的印象主義」的『餐』等；但如「氣候非常夏天」，雖爲作者獨創語法，似乏嫵媚之致。）然讀者若看寄心於那段公墓背後的歷史，恐怕不會自此詩中得到很大的滿足。

覃子豪的那首呢？看那一句引語，可知作者的意向是有所擴展的。一開句即寫「聚信仰於此，信仰即在此」，亦可謂予讀者一種心理上的準備。但就詩而論，此行似來之太驟，倒不如羅門的「戰爭坐在此哭誰」還貼近主題些。寫這類有固定對象的作品，最難的是距離的截取（近乎電影之「取鏡」）：太逼近，太拉遠，都是不易出色的。在覃子豪的詩中，此首可說是中品之作，一則沒有獨創的格局，一則也不見特別醒神的句段；但他終於能把握住題材的重心，沉著地加以處理：「天使在沉默的吟唱」到「一切俱靜，靜得可以聽到，靈魂的呼吸」，假即情即景作一番抒寫，有近於余詩處，但其用意則迥然不同。由於他的第一段已有一個肅然的開始，故第三段能有所呼應：

緘默的大地鑲著白色的圖案

十字携著十字，綿延於無際的丘陵
七萬個名字肅立著
七萬個意志屹立著

可惜末數行用若干抽象名詞鋪展出主題，讀畢雖人人能會其意，卻不免有索然之感。羅門的「麥堅利堡」是比較「堅」實的力作。他的第二行「使七萬個靈魂陷落在比睡眠還深的地帶」很可能受余詩的影響，但也可以說是「青出於藍」。羅詩結構頗爲緊密；如果這樣長的詩一有塌陷之感，作者的心血便白耗了，但這首詩似乎也是「在風中不動，在雨裏不動」的。假如要找它的弱點也並不太難，但那只是細節上的——由於作者對文字的控御能力始終尚未達到最佳的境況，有些修辭和擇字上的差錯仍未能免。前述的詩前二行序句，便有條理欠通之嫌。至如「太平洋的浪被砲火煑開也冷了」的「煑開」；「這裏比陰暗的天地線還少說話」的「少說話」；「眼睛常去玩的地方」的「玩」諸字詞，雖然有通俗的優點，在這樣一首氣象莊嚴的詩中卻是足以破壞統整的情調的。羅門常常不能防範這種自損。

除了上述的缺憾外，羅門這首詩是氣魄宏壯，表現傑出的。在這裏既沒有浪費太多的意象，也沒有因他個人特殊的理念而顯出晦澀的傾向（這些都是他一向易犯的）；而且眞正地使人感覺到自己讀了這首詩，就如身歷了那座莊穆而能興起「前不見古人，後不見來者」之念的紀念堡。我不想引太多割截下來的佳句，因爲它正像「一幅悲天泣地的大浮雕」！作者在處理這首詩時，他的赤子之誠，他的對於歷史時空的偉大感、寂寥感，都一一的注入那空前悲壯的對象中。我也許可以武斷的說：這是年來詩壇上很重要的一首詩。

余光中的那首詩較著重空間，羅門的則時空交融，覃詩似有以觀念籠蓋時空的傾向。羅門是眞正地受了靈魂的震顫，余光中則是懷著另一種心境（那和寫「西螺大橋」等作品時顯然不同），至於覃子豪的那首，我懷疑是否還可以醞釀得更醇一些。

聯合報一九六二年

# 羅門的「流浪人」

羅　青

**流浪人**　羅門

被海的遼闊整得好累的一條船在港裏
他用燈栓自己的影子在咖啡桌的旁邊
那是他隨身帶的一種動物
除了牠　安娜近得比什麼都遠
椅子與他坐成它與椅子
坐到長短針指出酒是一種路
　空酒瓶是一座荒島
他向樓梯取回鞋聲
帶著隨身帶的那條動物

讓整條街只在他的脚下走著
一顆星也在很遠很遠裏
　帶著天空在走
明天當第一扇百葉窗
將太陽拉成一把梯子
他不知往上走還是往下走

「流浪人」是一首分行小詩，收入「死亡之塔」一書內，爲羅門四十歲左右時的力作。全詩以流浪人心靈的孤寂與形體的飄泊爲主題，字句連環扣緊，意象層層描劃，意味含蓄而深邃，手法新鮮而動人，是新詩中不可多得的佳作。

全詩分四段，第一段敍述流浪人在酒吧或咖啡館，希望從賣笑女郎的身上找尋安慰。「被海的遼闊整得好累的一條船在港裏」一句，不但暗示了流浪人可能曾是水手，也象徵了流浪人本身有如一條飽受波浪的船，而酒吧或咖啡館就是他的避風港，暫時收容了他。詩人以「海的遼闊」做主詞，並將之擬人化，使「遼闊」可以「整」一條船，整得船會「好累」當然，在此處，船也被擬人化了。原句照正常的文法應爲「在港裏有一條船被海的遼闊整得好累」。可是詩人將之倒裝，使「海的遼闊」在前，「好累的一條船」在中，「港」在後，讓讀者產生了海爲主動，船爲被動的視覺感受：而「港」，則是船在被海整累後所找到的休息場所。全句在如此的安排下，條理層次極爲分明。

「他用燈栓自己的影子在咖啡桌的旁邊」的句型與前一句相似。只不過前一句是被動，此句爲主動，都以「在……」一詞爲結尾，產生了連續性的節奏感。「他」在船入港後，下船，找到了一間酒吧，坐在咖啡桌邊，桌上的燈把他的影子照在一旁。然在詩人的筆下，「他」的「影子」，竟成了「一種動物」，好像一隻狗或一隻猴子。有「燈」才有「影子」，「影子」無論如何移動，都離不開燈的照耀範圍，除非影子的主人離開燈。因此，詩人以「他用燈栓自己的影子」來表示燈、影、人之間的關係實在新穎恰當。爲什麼詩人要把影子比喻成「一種動物」呢？在第一段第四句中，我們可以找到答案。

「除了牠，安娜近得比什麼都遠」，「牠」當然是指影子，把無生物的影子，變成動物的「牠」，使其活了起來。賦「影子」以生命，始之於莊子，「齊物論」中就有「罔兩詞景」的寓言。然把影子比喻成隨身牽引的小動物，還是羅門的獨創。安娜是泛指酒吧間任何一個賣笑的女子。流浪人到酒吧尋找刺激，然用金錢買到的肉體並不能眞正慰藉精神的寂寞。此刻安娜雖然離流浪人很近，但這只是肉體的距離。在精神上，兩人的距離是遙遠的，反而不如「一隻」影子。至此，讀者可以明白詩人把影子比喻成動物的目的，在烘托流浪人的精神上的孤寂。他一個朋友也沒有，有的，只是身邊的影子。一般孤獨的人還有一隻寵物做伴，他連一隻也沒有。詩中的影子雖不發聲，但卻是半個主角，十分重要。第一段點出流浪人疲倦孤寂的生涯，並暗示，他以買笑消除疲倦孤寂的做法是失敗的。第二段則點出「他」想藉酒精來痲醉自己的企圖，也沒有完全成功。

「椅子與他坐成它與椅子」是一句西化得非常成功的佳構，其意義爲，流浪人坐在椅子上，木然渾然，成了一具和椅子一樣的「無生物」，由「他」變成了「它」。「它」是英文中的it，在古典中文裏，並無類似的觀念。詩人巧妙的將其加以運用，以「坐成」爲動詞，把「椅子與他」簡單的顚倒重複一次，且暗暗不動聲色的把「他」換成「它」，使「他」與「它」的變化，夾在頭尾兩個「椅子」意象之間，手法十分精采。如果改成「椅子與他坐成椅子與它」，則在視覺上的效果，打一點折扣了。

「他」爲什麼會變成「它」呢？原來是「長短針指出酒是一種路」的原故。一個爛醉如泥的人，與椅子又有什麼分別呢。「長短針」是指時間，而唯一可以使他忘卻或排遣時間的方法是喝酒。因此「長短針」便成了提醒他喝酒的「指標」，尤其是對孤獨寂寞受挫受磨的人，酒可能是最誘惑不過的東西了。「空酒瓶」對嗜酒的人來說，則有如荒島那麼可怕。爲了逃避或逃離荒島；唯一的方法是找不空的酒瓶，或離開酒。因爲酒是「一種路」，一種通往空酒瓶或荒島的路。當然，此地詩人是在暗示這種以酒來逃避自我的方式是無法成功的。最後，酒吧打烊，他必須要「向樓梯取回鞋聲」。「取回鞋聲」一句，是一個十分生動傳神的比喻。這表示「他」將剛才上樓時所踩踏出來的鞋聲，一一用自己的鞋子收回，一方面暗示了他是在下樓，另一方面，也暗示了他最後是一個人離開酒吧的；他向樓梯取回剛才留在那裏的鞋聲，就好像向衣帽間取回衣帽一般。

第三段主旨在描寫流浪人醉步長街有如孤獨的流星一顆。「帶著隨身帶的那條動物」，是指「他」形單影隻的淒涼情景。「讓整條街只在他的腳下走著」是形容「他」醉得東倒西歪的模樣。「只在」兩字，十分妙，表示整條街都成了「他的」，任他橫行。在他的醉眼裏，天上也有一顆星在移動，帶著整個天空在移動。這顆星當然是流星。詩人爲了要形容流浪人的醉態，故在此段中，多用與常理相反的觀察方法：人走路變成的路走人，流星劃過天空變成了天空跟著流星在走，把流浪人醉中情狀刻劃得入木三分，新鮮可惑，不落俗套。同時，詩人借流星劃過天空所形成的對照，再次烘托出流浪人孤寂與無助，有如流星過天，瞬即沒入黑暗之中。爲全詩最後一段，埋下了伏筆。

第四段只有三行，主旨在描述流浪人第二天由宿醉中醒來後，應該如何面對現實。「明天當第一扇百葉窗將太陽拉成一把梯子」一句又是一個暗喻，指太陽的光線在百葉窗的格子劃分下，成了明暗相間的梯子形狀。如果這是一個可以讓人上下的梯，即向上走，當然是迎向陽光，迎向光明；向下走，則走向黑暗，走向毀滅。而「他不知往上走還是往下走」。結尾一句，不但表示了流浪人的困境：該停止流浪，還是繼續流浪；同時，也向讀者提出了警告，刺激讀者做自我反省。最後一行問句的答案當然是正面而肯定的。他應該迎向光明，停止流浪，但要做到這些，並不是你說一句話那麼簡單，其中的奮鬥與掙扎，是必要無比的勇氣與毅力的。因此，詩人並沒有在詩中提出任何訓誨式的教條。他只是提出問題，提出一個足夠讓人沉思或猛省的問題。讓讀者自己來思索適合他自己的正確答案。以每段四行的形式來說，第四段是少了一行，應該加以補充。以內容的發展及主題的設計來說，第四段的第四行，確實應該空出，以便暗示，最後的答案是空白的，其眞諦還要讀者自己去找，其結論還要讀者自己去下。

羅門是近二十年來新詩人中，最善於製造比喩，運用比喩的高手之一。「流浪人」裏的「用燈栓自己的影子」，「椅子與他坐成它與椅子」、「空酒瓶是荒島」、「向樓梯取回鞋聲」……以及街與星、太陽與梯子等等的比喩，都是恰當新奇生動的佳構，比喩本算不上是詩，但恰當的比喩，能夠把主題深刻挖掘出來的比喩。對詩想的建造與詩情的引發，都有決定性的貢獻和作用，實在不可忽視，善於比喩的人，不一定是詩人；然詩人，必須善於比喩。光只是比喩，算不上是好詩；而好詩之中，必定有能夠深刻反映普遍人生，昇華日常經驗的比喩。爲比喩而比喩的詩是不足爲訓的，能夠爲主題服務的比喩，才是詩人所要捕捉的對象。

此外，新穎生動而又精確切題的比喩，常有如藥片的糖衣，可以吸引讀者去讀詩，並在日後，幫助讀者很容易的記住或憶起該詩的特色，從而細細咀嚼詩中所含有的眞諦。

羅門的「流浪人」不但是他自己所寫的新詩中突出的佳作之一，也是新詩裏難得一見的「小詩」雋品，值得細讀。

大華晚報一九七八年三月五日

# 詩人羅門

## ——他的詩觀・表現觀和他的語言

季紅

羅門無疑是今日詩壇上一位重要的詩人。他有自己的藝術理想，自己的藝術信仰；擁抱著這一理想與信仰，他走著自己的路，唱著自己的歌——步態堅定，歌聲昂揚。因爲他一向都不是喃喃的行吟者：只低迷地漫遊著、悽其地哼唱著。他有自己的目的和方向；他每邁一步，都像是一個「血釘」，而他的歌聲，更像是發自一刀砍下去的「傷口」，一黯然關閉的「鳥籠」、一「被反鎖、走不出去的窗」。他是如此執著，激越地走著、歌著；有一些孤寂與無助？也許；但也透著些許施洗者約翰的宣道，「在空曠中廻旋而上」，而又「棄天空而去」①。——這些塑成了羅門的風貌——獨特、動人，而又帶著一些爭議與困惑的成分。「說羅門的風貌中含蘊著一些爭議與困惑，不是指羅門對自己的路向有什麼不肯定，而是指他的一些朋友——也許還有他的一些讀者——對他的宣道，和他架構起來的世界所持的態度。

近一個多月以來，我和羅門曾多次單獨在一起暢談。談他的藝術思想、他的詩觀、他的表現（方法）論、以及他的詩。如果是星期天，我們便從早談到晚；如果是一般日子，我們常從晚飯後一直談到茶館打烊。此外，我也仔細讀了他的重要的論著和詩集；以及多次和他在電話中交談。在這些長談中，起初，我往往只是靜聽；後來，我也提出我的意見，因而也討論，也爭辯。從這些相互的傾聽、討論、與爭辯中，我們發現我們彼此間最一致的一個觀點便是：藝術是個別心靈對其周圍事物經由審美活動所生具體形象的外射；至於如何觀察、如何感受、如何領悟、如何接受、而又如何表現（外射），是個別心靈的事，不是什麼外在法則所能規範和約制的；事實上，也沒有這樣一種外在於心靈的權威和法則。基於以上這一共同觀點，我和羅門的討論，乃成爲一種可貴的溝通，我們之間有相同的部份，也有相異的部份，但我們彼此尊重。

本文包含了歷次與羅門討論詩與藝術的內容，但在性質上不是報導，因爲作者在引述羅門論點的同時，也說出了個人的（這裏再強調：個人的）意見與判斷。以下分別就羅門的詩觀、「第三自然」、觀察與表現等予以討論。

## 一、詩　觀

羅門對於詩的看法是極其嚴肅的。我們或者可以說，羅門的詩觀是以嚴肅爲核心，從這個核心而衍發出他的詩「宗教」來。他對詩的主張與論說，便是他的詩宗教的教義；他對詩人的要求，便也嚴肅到了近乎宗教家的程度。他說：

(1)存在永遠是一種莊嚴且痛苦的抉擇，當你選中了詩與藝術，這種專注與全面投入的意念，是不容有偏差的。……所以詩人之與詩……是畢生的一種不容「別戀」的「死戀」——它存在於最孤寂但却最感人且接近永恆的時刻之中，也接近「宗教」的境界②。

(2)我曾將詩與藝術視為神之目，甚至把詩人與藝術家所創造內心的美感空間，看作是上帝建造天堂最好的地段③。

(3)詩人與藝術家，應永遠堅持〔對〕詩與藝術的誠摯純然的心態，使之像一面鏡④。

(4)我懷疑以一般人那近乎迷信的〔對神的〕絕對信仰，能確實的成為優秀的信徒；我深信只有進入詩人與藝術家所開發的「第三自然」……方可能認明上帝（如果這個世界確有這樣一個具有完美實質的上帝）。我尚可肯定地說：詩人與藝術家創造出的「美」，確是構成上帝生命實質的東西⑤。

(5)我非常感到驚異，竟有詩人與藝術家在回答別人問他為何從事詩與藝術時，回答說：不為什麼，只是為了興趣……我覺得他們多麼不了解……那些永遠被人類尊重的偉大詩人與藝術家們……所創造的那些深遠永恆與完美的境界，竟是使上帝也羨慕與沉醉的另一個美妙的「天國」⑥。

(6)我認為一個真正偉大的詩人，除了有不凡的才華與智慧，以及對藝術盡責外，也應該是一個具有是非感、良知、良能與人道精神的人；同時能將一切轉化為永恆與完美的存在；因為他拿有上帝的通行證與信用卡，上帝有事請假，也要請他代理⑦。

(7)「詩人」關心人的苦難；「且」更廣泛的工作，是在解決人類精神與內心的貧窮，賦給生命與一切事物，以豐富與完美的內容⑧。

以上所引羅門自釋其對詩、對詩人的看法，其語氣是那麼堅定，態度是那麼嚴肅，使我們幾乎要相信他之所謂「宗教」、「上帝」、「神」、「天國」、「天堂」等，不只是當作比喻詞來用的，更是以它們的本義來用的。他嘲弄只為興趣而寫詩，他懷疑眞有一個完美的上帝，如果有，人類也只能藉助詩與藝術方才能將祂認出。這種對詩的「宗教」性的執著與崇奉，使與其談詩、論詩的人，無不感到一種迫人的灼熱。因為他深信他在宣揚著「一個美妙的天國」，「在解決人類精神與內心的貧窮」。

是什麼使羅門對詩的主張如此熾熱呢？做為一個詩人，又是什麼使他緊緊地抱著那一驅迫性的使命感呢？我寧願相信這是由詩人自我省思的結果。從羅門的論述中、談話中、以及他的詩中，都明顯地可以看出，他如何地重視自我心靈的探索、如何地自我期許；並從而形成一種思想，再由思想產生信仰，由信仰化為力量——恰如中山先生所說的那樣。羅門說：

(8)我始終强調心靈世界……對於詩與藝術來說，世界上最美好的東西，都必須往心靈的深處放，往心靈的深處拿。……我實在懷疑心靈缺乏廣度與深度的詩人，他能有真正的遠見與深見。……我所强調的「心靈」，事實上，便是詩人與藝術家觀察與透視生命內涵世界的望遠鏡與X光鏡。若有人反對「心靈」，詩豈不變成「通心粉」了嗎？

⑨。

(9)「精神」與「內心」世界的萎縮脆弱與蕭條……是基因於詩人與藝術家對內在世界的探險所堅持的執著精神之強度於一開始便缺乏，或於後來在被動與主動的情形下，逐漸轉弱所引起……〔因而〕使作品失去向內進展的強力，把握不到深遠的生命之源。這種危機，只有當作家的心靈再度執著與醒覺起來，再度接受某些衝激的痛苦與忍受孤寂感；再度向停滯與惰性的心靈挑戰；向生命與一切事物的深層繼續探索；再度將詩與藝術當作一己的宗教；當作一己生存的過程與終局……這樣方可能打破僵局，而向前開拓新境⑩。

以上羅門不只道出了「心靈」精神，以及「內在」世界對創作的關係，也道出了他對自我心靈探索的重視與期許。

此外，羅門在他的「速寫詩人之死」一詩中⑪也表現了同樣的信仰。「速寫詩人之死」包含四首短詩，

(1)第一種樣子——在嘲弄心靈貧乏的詩人（或用羅門的話說是「小家之氣」的詩人），其詩生命終不免萎縮枯竭而死。

(2)第二種樣子——在憐憫庸碌而缺乏自省的詩人（或用羅門的話說是「沒有深度」的詩人），其詩生命亦不免淺薄、無根而死。

(3)第三種樣子——在譏諷油滑無良知的詩人（或用羅門的話說是「市儈氣」的詩人），

其詩生命同樣不免被現實勢力侵蝕、毒化而死。

(4)第四種樣子（原詩錄後）：

蚊子蒼蠅鐵釘鋼釘
都釘不進來
只有陽光與星芒
能把他釘死在晝夜正交成的
十字架上
讓血流入透明的時空之杯
永恆與上帝便有酒喝了

分別題爲：羅門以他所譏諷的三種樣子的「詩人之死」，來襯托出這第四種樣子，這類詩人不爲任何外物所撼動，他們雖也不免一死，但他們將永遠留在時空上，成爲永恆。這不是詩人的自我寫照呢？至少也是詩人的自我期許吧？

如果不是從嚴緊的自我觀察、自我省思、自我評價中看到、感到、衡量到「我」的才具，以及「我」的存在意義，這種熾熱的堅定不移的思想與驅迫性的使命感如何能夠產生呢？這種自信以及「雖千萬人吾往矣」的行動力量如何可能呢？

這裏値得討論的事，有兩點：第一，羅門的自我觀察與自我省思的方法是否眞的嚴緊而縝密？他的自我觀察態度是否眞的冷靜而嚴峻？他的自我觀察位置是站在自我上或是站在周圍的世界上？換句話說，他是用周圍的公正審判的眼睛以及大自然的智慧澄澈的眼睛來看，或是傾向於用自己的眼睛去看？他的自我衡量與評價是用什麼樣的尺度與砝碼？神、上帝、永恆、無限時空、無限完美，這些縈繞在羅門思想中的概念，他又如何去衡量與評價？

第二點値得討論的是：如果以上各項的答案都是肯定的、有實質意義的，那末，在宣揚詩道時，有否採取較爲低緩、較爲淡約方式的可能呢？是否低緩與淡約了，就不夠「現代感」、就不能「一舉擊中一切內在最隱蔽、最深廣與最純眞的部份」、不能表現「人類敏銳的心靈對下一秒鐘焦灼的守望與期待」呢？⑫

就以宗教來說吧，「我是道路、是生命、是光」的境界似不若禪的境界吧！

## 二、「第三自然」與「現代感」

在羅門的有關詩與藝術的論說中，另一個更令人着迷的論辯，便是「第三自然」。這一龐大的概念是以一篇約一萬一千字的論文「詩人與藝術家創造了『第三自然』」來討論的。這篇論文又以「代序」改入了「羅門自選集」。這篇論文的重要性，可由羅門自己的話中看出。他說：

「這是我廿年來透過詩與藝術，對人類心靈與精神活動進行探索所做的認定，並提出這一具冒險性的觀點：詩人與藝術家創造了存在的『第三自然』。同時，我深信這一觀點，非但可以解決當前詩與藝術所面臨的種種爭論與危機，並可指出詩人與藝術家所永適站住的位置以及人類心靈活動接近完美的企向」。

爲了瞭解什麼是「第三自然」，也爲了行文方便起見，我想還是要把羅門該文中的要點摘錄如下：

(1)「第一自然」存在的層面與樣相——諸如日月星辰、江河大海、森林曠野、風雨雲霧、花樹鳥獸以及春夏秋冬等交錯成的田園與山水型的大自然景象，它便是人類存在所面對的第一自然。

(2)「第二自然」存在的層面與樣相——有電器設備的巨厦內……四季的變化都多麼異於田園裏所感覺的，再加上人為的日漸複雜的現實生活環境與社會形態……它便是異於第一自然而屬於人為的第二自然了。

(3)第一與第二自然的存在層面……構成大多數人的生存範圍與終點……詩人與藝術家……在創作時，與第一自然或第二自然於衝突的悲劇感中，使「人」超越那痛苦的阻力，而在內心中感知到無限的顫動的生之源，因而獲得到那受阻過後的無限舒展，終於產生一種近乎宗教性的狂熱的追隨、信服與滿足感……進入我所指的那個使一切獲得完美與充分存在的「第三自然」——它便是詩人與藝術家創造的。

(4)第三自然是掙脫一切阻撓，獲得其極大的自由與包容性，永為「完美」而存在，使「時空」形成為一透明無限的宇宙，「古、今、中、外」納入其中，呈現出一並列相容的呼應性的存在。這樣，作品便可隨時得以內在獨立的本質，來自由展示與完成。

羅門相當清楚地界說了他所謂的「第一個自然」與「第二自然」。但對於重要的「第三自然」，他雖然用了很大的篇幅和不同的語詞，但我只能從其中得到一個模糊的概念。因爲羅門在他那篇重要的論文中，一如他一貫的風格使用了大量的未經界定的抽象語詞去說明另一個（一些）抽象概念。我揣摩他的「第三自然」大概是具有以下幾個含意：㈠、心靈的審美功能，㈡心靈的審美活動，㈢、透過審美活動，事物在心靈中所呈現的完美自足的形式（形象；或用羅門的話說是「樣相」），㈣、表現品（卽心靈中那一形式藉傳達媒介而得以表現的藝術品）。羅門大致同意這種解釋。至於爲什麼要標劃出第一自然與第二自然呢？爲什麼要將心靈的審美功能稱之爲第三自然呢？這是否在強調被定義爲第二自然的現代人類社會和都市文明侵害了大自然（第一自然）和人類心靈的審美功能呢？羅門對此也頗爲同意。

對都市文明（第二自然）所加諸於大自然以及人類心靈的侵害，羅門的反應是極其敏捷與強烈的。這不但是他思考的主題，也是他表現的主題。他極力強調詩必須具有「現代感」非但透露了他心中的焦慮，並且還拿它作爲一種心靈活動能力的試金石，和一種責任。他說：

「大多數人類，也越來越多被牽制在這一富於現代意識的新環境中。詩人與藝術家，更是逃避不了這一眞實的心靈活動——它已日漸成爲詩與藝術的是否有現代感的試金石。惟有誠摯且主動地透過這種新的物境與心境所形成的現代感，詩人與藝術家才能把握新的創作性，這也正是我們的責任。」⑬

前面我曾推想，羅門經由自我觀察、自我省思與自我評價中看到、感到、衡量到「我」的才具，從而衍生出那種堅定不移的思想與驅迫性的使命感。對於他的「第三自然」以及「現代感」的論點，我想是由於他對周遭環境——特別是人類在現代物質文明壓力下的環境，所觀察的結果，（不過羅門自己說是：對人類內心與精神活動進行探索所做的認定。）兩者的結果，自然相互調整與補強，而成爲羅門的中心思想，並從而形成羅門的表現（創作方法）論。這點，容後再予說明。

如果以羅門的詩觀比作是他的詩宗教，以他的內發的做爲一個詩人的責任感比作是他的拯救意念，那末，他的第三自然便是他所說：爲着「於第一與第二自然存在層面得不到滿足的心靈」⑭所造的「那個無限地容納美的天國」了⑮。

這樣的邏輯推論，看來相當完備，但值得考察的是：他對「現代感」焦灼的呼聲與服膺，是更接近於機械文明（第二自然）的聲音或者更接近於人性中細微的閃光及上帝的聲音呢？在羅門的作品中是否創造或表現了那一閃光或「天國」呢？我更以此詢問羅門，他坦誠地回答說：他的有些作品像「曠野」一詩便是懷着這一企圖完成的。至於有部份詩中雖在表現都市文明的壓力，但他說在創作時，並未忘懷詩的天國。

## 三、觀察與觀察方法

從我手頭的資料中以及和他的交談中去研究羅門，我發現他對於觀察和觀察方法，是講得最少而做得最多，也最深刻。

他觀察自我，從而建立了他的詩觀，並且毫不猶豫地將自我奉獻予一項莊嚴的使命；他觀察周圍的環境，從而形成了「第三自然」和「現代感」的論點；他觀察個別對象，從而抓住了它們的本質，並經由其獨特的表現而「一舉擊中了它們的要害」⑯，使讀到的人感覺出一種震撼。

他不但由肉眼去觀察，更用心靈去觀察——他強調心靈。他說：

(1)詩人與藝術家的心須具有卓越銳敏的視聽力，方能聽見與看見一切在深處活動的「美」的實況。……內心對「美」的追踪……一旦停止，詩與藝術的活動便也宣告停止⑰。

(2)到上帝遼闊的眼睛中去工作……哪裏都可以去看看⑱。

(3)所謂「深度」便是心靈深入的內視力與能見度……。至於「廣度」便是詩人能勇於擁抱廣大的生活面⑲。

因爲羅門對觀察所論不多，現在我們反過來從他的作品中來印證一下他觀察的深度與廣度。爲了節約篇幅，我們只能舉他的較短的詩，或詩中的某節、某句。例一：

**鞋**

樓梯口的那雙鞋
竟是天窗裏的一朵雲
山遙水遠　雲非樹

水遠山遙　雲非雲
雲只是那條
永
不
能
定
名
的
路
鞋也是
遠方也是
天空裏的那片落葉也是

羅門從被現實社會所拘役（「樓梯口」那一意象）的那雙鞋，看到了被拘役的人內心深處的嚮往（「天窗裏的一朵雲」那一意象）、看到了生之旅的遙遠與人生理想的難以把握（第三與第四行的意象）、看到了人生旅途的茫茫與無奈（第五行及以後各句的意象）、甚至看到了無可避免的那一結局（最後一句的意象）。這種觀察與體驗是非常深刻與寬廣的。

例二：

車禍

他走著 雙手翻找着天空
他走著 嘴邊仍吱唔著砲彈的餘音
他走著 斜在身子的外邊
他走著 走進一聲急剎車裏去
他不走了 路反過來走他
他不走了 城裏那尾好看的週末仍在走
他不走了 高架廣告牌
將整座天空停在那裏

羅門從因車禍而死的人的身上，看到一般人無結果的追索（第一行的意象）、看到時代的悲劇（第二行的意象）、看到人的驚懼與不安（第三行的意象）、看到都市的慘害（第四行的意象）、看到自我的湮滅（第五行的意象）、看到都市的冷漠與享樂（第六行的意象）、看到現代文明的浮誇與弊害（第七、八行的意象），其觀察同樣深刻而寬廣。

另外，從羅門自已常舉的例句中顯示其銳敏觀察的如：

「曠野」中：咖啡把你冲入最疲憊的下午

「流浪人」中：他用燈拴自己的影子在咖啡桌的旁邊

「雲的告白」中：雲帶著海散步／帶著遠方游牧

羅門在談到觀察時，強調心靈，強調銳敏、深度與廣度，也強調去調整觀察所在的位置。但是對觀察的方法，卻少論及。當然，這並不表示羅門不重視方法，更不表示他沒有方法。要找他的方法仍需從他的詩中去考察。

讀羅門的詩，我個人常感到一種鬱悶與不安。這並非意指由於他的詩不好而產生的厭惡感，我想是作者原本要表達的那一情緒感染了我。羅門自己恰當地說明了這點。他以他的「窗」爲例，他說：「窗」中最後一句「猛力一推／竟被反鎖在走不出去的透明裏」就是要表現「現代人越是要求回歸『純我』的眞位，便越感到某些不安與焦慮……這是王維與陶淵明未經歷現代都市文明生活，所不能體認的。」[20]

有興味的是：㈠何以現代人越是要求回歸純我的眞位，便越感到不安與焦慮？㈡這種不安與焦慮是回歸過程上的，或者是回歸到純我眞位以後上的？㈢未經歷現代都市文明生活的陶淵明，豈能說他沒有被他那個時代的「都市文明」「反鎖過」？沒有經歷過回歸到純我時的不安與焦慮？

去思考以上的問題，以及去讀羅門的詩，兩相印證，可能的結論是：羅門的觀察方法似乎是去「感」的成分多，「悟」的成分少。他以極大的關切和注意力去觀察現代人的心境和現代社會的諸樣相，而不自覺地常停留在事物的現象層面上——特別是「第二自然」的層面上——深深感覺到它的阻力與毒害，進而感覺到回歸的困難與不安。「被反鎖」，在任何時

間都令人「感」到不安，但在不安之後，陶淵明詠出了「採菊東籬下，悠然見南山」，這便是「悟」了！㉑

## 四、表現方法與語言

「現代感」不但是羅門的認識論，更是羅門的方法論。他對詩的經營和對語言的操作，都是從「現代感」這一概念架構起來。他對「現代感」的詮釋與執着，可從以下他的話中顯示出來。他說：

(1)現代感是人類生存最基本的一種慾求……對改變與調度生活進入新境與佳境，有強大的推進力與刺激作用。

(2)詩與藝術是一種「創造性」的內心作業，而「創造性」是不斷的創新性，創新性正是〔殖〕根在不斷蛻變的現代感之中。

(3)現代感絕無摒棄「過去」與「未來」的意思在……在詩與藝術裏，若失去它，創作的生命便將受困而趨於阻滯與枯萎。

(4)現代感〔被〕強調於現代詩的創作中，因它首先涉及詩人心靈活動的現場性（即現代詩人生活的處境）；其次是強求傳達媒體（語言與技巧）必須做適應性的調度與配合……〔否則現代詩會〕失去高敏度的創造性。

(5)我創作的基本出發點是：要求作品中容涵現代感。……〔當詩人〕日漸生活在現代的環境中時，他的精神活動自必揮散著濃厚的現代感。……科學文明既然不斷地扭轉外在世界的面貌……〔詩人〕便與自然有了新的矚視與新的感應，而去重新發現與調度一切事物存在、活動的秩序，並獲致那具有現代特殊性的感受，於是，一種異於往昔的藝術形態，便也因此被創造，並且完成了㉒。

為了要詩具有現代感，羅門主張「表現技巧的多向性」，和「內涵世界的多向性」；前者指運用多樣的技巧與方法，後者指以不同的技巧與方法表現不同的題材與美感經驗（羅門稱之謂「多方面展開追踪人的工作」）。對於語言，他主張「不斷探索詩語言新的性能」，使語言具有「新異性」與「突破性」，並認為：唯有如此，方能在現代新的藝術觀念與環境中，成為確實具有前衞性與創新的創作者㉓。

羅門不但這樣主張，他也這樣實行。他在民衆日報七月四日的副刊上就他的「曠野」一詩，詳細說明了他的表現意圖、語言與諸方面的表現技巧，並且分別舉例印證了他的論點和主張。顯示其對諸表現方法和語言的試驗精神。本文不再重述。

對於羅門的表現論和他的語言，值得思考的問題是：

㈠羅門的多向性表現方法，是否使他的一些詩（如曠野、海、螺旋形之戀、第九日的底流、都市之死、死亡之塔、一把鑰匙、樹鳥二重唱等較長的詩，以及野馬、垃圾車與老李、開開關關的兩扇門等稍短的詩）往往在語句上呈駢植和繁衍？這一情形是多向性的要求使然，或者是傳達（表現）上的要求使然？如果是後者，有否更好、更簡約的語言上的方法？

駢植的語句如「海」中：

山連著山走來　走來你的形體
翅膀疊著翅膀飛去　飛成你的遙遠

以及：

想起種星
種日
種雲
種鳥
種風
種浪

等等。在「螺旋形之戀」中：

門窗緊閉成堅毅的拒絕
簾幕垂放成幽美的孤立

以及：

驚喜得如水鳥用翅尖採摘著滿海浪花
滿足得如穀物金黃了入秋的莊園

等等。在「觀海」中：

浪是花瓣 大地不能不繽紛
浪是翅膀 天空不能不飛翔

以及：

滿滿的陽光
滿滿的月色
滿滿的浪聲
滿滿的帆影

等等。在「曠野」中也有很多的對偶句、疊句。類似的例子在羅門的詩中幾乎到處都有。

繁衍的語句如「瘦美人」中：

她站著／……／直到她走動
她走動／……／……／等著她臥下
她臥下／…………／便月湧大江流

像樹枝一般由一個主枝，出生若干分枝；再由分枝上的一個主枝，再生出若干分枝，如此衍生下去。另外的一種情形，是次一詩段與前一詩段像塔一樣，成層疊狀衍生。如「咖啡廳」：

一排燈
排好一排眼睛
一排杯子

排好一排嘴
一排椅子
排好一排肩膀
一排裙子
排好一排腿
一排胸罩
排好一排乳房
一排眼睛
排好一排月色
一排嘴
排好一排泉音
一排肩膀
排好一排斷橋
一排腿
排好一排急流
一排乳房

排好一排浪

夜

便動起來

另外，「歲月的兩種樣子」、「湖之歌」，以及「夏威夷」的第一節與第二節，也有類似的情形。（可以看出，詩中的語句也是駢植的）。

以上所說的只是對「多向性」和語言的繁約關係所作的一項思考。對所舉的例子，不含價值判斷。

㈡次一個值得思考的問題是他的「現代感」主張對他的語言上的影響。羅門一再強調現代感，強調語言必須具有新異性與突破性，否則就不足以成為前衛性與創新性的創作者。此處暫不討論這一觀念和結論是否完全正確，僅就其語言本身加以考察。

下面是羅門自己常用來說明其語言的句子：

例一：咖啡把你冲入最疲憊的下午（「曠野」）

例二：砲聲把他叫成雲（「一把鑰匙」）

例三：裁紙刀般刷的一聲將夜裁成兩半（「迷你裙」）

例四：一把刀／從鳥的兩翅間通過（「板門店」）

例五：一想到馬廐／連曠野牠都要撕破（「野馬」）

例六：一張目層次已疊成組曲

一伸耳　響聲已叫成千帆　（「紐約」）

例七：站在清晨的樓頂上
一呼吸／花紅葉綠／天藍山青
一遠看／腳已踩在雲上
一張開雙手／天空與胸便疊在一起
反而較翅膀輕了　（「晨起」）

例八：第一把箭／便使曠野發出驚叫　（「逃」）

例九：太陽碰碎在海上／夜便把浪花／栽成一盆月　（「月之歌」）

例十：猛力一推／雙手如流　（「窗」）

例十一：除了那種抱摟，誰能進入火的三圍　（「夏威夷」）

例子中的各詩句，無異是新異性的、突破性的、現代感的。（我願再加上一項：它們也夠準確）。如果站在純藝術的觀點，似乎沒有什麼可以爭辯的。但是當我們讀過這些句子，以及讀羅門的大部份詩時，總覺得有濃厚的「物質味」㉔。

前面，討論羅門的觀察及觀察方法時，我曾說：讀他的詩會感染到一種鬱悶不樂，並從他的觀察方法上推斷出可能的原因。我想，語言上濃厚的物質味也加強了這一感覺。

仔細考察羅門的語言，其所以使我感覺到「物質味」的原因，似乎是由於以下幾種情形：

1以一個物象狀（——卽暗示、喻、比、象徵等）另一物象（或感受）。每一意象語有如一部機器的零組件，它們剛靱有力，組合也精密；但往往又可拆解出來用到另一部機器上去（如上例中「咖啡」、「砲聲」、「刀」、「翅（或翅膀）」、「曠野」、「火」）。意象的傳動方式，也很直接，其間缺少「意」的轉折（如上例一、二、三、四、五、八、九、十、十一）。「意」的轉折既不在意象間，所以有詩句的駢植與繁衍。羅門想要「一舉擊中要害」，但也產生了這些負面的效果。

2動詞的性質加強了直接傳動的機械味。如例一中「沖入」，例二中「叫成」，例三中「裁成」（以及副詞「刷的一聲」），例四中「通過」，例五中「撕破」，例六中「一張目……疊成」，「一伸耳……叫成」，例七中「一呼吸、一遠看、一張開雙手……」，例八中「便使……驚叫」，例九中「碰碎……裁成」，例十一中「猛力一推」。

3條件句的使用法顯示機械味。如例四、五、六、七、十一。

我曾和羅門討論過這些看法，不過羅門並不同意我的看法。做爲一個詩人，他有他的堅持和堅持的理由。不同的意見能相互溝通、相互尊重，這已足夠。

## 五、結論

寫這篇文字的主要用意，是想試着從一個詩人的思想、方法和語言等各方面，去考察其作品與成就，並從中提出值得思考和討論之處，而儘量避免出於個人情緒的褒揚或損貶。

基於研究和考察，對於羅門我仍願重述本文開頭那幾句話：他無疑是今日現代詩壇上一位重要的詩人。他的前衞意識、他的創造精神、他的深刻觀察和他的突出表現，都使他成爲重要的詩人。他一向都不是一位遊戲詩人，也不是一位「爲藝術而藝術」的詩人；他自覺對詩、對生命負有一項莊嚴的責任。這些都可以在他的詩中聽到和感到。至於他的某些議論以及語言傳達上值得再思考的地方，我已在文內每個段落中提出。它們也許並不一定都對，祇是供羅門省思參考而已。其實，我那些意見和羅門的基本信念是一樣的：使在現實物質文明中受損害的精神與心靈，藉著詩與藝術得到撫慰與提升；給他一面鏡子，不僅讓他看自己那張被摑的臉，更要讓他看自己高貴的心。

羅門說：「任何形形色色的鳥籠，都不是鳥的天空」；容我套用下一句說：「任何奇奇幻幻的天空，都不是心的明鏡」。

【附　註】

① 引號內各詞彙、語句，均出自羅門詩句。

② 見羅門詩集「曠野」中「心靈的疊景」（代序）頁一～二（以下簡稱「曠集序」）。時報出版。

③ 見「曠集序」頁二。

④ 見「曠集序」頁三。（〔　〕內文字，係作者所加。下同）。

⑤ 見「羅門自選集」中「詩人與藝術家創造了第三自然」（代序）頁八（「以下簡稱「自選集

序」)。黎明文化事業出版。有關「第三自然」本文第二節另作討論。

⑥ 見「自選集序」頁一四。

⑦ 見七十年七月三日民衆日報，羅門：「我的詩觀」。

⑧ 同前。

⑨ 見「曠集序頁一〇。

⑩ 見「自選集序」頁一五～一六。

⑪ 見「曠野」詩集。

⑫ 「現代感」是羅門的基本觀點之一。它的含義見高歌先生的「羅門訪問記」，原載於「幼獅文藝」二二〇期，後以附錄收於「羅門自選集」。本文在後面另有討論。其下引號內羅門的話，分別見「羅門訪問記」頁二五〇及「曠集序」頁九。

⑬ 見「自選集」（附錄）頁二四六～二四七。

⑭ 見「自選集序」頁六。

⑮ 見「自選集序」頁九。

⑯ 羅門的口語。

⑰ 見「曠集序」頁二。

⑱ 見「曠集序」頁四。

⑲ 見「曠集序」頁五。

⑳ 見「曠集序」頁一四～一六。

㉑ 感與悟同爲心智的活動，其間的界限不易清楚地劃分。粗略地說，感是心靈對於對象以及與對象相關連的事物所生的情的作用；悟是心靈對於對象以及與對象相關連的事物所生的知的作用。但是心靈的三個功能：知、情、意間並沒有密不通風的牆壁。通常，一般人在心靈活動的程序上，感往往較悟爲先，它可以不必依賴知識與經驗。但對藝術家來說，卻又不同，因爲無論對象爲何，無論經哪條通路到心靈中去，都必須被心靈賦予審美的形式，脫離粗糙的情感或概念，方能成爲藝術。就部一意義而論，我們不能說因感而成的作品，較因悟而成的作品爲低劣。我們只能說每個人品味的不同，或某種文化傳統的不同，而有迎拒的不同。個人的好惡應與價值判斷分開。但是渾厚、圓融、簡練、明澈常是我國藝術追求的境界。

㉒ 以上所引，見「曠集序」頁八～九，及「自選集附錄」頁二四五。羅門從現代感是人類生存的基本慾求，導出藝術的創新性是植根在現代感中；從而導出要求語言與技巧傳達現代感等等。這一串言論並非建構在邏輯上，仍是建構在感覺上。但是我們不宜在這方面苛求。我們的目的主要在探討他（的詩）是如何表現，以及何以那樣表現。

㉓ 見民衆日報七〇年七月三日羅門的「我的詩觀」。

㉔ 這是作者臨時杜撰的一個詞兒。它不指涉任何思想觀念上的事，我用它只是在說明對羅門語言的一種感覺，正如有人說某人的詩有「甜味」，某人的詩有「鹹味」。不過我用它時，確實想到它的相反詞「人性味」或「精神味」上。

「中外文學」一九七一年九月一日

# 月湧大江流

## ——評介羅門詩選

陳寧貴

### 現代詩的守護神

羅門，已成了現代詩的名字，他是現代詩的守護神。三十年來，他放棄了一切物質上的享受，把自己獻給繆斯。然而這期間卻有不少詩人離開了繆斯，把自己投入現代文明物質享受的虎口中。

在近代詩壇上，像羅門如此純眞、專一的詩人極爲罕見。加以他取之不盡，用之不窮的才情，使他從事現代詩創作三十年，已爲現代詩開拓出一條嶄新亮麗的大道。有時我想，如果現代詩壇沒有羅門，將是多大的遺憾！

「羅門詩選」係羅門從一九五四到一九八三間選出的代表作，全書分六個時期：⑴曙光時期，選了十一首作品。⑵第九日的底流時期，選了十一首作品。⑶死亡之塔時期；選了十首。⑷隱形的椅子時期，選了二十二首作品，⑸曠野時期，選了二十七首作品，⑹日月的行踪時期，選了三十一首作品。

因此，「羅門詩選」是目前羅門最完整的一本詩選，其中包含了長、短的詩佳作共一百二十二首，他以自由遼濶的創作詩觀，對戰爭、都市文明、性、死亡、時空、自我、大自然……等作深刻的描寫與徹底的追踪；從這些詩中，他實踐了他詩創作的主張：「詩絕非是第一層次現實的複寫，而是將之透過聯想力，導入潛在的經驗世界，予以觀照、交感與轉化爲內心中第二層次的現實，使其獲得更爲富足的內涵，而存在於更爲龐大且永恒的生命結構與形態之中。」他的這種主張雖然對詩而發，然而卻適合一切的藝術創作，從看山是山，看水是水的第一現實，經過看山不是山，看水不是水的觀照、交感、轉化後，才能達到看山是山，看水是水的第二層次的現實，——它才是創作的完成，它與生命的永恒基型互通聲息，使得作品更龐大與不朽，羅門的近作極淺白，幾乎脫離了原有抽象晦澀的表現方式，但是他的淺白並不同於流俗的淺白，像「傘」、「遙指大陸」，透過淺白的文字後面卻蘊藏著令人難以滲透的禪意，以及令人無限感嘆的悲涼。這說明了羅門的詩藝已經到了「祇在此山中，雲深不知處」神妙的境界了。

## 曙光

民國四十四年四月十四日星期四下午四時，羅門與蓉子一同走過教堂的紅毯。這時的羅門是年輕、英俊、瀟灑、多情的。

所以這時期的詩趣向於浪漫抒情。

「曙光」這首詩就是寫給蓉子的，從羅門詩選的編排，我發現了一個極爲有趣的事，本書從「曙光」時期開始，到最後一首詩以「詩的歲月」結束，這兩首詩都是羅門寫給蓉子的，兩詩一首寫於一九五五，另一首寫於一九八三，相隔了將近三十年，可見羅門感情的眞摯動人。

羅門在「曙光」中寫道：

在夢裏，一支金箭射開黎明的院門，
妳倚在天庭的白榕樹下，
我雙手撩開妳夜一般低垂的黑髮，
盯住妳美目流著的七色河上，

在「詩的歲月」中寫道：

那隻天鵝在入暮的靜野上
留下最後的一朵潔白
去點亮溫馨的冬日
隨便抓一把雪
一把銀髮
一把相視的目光

兩詩相較，羅門之浪漫依然，然而從「盯住妳美目」狂烈的浪漫，到「相視的目光」圓熟的浪漫，它們的不同，正是羅門三十年來詩創作前期與後期的不同。

在「曙光」時期（一九五四—一九五七）的十一首詩中，「加力布露斯」是羅門正式發表的第一首詩，當時發表在紀弦主編的一份刊物上，據說深獲紀弦之激賞，全詩以紅色的醒目字體刊出。事實上「加力布露斯」已洩露出羅門在詩創作上含蘊的無限潛能，寫詩的首要就是要能靠馭語言，本詩中他寫出了極新穎的詩語言：

△我的心是較深夜末班列車去後的月台，更為悽冷了！

△你的聲音就在風中嗎？

△你的視線是否在陽光裏？

△黑夜在白晝裏延長

同一年（一九五四）寫的詩「小提琴的四根弦」，雖然祇短短的五行，卻從童年寫到晚年，把人生的變化描繪無遺：

童時，你的眼睛似蔚藍的天空，
長大後，你的眼睛如一座花園，
到了中年，你的眼睛似海洋多風浪，
晚年來時，你的眼睛成了憂愁的家，
沉寂如深夜落幕後的劇場。

羅門一出手，便能寫出這麼好的詩，除了用才華高人一等來解釋外，實在難以再找到更好的理由了，所謂「江山代有才人出，各執風騷數百年」，羅門也許就是要來領現代詩風騷的，「曙光」時期的詩年齡與新生代詩人等長，經過了這許多年，現代詩屢見變革，然而新生代詩人所寫出來的詩，在「詩質」方面又有幾人經得起細品的？像羅門的這首「小提琴的四根弦」，雖經過了三十年，卻如老酒般，越放越香醇，令人回味無窮。

## 第九日的底流

這個時期的詩寫於一九五八—一九六一之間，共選錄了十一首詩作。其中「第九日的底流」、「麥堅利堡」、「都市之死」等三首，早已是有目共睹的傑作，幾乎成了羅門詩的標記。

「第九日的底流」是一首將近一百五十行的巨型長詩，本詩表面上寫貝多芬的第九交響樂，事實上是描寫永恒的美，是對美的歌頌：「你步返，踩動唱盤裏不死的年輪，我便跟隨你成為廻旋的春日，在那一林一林的泉聲中」、「鑽石計劃出螺旋塔，所有的建築物都自目中離去，螺旋塔昇成天空的支柱」……等，這首詩語言亮麗，氣勢不凡，後期不少的詩，都受到這首詩的影響，這類的詩的確給讀者顫慄性的美感。

「麥堅利堡」這首詩雖有過爭議，但它的動人是無可否認的，「太平洋的浪被炮火煮開也都冷了」、「你們的名字運回故鄉，比入多的海水還冷」，一連的「冷」字，浮現了戰爭的殘酷與人類的悲劇，當我們讀到：

你們是那裏也不去了
太平洋陰森的海底是沒有門的

令人低吟再三，久久難以釋懷。回想中國的歷史，也是一部征戰的歷史，唐詩中出現不少邊塞詩，如王翰的「醉臥沙場君莫笑，古來征戰幾人回？」王昌齡的「黃塵足今古，白骨亂蓬蒿。」李頎的「年年戰骨埋荒外，空見蒲桃入漢家。」岑參的「遙憐故園菊，應傍戰場開」，總之這類的作品，會讓人有筆落驚風雨，詩成泣鬼神的感覺，羅門的「麥堅利堡」正好聯接了我國邊塞詩的慘烈，和他另外兩首名作：「彈片・TRON的斷腿」、「板門店三十八度線」一樣，都爲人類的悲苦做了見證，並提出了警告！

「都市之死」也是一首百行長詩，羅門在寫了這首詩之後又陸續寫了不少類似主題的詩，對現代人的生活現狀多所諷刺揶揄，讀這類的詩令人興味盎然，會心一笑，也對羅門的詩深奧難懂的看法有了修正。譬如：「禮拜日，人們經過六天逃亡回來，心靈之屋，經牧師打掃過後，次日，又去聞女人肌膚上的玫瑰香。」還有「都市・摩登女郎」詩中寫：「她走在街上，整座城跟著她扭動，沒有不被扭開的。」尤其在「都市與粽子」中更諷刺入木三分：

歷史美在傳說裏
傳說熱在蒸鍋中
那隻粽子只好又回到

一堆糯米裏去
今夜詩人在燈下
又該寫些什麼
當人們往泰國浴缸裏跳
那些水珠
會是江面上的浪花嗎?

眞是讓人拍案叫絕!由此亦可窺知羅門筆路開濶,詩技已到神乎其技的地步了。

## 死亡之塔

這一時期的詩作,選錄自一九六二至一九六七。其中「死亡之塔」近三百行之長詩,係由詩人覃子豪的去世,而感發的創作,羅門在這首詩中分析死亡,逼問死亡,他認爲:「生命最大的廻聲,是碰上死亡才響的。」因此羅門登上死亡之塔,把人生看得更清楚更遙遠。本詩之可貴處,詩雖長但不紊亂,且無時下敍事詩鬆散乏力之弊病,很值得新生代詩人寫長詩之際,思考和學習。

另外兩首:「彈片・TRON的斷腿」和「流浪人」也一再地被提起,廣受各界好評與推崇。在「流浪人」中羅門寫道。

把酒喝成故鄉的月色

空酒瓶望成一座荒島
他帶著隨身帶的那條動物
朝自己的鞋聲走去

在「彈片·TRON的斷腿」中寫：

而當鞦韆昇起時一邊繩子斷了
整座藍天斜入太陽的背面
旋轉不成溜冰場與芭蕾舞台的遠方
便唱盤般磨在那枝斷針下

不管是流浪人帶著影子朝自己的鞋聲走去；或那個叫TRNO的越南小女孩，她突然被越共的彈片擊斷一條腿，她的童年便唱盤般磨在那枝斷針下。可以看出羅門不但擅於深奧的哲思，這時代的荒謬與悲苦，也都逃不過他敏感的心靈，他在「死亡之塔」中指出：「太陽無論從那一邊來，總有一邊臉流在光中，一邊臉凍成冰河。」這個世界的確有這多缺陷的，人們應該共同努力來彌補這些缺陷，這是人的責任，也是詩人的心事。

## 隱形的椅子

這時期的詩作選錄自一九六八到一九七三之開。好幾首詩對「性」都有奇特的描寫與詮釋，羅門認爲性可分爲兩種，一種是形而下的「性慾」，另一種是形而上的「性靈」，他的創作方式，很值得新生代詩人研習。「隱形的椅子」是一首百餘行的組詩，羅門的創作意念是：「全人類都在找那張椅子，它一直吊在空中，周圍堆滿了被擊瞎的眼睛與停了的破鐘。」他並且對「椅子」還有這樣的解釋：「落葉是被風坐去的那張椅子，流水是被荒野坐去的那張椅子，鳥與雲是放在天空裏很遠的那張椅子，十字架與銅像是放在天空裏更遠的那張椅子，較近的那張椅子是你的影子、他的影子、我的影子、大家的影子。」

在選出的二十二首詩中，「窗」這首詩要算是最小巧、最精緻、最完整的一首了。現代人的悲劇命運，存在的痛楚，都被輕輕地點了出來。

猛力一推　雙手如流
　總是千山萬水
　總是回不來的眼睛

這是現代人的冀望，現代人在高大的建築物包圍中，在大廈的陰影下，如何再去尋覓「雲淡風輕近午天，傍花隨柳過前川」的心境？

羅門最後替現代人的悲劇如此定位：

猛力一推　竟被反鎖在走不出去的透明裏

此詩前後呼應，寫到「透明」兩字，令人不得不倒抽一口冷氣，這兩字之精確、突兀、詭異，使得這首詩很快地占據了讀者的情緒。

## 曠野

這一輯共選了二十七首作品，時間從一九七五—一九七九之間。「觀海」和「曠釋」是羅門的兩首力作。「遙遠故鄉」、「茶意」、「板門店·三八度線」、「火車牌手錶的幻影」卻是眞正感人的作品。

「遙遠故鄉」羅門隨臺港作家團訪問金門時所寫：

一個浪對一個浪說過來
一個浪對一個浪說過去
說了三十年只說一個字
　家

「茶意」可想而知是羅門看了一些老退伍軍人在茶館的情形而寫的：

而沉不下去的那一葉
　竟是滴血的秋海棠
在夢裏也要帶著河回去

「火車牌手錶的幻影」是羅門憶起過去中國苦難的歲月而寫：

三十年
錶換了　心不換

鞋換了 路仍在走
所有的車輪 都是離家的脚
所有的車窗 都是離家的眼睛
所有的錶面 都是離家的臉

離家三十年，如今依然回不去，是羅門這一代詩人特有的經驗，是新生代詩人所無的，這類作品所以感人，因爲它含蘊了很深的民族感情。像南宋大詩人陸放翁的一首詩：

死去元知萬事空，
但悲不見九州同。
王師北定中原日，
家祭無忘告乃翁！

讀來眞是令人落淚！偶而我讀到賀知章的「回鄉偶書」：「少小離家老大回，鄉音無改鬢毛摧；兒童相見不相識，笑問客從何處來？」之際，心中湧起的辛酸，眞是筆墨難以形容的。

## 日月行踪

這個時期臺灣的詩壇起了很大的變化，這個變化起於鄉土小說的論戰，沒想到這論戰也使得新生代詩人普遍的覺醒，當然文學表現鄉土的根性，是絕對正確的，然而表現鄉土，必須對鄉土眞的有那份感情，否則爲鄉土而鄉土，寫出的不過是鄉土文學的膺品，怎能感人？前些日子詩壇還在流行政治詩，其弊病亦在詩人對政治並無深刻的體認，祇落入爲反對而反對的家家酒文學遊戲之中。事實上，詩祇有兩種：好詩和壞詩。我們不祇是須要鄉土詩或政治詩，更須要經過藝術鍛鍊過的好詩。在本輯中，羅門寫的「賣花盆的老人」、「月思」、「遙指大陸」都可以算是非常好的政治詩。那個賣花盆的老人，自從軍中退役下來後，便開始和生活、歲月，遙望搏鬪，「每天，他推著一車歲月，擺在巷口賣」，我們知道這老人可能不會有太多的歲月可出售了。

坐在盆外
他也是一隻手空了卅多年的
老花盆
直望著家鄉的花與土

這是一段不吶喊的抗議詩，是看不見血淚，卻比血淚還淒慘的描寫，如「遙指大陸」羅門寫道：

而孫子却說
那地方好近
把岸拉過來

一腳踩上去
不就是老家嗎？

羅門寫得多麼輕鬆，然而其中的辛酸、沉痛有誰載得動呢？在金門的馬山用望遠鏡看彼岸僅僅二千餘公尺，照一般速度幾分鐘便可到達，然而三十年了我們仍然還未到彼岸，那地方眞的好近，可是這世上還有比那地方更遠的嗎？李白在「長相思」一詩中有「天長路遠魂飛苦，夢魂不到關山難」句，之所以魂飛苦乃是由於天長路遠，關山難行之故。而羅門的「遙指大陸」不是比李白的「長相思」更苦嗎？

## 期待現代詩的金字塔

以上是我讀「羅門詩選」的一些感想，當然尙有不少傑作還未談到，像一九八三年寫的「傘」和一九七二年的「窗」，兩詩相距十年，我覺得這兩詩有極密切的關聯，這其中可以探究到羅門的思想蛻變以及詩創作的新方向，値得另文再議。然而從以上的觀察，吾人可以確定羅門的才情仍源源而出，據聞羅門近年將花費最長的時間最大的心力創作一巨構，但願它的完成之日，同時也爲中國的現代詩完成了一座金碧輝煌，屹立不朽的金字塔。

（自由日報一九八四年十一月十七日與十八日連載）

# 「曠野」中的羅門

陳寧貴

## 一

羅門站在曠野中，欲望「隨天空闊過去／帶遙遠入寧靜」，他要以原本的遼闊，守望到最後。

曠野的原來面目是這樣子的：是河便自己去流／是湖便自己停下來／是風景便自己去明麗／是晝夜便自己去明暗／時間不在鐘錶裏／天空不在鳥籠中／你遼闊的胸部／放在太陽的石磨下／磨出光的回聲／花的香味／果的甜味。

羅門在「曠野」一詩中，展示文明對大自然的侵略和汚染，指出現代人的徬徨與無奈。詩人希望散步在「明月松間照，清泉石上流」或「松月生夜涼，風泉滿清聽」的境地，然而這已成了陶淵明的桃花源——阡陌交通，鷄犬相聞——多麼遙遠的神話呀！

當第一根樁打下來
世界便順著你的裂痕

在紊亂的方向裏逃

史朗寧曾說過：「人不是歷史創造者，而是推動者，現代文明的出現，固然是人們參與後的成就，也是時勢所趨。」荷蘭人在須德海埔紀念塔曾刻著「未來在此誕生！一個會創造未來的民族是永遠生存的」荷蘭人眞的是會創造未來的民族嗎？還是被環境所逼而不得不如此？現實與理想往往處於敵對的地位，就以我臺灣來說，人口爆炸，生存的土地最限，挖山塡海以求取更廣大的生存空間，成了必然的事；樓房越蓋越高，公寓越建越多，像這種向空中掠奪空間，向蜜蜂學習利用空間的人類行爲，已嚴重地傷害了詩人理想中的世界。所以羅門站在自己心靈的曠野中發出了抗議！

高樓大厦圍攏來
迫天空縣成天花板
迫你從印刷機上
縮影成那塊窗簾布
仍開花給窗看

## 二

當然，羅門在本詩中，不斷地指出人類心靈裏的曠野，逐漸地在消失，「想奔，河流都在蓄水池裏／想飛，有翅的都在菜市場」，由於競爭的劇烈」人們的生活變得忙碌、緊張、迷惘，走在街上，你會發現路、人已經不夠用了，使得許多車子不得搶路急馳；至於喘息於油門與煞車之間的人們，心靈的疲憊，絕非克勞酸所能解救得了。杜斯批也夫斯基曾說：「世界將由美來拯救。」美，原來徜徉在曠野中，曠野消失了，美在那裏？世界要誰來拯救？以後的世界將變得怎樣呢？我們姑且不談以後的世界，羅門認爲現在的世界已變成這個樣子了：

1\.

男人與太陽同姓
女人與月亮同名
床被與四季同睡
唇瓣與花瓣同開

2\.

在廣告牌圍觀的場景裏
眼睛是一部切肉機
　把你的千山萬水
切片入建築物的層次
　櫥窗的秩序
都標上了價

如果口袋裏的鈔票是你的雲
沿腰而下 便是你的河
沿乳峯而上 便是你的山
於上上下下之間
你便循環成那座電梯
在封閉式的天空與限定的高度裏
　　鳥祇有一種飛法
　　　一種叫聲

羅門的詩中所展現的世界，是缺乏靈性，是墮落的；現實感，堵死了人們性靈的去路，人們茫然的生活著，無可奈何地把生命延續到死爲止。

## 三

「曠野」一詩是羅門的力作，他有感於急速前進的現實，對人類帶來了嚴重的迫害，逼得羅門不得不去注視，探討這個問題。

羅門詩裏的探索性極強，所以讀他的詩令人低廻不已，例如在他的名作「板門店·三八度線」裏的最後一段：「在用不著開槍的幾公尺裏／幾個沒頭沒腦的北韓士兵／不知爲了什麼傻笑了過來／上帝您猜猜看／它是從深夜裏擲過來的一枚照明彈／還是閃過停屍間的一線光」刹那間讀者都怔住了，接著在心中與起松濤狂瀾。

羅門在「曠野」詩中，最後仍勸人回歸大自然，這和陶淵明寫「歸去來兮」說田園將蕪，胡不歸？有異曲同工之妙。離我們現在一千五百多年前的陶淵明亟於尋回心靈的「曠野」，他所謂的田園將蕪，象徵著爲五斗米折腰的慘痛心靈。宋代的朱元晦，自認爲尋找到了心靈的「曠野」，有詩爲證：「半畝方塘一鑑開，天光雲影共徘徊」，朱元晦是著名的理學家，他的「曠野」在書中。他是個典型的讀書人，只要有好書可讀，便能達羅門「曠野」中詩的境界：

廟選中了山的清高
十字架對正了天堂的座標
你把空茫磨亮成一面鏡
望著光間始流動的地方
泉水間始湧現的地方
花開始開的地方
鳥開始飛的地方
讓所有的路都能看見起點
所有的聲音都歸入你的沉寂

當然，羅用所尋求的「曠野比朱元晦的還遼闊，這「曠野」是否在人間存在，關係著人類精神生活的禍福，如今我們感覺天地越來越窄，人的心胸越來越小；每天清晨開窗，迎面而來的不是青山綠水，而是另一棟建築物，頓覺沮喪，「猛力一推，竟被反鎖在走不出去的透明裏」（羅門・窗）現代人的不幸就如此誕生了；更可憐的是，人們住在蜂巢似的公寓裏，把鐵門一關，誰也不理誰；據說在香港鐵門如果沒有三道，人們就沒有安全感。可見人與人之間，信任感已逐漸消失，每個人的天地、心胸都是爲容納自己而存在的，有時甚至連自己都容納不下，逼得人們挺而走險，道德因而淪喪，犯罪率因而提高。

「克勞酸喝得你好累／咖啡把你沖入最疲憊的下午」，克勞酸原是提神的東西，卻喝得你好累，這有兩層意思，第一，現代人的累，不是身體上的，是精神上的，克勞酸對精神上的累是無益的。第二，現代人急於解除莫名的勞累，而利用現代文明的藥品，結果勞累還沒解除，卻衍生了另一種累。

「克勞酸喝得你好累」是「人從橋上過，橋流水不流」矛盾語法的運用，一正一反，一廻一旋，令人發怔、思索不已。至於「咖啡把你沖入最疲憊的下午」，也有兩層意思，第一，現代人喝咖啡打發無聊的時間，時間上打發了，卻一無所得，若硬要說有一得，那便是——疲憊；如果我們回想沒有咖啡的時代，我們的祖先如何打發時間呢？「一盃香茗把你泡入最悠閒的下午」——我想是如此。第二，「疲憊」幾乎成了現代人的象徵，克勞酸無法解，咖啡也一樣。這就成了值得探討的現代人精神困境。

## 四

「曠野」的創作分爲四段：第一段勾出曠野的容貌；第二段寫曠野開始受到侵略；第三段寫曠野消失了，由現代的物質文明所代替；第四段指出消失的曠野的去處，使人們仍能尋覓到曠野，仍能徜徉在曠野。脈絡異常分明，能夠很明顯地推究出詩人的企圖。

羅門用鮮活的詩語言，快速而有力的擊中當代人的精神困境，這個困境經過詩人的觀察和經歷，而有眞切的體認，本詩將現代人生活的緊張、不安、疲憊、無奈、凡庸，極淸晰地呈現在讀者眼前，使人內心裏產生一種悸動，當讀者心中產生悸動之際，在第四段詩裏把曠野帶了回來，令人由悸動中一轉爲雀躍，眞所謂：「鑿池明月入，能空境界自生明」，羅門一直認爲上帝管理人類，偶而也會有龍體欠安的時候，詩人這時就順理成章地成了上帝的代理人，因此詩人的詩和上帝的話同等份量，（如果現代詩人常寫僞詩，有朝一日激怒了上帝，詩人被取消代理人的身份不是不可能的事）我們從「曠野」詩中，可以感覺到詩人對全人類精神世界的擔憂和關心，詩人不斷地以精鍊的文字繪出曠野的遼闊與舒適，無疑指示現代人走出狹窄和苦悶的精神世界，明朝洪自誠先生寫的「菜根譚」一書中提到：「閒著撲紙蠅，笑癡人自生障礙。靜觀競巢鳥，歎傑士空呈英雄」，同樣指示人們要走向更空曠的精神世界，同時我們檢查出人性趨於悲劇性，於是詩人對人類的關愛不但是必須，而且極爲迫切，詩人如果能夠擔負起這種責任感，詩人勢必從「優秀」中走向「偉大」，爲全人類帶來更遼曠、新鮮的精神世界。

臺灣新聞報一九七一年六月十一日

# 羅門如何「觀海」

陳寧貴

## 日日與海對晤

羅門，是自由中國具影響力的詩人，他寫詩伸縮自如、長短有緻，對於詩的題材並無偏嗜，然而他寫出的詩，莫不抓住該題材的要害，對該題材的核心部份，更是一箭中的 。在讀者的驚訝聲中，他如一葉輕舟，已過了萬重山。所以他從三十年前開始創作現代詩，迄今衝過時間一重重疏而不漏的封殺，他的認知力，越來越強大，他心靈中的感應之鏡，也越來越清晰、浩瀚——如一片大海。

無疑的，「觀海」一詩，是詩人羅門自我的解析，他日日與海對晤，這「海」不但具有我們肉眼所見的浩大與雄渾，更有我們的肉眼無可見的空寂——這兩個字很重要，我們從這兩個字，看見人類精神世界（尤其是大藝術家）裏的大海，如何從空寂的內涵中，提鍊出人類不朽意志力。

「觀海」也可以作為羅門的藝術觀，那片海在他的內心深處，澎湃、吶喊、呼喚，它具有父性的莊嚴，也具有母性的慈愛。也許那片「海」——就是羅門的代名詞——或是羅門對藝術界擲出的宣言。

## 海的起源

羅門與海對晤幾十年，對海的性格、特質都有了解很透徹。然而他要我們了解「海」之前，必先告訴我們「海」的起源：

飲盡一條條江河
你醉成滿天風浪
浪是花瓣　大地能不繽紛
浪是翅膀　天空能不飛翔
浪波動起伏　羣山能不心跳
浪來浪去
你呑進一顆顆落日
　吐出朶朶旭陽

原來「大海」是「飲盡一條條江河」而成的。這世上任何偉大的東西，那一個不是吸收了許多的小東西而形成。從這裏反應出：任何人想要走入偉大之境（即詩中所語「無限的壯闊與圓滿」）其本身必須寬宏大量，古今中外的大詩人、大藝術家那一個不是先吸收了萬方之長，而後塑造自己之大？研究中國詩聖杜甫和詩仙李白的學者，在研究的過程中，不得不驚異於他們呼吸着全中國詩的精華。

「海」既已形成，便能使大地繽紛起來，使天空飛翔起來，使羣山也心跳。更重要的，它能吞吐陽光，——這是時間的象徵，時間在推移著，時間跟隨著大海，大海包容時間。所以從此段文字中，我們感悟到雖然時空無垠，但卻以大海爲其歸宿。不錯，大凡偉大的藝術家，是超越時空而存在的，也就是偉大者無時不在，無處不在，他的聲音在這個時代、過去的時代，以及未來的時代中澎湃洶湧。

讓我們再看看詩人羅門爲我們描繪的大海的形象：

究竟那條水平線
　能攔你在何處
壓抑不了那激動時
你總是狂風暴雨
　　千波萬浪
把山崖上的巨石　一塊塊擊開
放出那些被禁錮的陽光與河流
其實你遇上什麼
都放開手順它

任以那一種樣子　靜靜躺下不管
你仍是那悠悠而流的忘川
浮風平浪靜花開鳥鳴的三月而去
　　　　去無蹤
　　來也無蹤

遼闊的海，水平線是攔不住它的，它的激情能夠將山崖上的巨石一塊塊擊開，把禁錮在裏面的陽光和河流奔放出來。當陽光出現的時候，正是黑暗遁跡之際，光明和希望便於是攜手前來。不能流動的河是死的，就像一具死屍一樣，失去了靈魂和生命的動感；而奔放出來的河流，它具有活潑的生機，具有新鮮的氣息。河流就如微血管，遍佈人的全身，營養著人的生命，又彷彿擁抱著人的神經系統，給人一種銳利的智慧。大海在花開鳥鳴，來去無蹤的三月裏，它的心情變得平靜起來，——不管遇上什麼都放開手順它。

詩人羅門在這段文字裏，清晰地描繪出「海的遼闊、激情、寬容、神秘」。

## 海的本色

詩人羅門在「觀海」一詩的附註中說：「我認爲一個現代作家除了追逐外在的動變，更應感知那穿越到『動變』之中去的莫名的恒定力，它是來自宇宙與大自然整體生命的穩定的結構與本然的基型之中。」

從上句話，很顯然羅門在創作本詩時，有兩大企圖：①描繪出海的壯闊與深沉的生命潛能。②表現出海含有「信仰性」的較深遠的嚮往與感動。

因此，羅門在本詩中極強調「海的本色」：

任霧色一層層塗過來
任太陽將所有的油彩倒下來
任滿天烽火猛然的掃過來
任炮管把血漿不停的灌下來
都更變不了你那藍色的頑強
　　　　　　　藍色的深沉
　　　　　　　藍色的凝望

藍，海的本色，在遙遠的過去裏它就一直這樣藍著，以後它仍然會繼續藍下去，由於它的頑強和堅持，使得我們人類認知藍色是最穩定的顏色，人們更發現火的溫度中「藍焰」是最熱烈的。因此，藍色中不但具有深沉、遼闊、頑強的內涵世界，更具有擁抱似的熱情和關愛。

一個藝術家和詩人，往往會感嘆當今現實社會環境的種種障礙，有些人忍不住從事這種工作的孤寂感，而臨陣逃脫、功敗垂成。但是海的藍色，幾萬年來一直就不曾變過。「任日月問過來問過去／你那張浮在波光與煙雨中的臉／一直是刻不上字的鐘面」海的頑強生命力，已藉詩人羅門透露出來，而且暗示著「海」是藝術家學習的對象，一個藝術家要有所成就，他必須多去「觀海」，能夠領悟到海的特質，那將是藝術家創作時源源不斷的滋養。凡是未找到海，或背棄海的藝術家，最後不過成爲海浪而已，或是荷花池的小漣漪罷了。由於藝術的創作，必具備兩大條件乃能成其偉大，一曰深度，二曰廣度，海的確是深廣兼備，最值得藝術家去觀看，甚至躍入泅泳。

從漫長的白晝
　到茫茫的昏暮
若能凱旋回來
　便伴著月歸
星夜是你的冠冕
衆星繞冠轉
那高無比的壯麗與輝煌
使燈火煙火炮火亮到半空
　都轉了回來
而你一直攀登到光的峯頂
將自己高擧成次日的黎明

由於大藝術家具有超越時空的特質，所以他們用無比的恒定力來擁抱宇宙。他們能夠深入人類的內心工作，將人的精神昇華到光的峯頂——使之成爲次日的黎明——或不朽的希望。

## 海的空寂

能「空」才能「容」、能「容」乃「大」。
能「寂」才能「定」，能「定」乃「恒」。

總是發光的明天
總是弦音琴聲迴響的遠方
千里江河是你的手
握山頂的雪林野的花而來
帶來一路的風景
其中最美最耐看的
到後來都不是風景
而是開在你額上
　那朵永不凋的空寂

任何藝術家（包括音樂家、詩人）必須經過空寂感的洗鍊，才會成爲藝術大家——米開蘭基羅、梵谷、貝多芬、李白、杜甫、杜斯托也夫斯基……都是如此，藝術家的額上投射出來的空寂之光，往往照亮了人類光明的精神世界，他們背負著人類十字架似的悲劇命運。行走在黑森林裏，爲人們尋找光，甚至燃燒自己成爲光，引導人的苦難，到達希望的彼岸。

所以詩人羅門在「觀海」第五段指出：「所有流落的眼睛，都望回那條水平線上，仍望不出你那隻獨目，在望著都一種鄉愁，仍看不出你那隻獨輪，究竟已到了那裏。」想要遠行的人，勢必要有孤獨的打算，獨目獨輪，沒有人能看盡海的盡頭，水平線是一條分界線，任何成功的競跑選手必須衝過這條線，否則不過是投降者，要接受如鞭似的水平線，一頓苦刑。

也許，詩人最懂得空寂感，空寂感來自禪境的頓悟，在國內的詩人，剛創作之初莫不痛苦摸索，有時摸索出一條路，過了一些日子卻發現是不通的死巷子，祇好繼續重來。那種孤獨與寂寞，徬徨與無奈，絕非旁人所能了解其萬一。然而這正是使自己的藝術生命像海一樣的唯一通道，——唯有進入此通道，而且通過此通道，你的藝術生命才會像海般的澎湃起來，也才會像海般的頑強起來。從感受空寂，到通過空寂，是一條漫長而黑暗的藝術之旅，大藝術家觀察的銳利，心靈的敏捷，皆從此旅獲得，整個宇宙時空的寶藏，此刻似乎是特爲他們準備的豐盛佳餚。

## 海的呼喚

「觀海」一詩，是羅門近年來的力作之一，可以歸屬於他「自然詩」的創作部份。當然這首詩氣魄雄渾，意境高遠，是很有企圖的作品。我相信羅門對當今國內的藝術環境頗多感慨，居於一個詩人的良知使他不得不寫下這首詩，這首詩具有諷刺性和教育性，任何一個敢於面對現實，不虛僞作假的藝術家，看完這首詩，一定會感動不已。任何一個從事藝術工作的人，把自己投入「觀海」一詩中，自己到底能夠通過那一項檢查？我們捫心自問，我們在與藝術之神交往中，到底付出幾許虔誠？「任砲管把血漿不停的灌下來，都更變不了你那藍色的頑強，藍色的深沉，藍色的凝望」在殘酷的現實生活中，有許多人往往無法堅持而變節，一個崇拜繆斯幾近於迷信瘋狂的年輕人，曾幾何時在繆斯的殿堂失去了他的蹤影。而海水不變它的本色——藍色。它的頑強和恒定力值得人們學習，尤其是藝術家缺少了本色，剩下來的是什麼？沒有掙扎和對抗（或說不敢掙扎和對抗）怎能敲擊出生命燦爛的火花，生命的價值和意義全在這電光石火間被肯定下來。

讀完「觀海」我們好像聽見海在呼喚：請你不要在海邊徘徊，讓你的生命也變成海吧！

——這不也是詩人羅門的呼喚嗎？

臺灣新聞報一九七一年十二月五日

# 爬這座大山

## ——讀羅門的「週末旅途事件」

陳寧貴

### 一

藝術創作猶如爬一座大山，當然詩創作也不例外。

爬這座大山，由於創作者個人才情的不同，可能出現三種情況：第一種，一輩子都能往上爬，如畢卡索者。第二種，爬到半途左右，便望山興嘆，再也無力上去，最多祇能原地踏步而已。第三種，乘興而來，爬沒多久便敗興而返。

主要考察「爬山者」屬於那一種，我們可從他的創作技巧、內容是否重複自我抄襲看出來，至於文字的運用組合是否精當，意象的掌握是否準確，一經仔細檢查便能知道他爬山的體能夠不夠。

這是很現實，很無可奈何的事，幾乎每個詩創作者的才情都有極限，極限一至江郎才盡，任誰也幫不上忙，祇是每個詩人的才情極限各有不同罷了。以羅門爲例，他的年齡將近六十，創作力依然旺盛，而且每年都有佳作出現，像去年的「麥當勞午餐時間」題材是如此的新，內涵又挖掘得無比深刻，眞是令人驚訝之至！除了羅門之外，余光中、洛夫的創作力依然不減，作品益見老練，較之後生小輩的作品有過之無不及。他們的詩風，越寫越明朗，內蘊也越來越深刻（與早年作品的深奧晦澀有別）。最近在新生代詩人間流行的所謂「後現代主義」，標榜要「揚棄現代主義中封閉自我，孤立於社會的金字塔頂的文化貴族觀念」（凌雲夢「詭異的銀詭」中語）或許將爲國內詩壇帶來另一番風光景緻，然而應該提防像當年鄉土文學盛行之際，所帶來的弊病。無可否認的，當年的鄉土文學論戰令詩人們有所覺醒，紛紛揚棄晦澀夢囈式的詩風，詩因而明朗了（羅門、洛夫都做了這種轉變），可惜大部份作品墮入吶喊式的頽境中。如今「後現代主義」出現了，似乎有意糾正那些缺乏藝術撼動力的詩作，此風高漲，可能報紙每年刊登諾貝爾文學獎的作品有關，或許這正是詩壇的再度覺醒，詩——卻從明朗走回了晦澀。

事實上，詩的明朗或晦澀並不值得爭執，猶如「現代主義」與「後現代主義」到底何者高明？鄉土詩是否比前兩者有價值？等等問題都不值細究。

爲什麼？我們且看看羅門的新作「週末旅途事件」便知分曉。

## 二

「週末旅途事件」是首五十四行的詩，描寫羅門有個週末到火車站搭火車，看見車站

「身穿五顏六色的人羣／帶著都市與假期的心／擠滿在月台上」，然後激發了他一連串的回憶，其手法如電影「越南獵鹿人」，運用時空迅速移位交錯的方式，刻劃出個人與這個時代的變幻，羅門以現代電影小說的技巧來寫詩，令讀者閱讀這首詩，在生動的戲劇化的過程中引導下，很輕易便進入了羅門所描述的三十多年的時空中，「只是兩小時的車程／竟在記憶裏／走了三十多年」——由於這種時空的強烈對比，使得這首的蓄滿撼動力。本詩類似他以前的作品「火車牌手錶的幻影」，表現手法大同小異，唯「週末旅途事件」文字更明朗，情節更緊湊，他清除了許多不必要的支節，以他擅長長詩的創作來看，本詩要擴充成一二百行，對他來說並非難事。據我所知，他近年來對已寫好的詩，都施加嚴謹的檢查與割捨，使得作品更單純流暢，結構更自然緊密。當今詩壇仍有不少詩人，在作品的「割捨」上做得不夠澈底，往往死抱住作品裏的一二行「金句」沾沾自喜，至於是否必要，甚或妨礙了詩的轉化，卻不予考慮，這猶如在高速公路建造一座漂亮的牌樓，妨礙交通不管，祇管牌樓是否好看，這是種本末倒置，走火入魔的「迷思」和「迷詩」。

本詩在時空的移位上，的確是一大特色，例如：「一行披著鬱綠色草原的軍人／帶著槍支與戒備的心／走著軍步來／把孩童與成人驚異的目光／分開成一條河道／流來我三十多年／不見的長江」——沒有一句晦澀，卻有強大的詩感逼人而來，尤其後面兩行眞是神來之筆，猶有兩行熱淚。

又如「進站的汽笛聲／拉著警報來／響來戰爭的年月／一陣慌亂／大家都往防空洞裏逃

／坐定下來／竟是觀光號車廂」——短短幾行便清晰地描繪出過去的情景和現在情境的差異，幾乎毫不著痕跡交溶在一起，令讀者爲之一愕，這與羅門認爲詩能以最快的速度，最短的距離，進入生命與一切存在的眞位和核心，而接近完美與永恒的詩觀一致。像「在西式雙人座椅上／誰會把朱唇／看成染血的彈片」其聯想與對比是夠驚心的了，它對讀者的心靈產生奇襲的效果，在後面也有這樣的描寫「什錦火鍋上來時／世界還會在戰火上嗎？」也是令人深思的。這與洛夫在「羊年十二行」中所傳遞的訊息：「卡特吃不完羊肉／這不是問題／問題乃在／北平東來順的火鍋中／正在燉的究竟是／誰的肉？」同樣驚人，値得注意的是，他們的文字都很淺白，詩意卻非比尋常的濃郁。

「週末旅途事件」除了運用時空對比外，也藉助人物的對比，讓詩意更加衍生擴展：

只是鄰座嬰兒醒來的
　一陣哭
那位老鄉額上的紋路
已被一排槍炮聲
　叫入萬徑人蹤滅

我們輕易的發現，羅門的詩藝非但未見停滯，反而頗有進展，不管是文字的運用，或是意象的塑造，都極準確明晰；我們再看看羅門如何巧妙的收尾：

路好累

世界好睏
關上眼門睡一會
只留下那道門縫
　陪著38度線
　　天地線
　一同去望鄉

讀這段詩，不禁令人想起李白的詩句：「三山半落青天外，一水中分白鷺洲。總爲浮雲能蔽日，長安不見使人愁。」眞教人感慨萬千。

## 三

「週末旅途事件」這首詩，到底要如何歸類呢？是「現代主義」？還是「後現代主義」是「鄉土詩」還是「政治詩」？是無我之境的客觀寫法？還是有我之境的主觀寫法？是爲人生而藝術？還是爲藝術而藝術？

誰能歸類它呢？即使勉強歸類必然引來一陣無謂的爭執，而且意義何在？

事實上，大藝術家、大詩人必有「盪胸生層雲，決眥入歸鳥。會當凌絕頂，一覽衆山小」（杜甫「望嶽」）的氣魄與胸襟。

因此世上任何藝術上的主義流派，不過是圍繞在大師周遭的小山丘，他站立在絕頂上看它們，眞是一目了然。

問題是，一些多事之徒，卻喜歡發明主義流派，彷如神話故事中的「捆仙繩」般，將藝術家或詩人縛住。

而大藝術家、大詩人豈肯束手就縛？其實也不會有人縛得住他們的，因爲他們已經到達「無法爲天下法」的隨心所欲的境界。

因此在我單純的概念裏，詩祇有兩種：「好詩」和「壞詩」；至於好壞如何區分，在於作品是否眞誠無僞，扣人心弦。「週末旅途事件」所以感人，就因爲它有這種特質。最近詩壇有了新的蛻變，新一代詩人的「後現代主義」詩風廣受各方矚目與議論，不少人予以掌聲，當然亦不時聞到一些噓聲，他們認爲現代詩好不容易逃避了晦澀的夢魘，現在何必又走回去？

新一代詩人中較傑出者如陳克華和林耀德，他們的詩作詭異離奇，散發出特殊的魅，然而仔細推敲，也會發現他們對詩語言不合理的揑造與扭曲，不錯，詩要推陳出新，但不要故弄玄虛，考察他們的作品難免發現有故弄玄虛的成份(有人或許會辯稱這是「新的實驗」)，以林耀德「大汗的塚」一詩爲例：「我心腹的『把阿禿兒』們啊／你們是我的手足／護守我神賜的／黃金的軀體／你們是我的吉慶／烘托我神賜的／水晶的思考」，他以「黃金的軀體」形容其尊貴，以「水晶的思考」形容其精明睿智，實非妥當。再看「下班以後」一詩：「下班以後，夜浮盪在男人的指甲上」，「指甲」到底所指爲何？「憂鬱在流轉的燃火間拉開一道無法縫合的傷口」，「憂鬱」如何「拉開」傷口？「充滿肉體與腳印的地下舞廳」到底所指爲何？眞是令人感到納悶，它之所以令人難以理解，問題出在設喩失當，造成意象模糊，這如電視畫面和攝影照片的模糊不淸，來自焦距失誤。以上所擧的例子還算好的。更怪異的就不用說，這到底是現代詩的「轉機」還是「危機」呢？詩人自顧「表現」，卻忘了基本上明晰的意象「表達」，這是詩人與讀者雙方的損失，令人遺憾之至。

羅門「週末旅途事件」之所以值得一談，因爲它對詩壇的蛻變頗有啓發作用。早期羅門也寫過不少晦澀的詩，像「第九日的底流」等。如今他不時創作深入淺出的詩，讀來更是滋味雋永，他三十多年來的創作歷程，很值得我們探索和借鏡，以免現代詩面臨新的突破之際，步入歧途。

臺灣新聞報一九八六年九月十七日

# 現代詩的新視野

## ——羅門「麥當勞午餐時間」

陳寧貴

「麥當勞」入侵國內的餐飲業，帶來了極大的震撼力。它衞生便捷，使得忙碌的現代人湧進麥當勞專賣店。據說麥當勞當初被日本引進時，也掀起一陣旋風。可見麥當勞特爲現代人而設計，早已俘虜了現代人的嘴巴。詩人羅門也不例外，他和一羣人湧入麥當勞專賣店，然而他以敏銳的靈視，看見麥當勞的午餐時間裏含蘊著「文明」的無情，和「文化」的鄉愁。

本詩分爲三大段，第一段寫年輕人進入麥當勞店裏的情形。第二段寫中年人。第三段寫老年人。這三種不同年齡的人，在店裏呈現出異樣的景觀。

一羣年輕人
帶著風
衝進來

被最亮的位置
拉過去
同整座城
坐在一起

窗內一盤餐飲
窗外一盤街景
手裏的刀叉
較來往的車輛
還快速地穿過
迷妳而帥勁的
中午

以上是麥當勞午餐時間裏的年輕人，他們帶著風衝進來，「被最亮的位置／拉過去」，羅門運用「拉」這個字是極精準而生動的。如果寫「年輕人朝最亮的座位走去」這樣詩味盡失。在此「位置」已經擬人化，它好似年輕人的好友，它早已等待在那兒，祇等待年輕人一出現便「拉」了過去。「亮」字亦悄然點出年輕人的自信與爽朗。第二節寫「手裏的刀叉／較來往的車／還快速地穿過／迷妳而帥勁的中午」——這是極巧妙的比喻，匠心獨運，令人會心一笑。

三兩個中年人
坐在疲累裏
手裏的刀叉
慢慢張開成筷子的雙脚
走回三十年前鎮上的小館
六隻眼睛望來
六隻大頭蒼蠅
在出神
整張桌面忽然暗成
一幅記憶
那瓶紅露酒
又不知酒言酒語
把中午說到
那裏去了
當一陣陣年輕人

來去的强風
從自動門裏
吹進吹出
你可聽見寒林裏
飄零的葉音

以上是麥當勞午餐時間裏的中年人。他們和年輕人顯然有了差異，他們是疲累的，彷彿背負著什麼沉重的責任，成年累月的搏鬪下，眼看著疲累就要來攻打他們。他們雖然躲入麥當勞餐飲店裏，但是他們心中仍不得安寧，許多的回憶都紛紛來襲。「手裏的刀叉／慢慢張開成筷子的雙脚／走回三十年前鎭上的小館」——如此的奇思異想，不得不佩服羅門深邃而獨到的透視力，「刀叉」與「筷子」的聯想，需要何等才情？從桌面「暗」的記憶，到那瓶「紅」露酒，在色調上成了對比，眞是匠心獨運，羅門用顏色巧妙地呈現出他們懷舊的心境；彷讀唐代詩人李益的「喜見外弟又言別」詩：「十年離亂後，長大一相逢：問姓驚初見，稱名憶舊容。別來滄海事，語罷暮天鐘。明日巴陵道，秋山又幾重？」有股令人難以逼視的凄愴，他們望著年輕人如風從自動門吹進之際，同時也難免要聽見「寒林裏飄零的葉音。」在此不難想像如風的年輕人，把寒林裏卽將飄零的樹葉掃落下來，此卽羅門在本詩後記裏所說：「文明的確像是不回頭的前進的齒輪，冷酷無情；而文化則對生存的時空溢流著無限的感懷與鄉愁。」

一個老年人
坐在角落裏
穿著不太合身的
成衣西裝
吃完不太合胃的
漢堡
怎麼想也想不到
漢朝的城堡那裏去
玻璃大厦該不是
那片發光的水田
枯坐成一棵
室內裝潢的老松
不說話還好
一自言自語
必又是同震耳的炮聲
在說話了
說著說著

眼前的晌午
已是眼裏的昏暮

以上是麥當勞午餐時間裏的老年人。本段詩的第一節也發揮了詩想的奇襲力，從「不太合身的成衣西裝」，描寫到「不太合胃的漢堡」，又聯想到「漢朝的城堡」。「漢堡」與「漢朝城堡」並無絲毫關係，祇是老年人活在回憶裏，任何的風吹草動，都會激發回憶。尤其老年人坐在「角落」，暗示著自我遺落，他窺視新生的一代。也窺視著日漸沒落的自己。他看見發亮的玻璃大厦，不禁懷念起往昔發光的水田。很顯然羅門企圖將東西方的對峙，文明與文化的矛盾，衝激出詩的震撼力，與綿延不絕的對這類問題的思考。第二節又將坐在角落老年人，形容成室內裝潢的老松，祇要他一說話，就像和震耳欲聾的炮聲在說話，「炮聲」象徵往昔苦難的歲月是可以理解的。至於說著說著，眼前的晌午已是眼裏的昏暮，前者爲實景，後者爲虛境，實虛的時空迅速轉換，輕易地撞響讀者內心深處的那根弦，教人感慨萬千，所謂，「夕陽依舊壘，寒磬滿空林」！

本詩取材新穎，表現獨特，感慨深刻，爲當今的詩帶來了新的視野。在麥當勞午餐時間裏，我們看見年輕人迅速地適應了西方的飲食，他們面對純屬西方的東西，心中是歡欣的。但是中年人卻無可奈何地接受它，他們無法像年輕人一樣帶著快樂的心情面對它，他們觸西方的新景，生東方的舊情，新舊事物在他們心中衝穿成一片茫然。至於老年人，他們排斥這新的東西，他們居然從漢堡，緬懷起漢朝的城堡，新的事物對他們來說，猶如不太合身的成衣西裝穿在身上一般。因此，羅門認爲，從「文明」的窗口看此詩，我們看到在「麥當勞午餐時間」同一時空內出現的中國人，竟有三處斷層的生命現象。從「文化」的窗口看此詩，我們看到貫穿整個時空大動脈而存在的一個分不開來的「中國人」。的確，本詩提出了當代中國人多面的思考方向，並且令人對這些沉重的問題百思難得其解，然而在這些層層糾纏的問題中，我們發現一個傑出的詩人，對新的「文明」與「文化」，應有的胸襟和關懷。但願國內的詩人們「放眼天下心懷鄉土」，能「放眼天下」，作品自然能新能大。能「心懷鄉土」，作品自然可感可久。當然這個「鄉土」絕非狹隘的地方性的小鄉土，而是整個傳統中國的大鄉土。本詩則提供了很好的範例。

民衆日報一九八一年八月二十二日

# 讀羅門的「窗」與「傘」

陳寧貴

近讀「羅門詩選」發現兩首詩，很值得提出來討論。羅門是自由中國極傑出的詩人，早在民國六十一年便寫出「窗」這首佳作：

猛力一推　雙手如流
總是千山萬水
總是回不來的眼睛
遙望裏
你被望成千翼之鳥
棄天空而去　你已不在翅膀上
聆聽裏

你被聽成千孔之笛
音道深如望向往昔的凝目
猛力一推 竟被反鎖在走不出去
　　的透明裏

這首詩早已聞名詩壇，他對現代人的希望與挫折有精確深刻的描寫。另一首「傘」寫於七十二年，與「窗」寫作的時間相隔了十二年，這首詩同樣是描寫現代人暗晦的心靈世界：

他靠著公寓的窗口
看雨中的傘
　走成一個個
　孤獨的世界
想起一大羣人
每天從人潮滾滾的
　公車與地外道
裹住自己躲回家
　把門關上

忽然間
公寓裏所有的住屋
全部往雨裏跑
　　直喊自己
　　　也是傘
他愣然站住
把自己緊緊握成傘把
　而只有天空是傘
　雨在傘裏落
　傘外無雨

這兩首詩如果要套個頭銜，可稱作：存在主義的詩，它們對現代人存在的現況以及心理反應的描述，都令讀者驚異不已。「窗」象徵現代人對現代生活苦悶的抗拒。兩詩都可以看見現代文明無形的壓力，正不斷地把現代人包圍起來，現代人的悲劇性於是生焉。

「窗」中說：「猛力一推，竟被反鎖在走不出去的透明裏。」

「傘」中說：只有天空是傘。雨在傘裏落。」

可見人爲的希望和抗拒，是多麼的乏力無奈！

我們再來看看這兩詩的表現方式，「窗」的抽象形式在「傘」裏已看不見，羅門經過了十二年後，他已將深奧的玄想化作淸淡的文字來表達，但爲讀者所帶來的詩境界卻更遼闊，更耐人尋味，從被「透明」反鎖的描寫到「傘外無雨」幾近禪境的運用，正如老子道德經所謂「道可道非常道，名可名非常名。」以及傅大士所謂：「空手把鋤頭，步行騎水牛；人從橋上過，橋流水不流。」其中的突兀、深邃都來自一正一反的矛盾語法。

人類都有向外拓展的慾望，在層層的封鎖中，人都會想盡辦法突圍而出，所謂：欲窮千里目，更上一層樓。所以羅門在「窗」中說：猛力一推，雙手如流，總是千山萬水，總是回不來的眼睛。其實「窗」正是人的另一雙眼睛，我們企圖透過它去眺望、守候。相對的人也有另一種向內逃避的傾向，像含羞草被物所觸立刻關閉自我，守護自己，就如「傘」中的：裹住自己躲回家，把門關上。然而人的守候與守護並不如想像中的順遂。因此這兩詩的結局都顯得突兀而荒謬，這與現代環境及現代人的心理暗合，有時候我們甚至誤認自己是個異鄉人，對現存的一切感到困惑、陌生、不滿。千翼之鳥何在？千孔之笛何在？難道我們仍流落在唐代孟浩然「寂寂竟何待，朝朝空自歸」的境界中？經常我們熱切地在期盼著什麼，不一會又驚慌逃離什麼。「窗」與「傘」正是兩種矛盾心態的反應。從「窗」的眺望期盼，到「傘」的逃避自衞，難道是羅門這十二年來心境的轉變嗎？或許年歲的增長，使得羅門的靈視更能看透人世的假象，他祇要將自己緊緊握成傘把，再也無懼人生的風雨了吧

兩詩含蘊之深，令我不敢強作解人，然而「窗」與「傘」不但將成爲羅門的代表作，相

信也將成爲現代詩的重要作品。當讀者讀到「窗」……「猛力一推，竟被反鎖在走不出去的透明裏。」以及「傘」：「而只有天空是傘，雨在傘裏落，傘外無雨。」的時候，除了拍案叫絕以外，更頓悟了人的悲劇與尊嚴。羅門在現代詩方面的神奇造詣，在這兩詩中悄然洩露，的確令人嘆爲觀止。

民衆日報一九八四年十一月十五日

# 評余光中與羅門的「漂水花」

陳寧貴

前些時羅門赴港大演講，曾與任教於港大的名詩人余光中同遊九龍「船灣長堤」等風景區，他們一時童心大發乃作扔石片的遊戲。羅門返臺後不久，我便在聯副讀到余光中贈羅門的一首詩——「漂水花」。又過了幾天，我在中副讀到羅門回贈余光中的一首詩，詩題同樣是「漂水花」。這兩首詩雖都是應酬式的小品詩，但是經過這兩位享譽自由中國詩壇的巨匠獨具慧眼的創作後，變成了極有可讀性的兩首詩。

我們先來看余光中的「漂水花」。

在清淺的水邊俯尋石片
你說，這一塊最扁
那撮小鬍子下面
綻開了得意之微笑
忽然一彎腰
把它削向水上的童年

害得閃也閃不及的海
連跳了六、七、八跳
你拍手大叫
搖晃未定的風景裏
一隻白鷺貼水
拍翅而去

接著我們再來看羅門的「漂水花」：

我們蹲下來
天空與山也蹲下來
看我們用石片
對準海平面
削去半個世紀
一座五十層高的歲月
倒在遠去的炮聲裏
　　沉下去
六歲的童年
跳着水花來

找到我們
不停的說
石片是鳥翅
不是彈片
要把海與我們
都飛起來
一路飛回去

這兩首詩同中有異，異中有同，互相呼應，也互競詩技，顯示兩位傑出的詩人，在詩的技巧和思想方面各具特色。余光中說：「在清淺的水邊俯尋石片」。羅門卻說：「我們蹲下來，天空與山也蹲下來。」從此一比較顯示羅門擅於玄想，而余光中擅長從平淡中，實體的描寫中將詩的質感源源逼出。然而羅門隱藏在詩中，他利用最快的速度，最短的距離，生動又活潑地將抽象的時空假藉具象的事物描繪出來。

余光中又說：「忽然一彎腰，把它削向水上的童年，害得閃閃也不及的海，連跳了六、七、八跳，你拍手大叫。」這是充滿童趣的詩寫，羅門的天眞歷歷如繪，彷在目前，令人不得不欽佩余光中對文字運用的功力，寥寥數語，卻含蘊無窮，我們從文字中不但看見了石片在海水面漂跳的形貌，更聽見了快活忘懷的聲音；唐代詩人孟浩然的詩句：「荷風送香氣，竹露滴清響。」包含了嗅覺與覺，將文字的功能發揮到了極點，余光中的這段詩句與之同具特色。

我們用石片
對準海平面
削去半個世紀
一座五十層高的歲月
倒在遠去的炮聲裏
　　　　沉下去

這段詩句全無童趣，只有無邊無際的感嘆！在炮聲中長大的詩人，如今五十多歲了，如果說「石片」象徵「童年」，那麼童年早已隨炮聲遠去。如今回眸盼顧童年，怎能不起「飲馬渡秋水，水寒風似刀」的人生感嘆？陳子昂所謂「念天地之悠悠，獨愴然而涕下」的情境，乍然浮現眼前。

當然余中的「漂水花」並非全無感嘆——「搖晃未定的風景裏，一隻白鷺貼水，拍翅而去。」這種感嘆只是隱忍得比羅門晦暗不明而已，余光中將感嘆寓於詼諧之中，而羅門一出手便是感嘆，他從感嘆開始，感嘆結束。這當然與兩位詩人的生活形態、性格心境有關，余光中的「漂水花」是陶淵明式的曠達：「天運苟如此，且進杯中物！」羅門的「漂水花」卻是杜甫式的苦痛：「感時花濺淚，恨別鳥驚心！」他們的表現方式雖有差異，但同樣達到神妙的意境，「爲我一揮手，如聽萬壑松」——或可做爲他們小品詩「漂水花」的評語。

成功時報一九八四年七月三十一日

# 城市詩國的發言人

## ——讀「羅門詩選」

陳　煌

除了關心自然環境生態之外，我還是最關心城市。因爲，我是城市中的一分子，無論我如何的有意脫離背叛，竟然都無能爲力——事實上，我還眞的有些非它不可，可以說是既愛且恨，悲喜交加，我可以完全拋開它嗎？不行，祇因無時無刻無所無在皆出現了城市龐大的的影子！有時，我覺得我們都在城市龐大的影子下活著，「人在江湖」般地被冥冥控制著，這像不像一具具被絲懸的木偶，身不由己？

可以說，我早已陷入城市的「陷阱」中了，就算能安然脫困而全然超越到世外，顯然也身心俱疲，且遍體鱗傷了，何況我又那能有此超能力？

我不能，誰也不能。

詩人羅門當然也不能。

在詩人中，尤其是前輩詩人中，最執著於詩國裏努力播種的已寥寥可數，而羅門則是其一。因此，我每次見到羅門，或讀到羅門的詩，都宛若感覺羅門四射的光熱，很熾烈、很澎湃，又有點令人目不暇給的眩亮，高高地。羅門對城市的觀照，竟有發言人的氣勢。

一

在一九五七年，當許多詩人觀察的視野還傾向題材的小規模接觸時，羅門的眼光已投視到「城裏的人」。難道說，當時的羅門已意識到城市的走向，會如他所遠視的，將有所改變嗎？一九五七年，在臺灣的社會，正處於由農業逐漸走向工業化的腳步，雖然已能略略感覺到社會在變化，卻又有誰能預料到這種改變是詩人羅門已掌握先機的？難道又說，羅門在當時也已感受到城市裏的人們有了那種蠢蠢欲動的「野心」？或者是，羅門自身也有了這方面的壓力的無助。

他們的腦部是近代最繁華的車站，
有許多行車路線通入地獄與天堂，
那閃動的眼睛是車燈，
隨時照見惡魔與天使的臉。
他們擠在城裏，
如擠在一隻開往珍珠港去的船上，
慾望是未納稅的私貨，良心是嚴正的關員。——一九五七・「城市的人」

在這首短詩中，羅門所運用的意象並不繁複，甚至以今日的眼光來看，還似乎有點不高明。但是，要注意的是，這首「城市的人」卻是一九五七年的作品，在當時卻很可能是一首好詩。因此，以今日的眼光來苛求昨日羅門的詩，從那方面來看，都是不公平的。

我則以另一個角度和心情來讀，其所感受的震動卻相當深刻，這就是以一個身爲城市人的感懷來審視，卽使是處於現代，也必然訝異於羅門深遠的心思，竟是如此敏銳！在「如擠在一隻開很珍珠港去的船上」詩句中，「珍珠港」並非眞正的珍珠港，而是城市裏令人失去自主的「物質」，這種「物質」自然非「精神」，所以城裏的人的「慾望是未納稅的私貨」！人們在營營追求物質享受之時，自然要超越所謂「珍珠」了，這是一種暗示的諷刺作用，也是羅門往後對所謂「城市」的病態現象一針見血的認識，是一語雙關的，有令人激賞的地方。我想，這種表現的手法，是羅門所慣用的，也比其他詩人更高明。

在當時羅門的詩能處理得如此流暢，這點卽如同年齡的現代年輕詩人也未必具有這般功力。

羅門對城市的冥暗心態看得透，觀察入微，說他是城市詩國的發言人並不爲過。

## 二

在一九六一年，羅門關於城市的詩，又寫下了「都市之死」長詩。這首長達百餘行的「都市之死」，在我覺得是羅門的力作之一！

從一九五七到一九六一的短短四五年間，對城市文明及城市心態的觀察，羅門冷靜得叫人一頭不得不隨他闖入城市的死亡國度裏，做一種驚心動魄的旅行。

在這期間，羅門更深入地了解城市的變化，以及更大膽地剖解城市，做最透視的批判，這點，似乎截至今日爲止，好像還沒出現對城市了解而加以剖解的同一類型的詩，與之抗衡！

我讀的時候，都感受到急促的喘氣，那種針對城市文明的意象一幕幕赤裸地逼至眼前。眞的，我也眞的能感受到羅門所感受到的。我在想，羅門爲何能如此眞確地走入城市的陰影裏，而鉅細靡遺地看它，看它變化？爲什麼羅門肯如此嚴厲的批判它？難道「人們用紙幣選購歲月的容貌／在這裏腳步是不載運靈魂的／在這裏神父以聖經遮目睡去／凡是禁地都成爲市集」？

羅門是具有社會正義感的詩人，仗義執言，城市——在他的筆下無所遁影。他對人的慾念，居然如此描述「伊甸園是從不設門的／在尼龍墊上　榻榻上　文明是那條脫下的花腰帶／美麗的獸便野成裸開的荒野／到了明天再回到衣服裏去」！

詩中的想像力這般豐富而串連不止，冷冷的語言，已先一步令人讀來驚嘆，城市詭譎的一面已被掀開了一半，而後羅門又一步一步地將它立體化、鮮活化，而造成了極影像的層次，一遍又一遍逼得人喘不過氣來。

論對城市的了解，羅門的詩做了最佳的詮釋與說明。

讀羅門的詩，若不能緊隨著他的奇妙運用意象的手法跟進的話，是不易探知主題表現的焦點的—雖然，羅門此類的詩多半採用了多變的意象組織而架構起來的，卻也相當能讓認眞想要了解羅門作品的讀者，不致空入寶山而歸。何況，像「城市之死」這首長詩是針對居住在城市的人們和環境所引發的，它存在每個人生活的空間，那麼近，是多數人粗心而未發覺，但它畢竟存在，而且很貼近每個人的身邊眼前。

城市，眞的會死嗎？不會，至少腳步是運動的，具有推演的無形的力量。可是，從某一個角度來看，人們是居住城市中的一羣，兩者息息相關，若是人們光浮沈在城市裏，那麼城市也算是「死」了。能看清這點的，並不容易，羅門卻給我們很好的暗示。

## 三

到了一九七二的「都市的落幕式」一詩，羅門依舊不忘積極地關注城市的一切。羅門很顯然地認爲「都市你一身都是病」！這種病不僅僅是單純的「腦出血胃出血」或是「氣喘在克勞酸裏」，而是已到了羅門他引以爲憂，「誰也不知道你坐上垃圾車往那裏去」的悲哀境地。

詩人他生活在城市裏，城市供給他享受，可是城市的意義祇是如此嗎？或者說，詩人祇能因此而苟且活着，對任何環境下的城市唯唯諾諾嗎？羅門是不願意，他勇敢地說：

都市你一身都是病
氣喘在克勞酸裏

癱瘓在電療院裏
於癲狂症發作的週末
只有床忍受得了你

可笑的是，城市並沒永遠將幕拉起來，在它的「落幕式」中更暴露了它的衰弱，就算「照著觀光客最後的那段路／天亮時另一隻鳥便來接管／希爾頓窗外的天空」卻也「誰也不知道你坐上垃圾車往那裏去」。

這一去，羅門認爲是可憐的，是那麼也令自己感嘆。

羅門一直長居在城市中，看著城市在長大、在改變，他內心一定時常交織著一股悲痛與希望的情緒。然而，這又那是很單純的一個從事藝術創作的詩人所能扭轉乾坤的？既然不可能，一吐心中感觸，是可想見。

羅門的詩十分現代化，對理想投入很深，表現的型式也就別具一格，堅實可喜。這點羅門一向掌握得很好，很準確，就像打靶，在發射之前，姿勢和動作，心理的準備很夠很確實，因此常常八九不離十，焦點集中，有抽象的意味，而捏得十分恰好。

轉折再三，依然可以有跡可尋，這是一個詩人獨到之處，也是羅門詩中認眞負責的地方。我也在想，讀羅門的詩，是否該具備成熟的心智與思想，始能與他的詩連成一氣，而不致失去焦距？記得，以前年輕時對羅門的詩抱著懷疑的態度，無法輕易的進入他的世界裏，現在卻讀來相當愉快，並不感到太大的困難——難道說，是因我自己也感受到城市的壓力與身受它某種困境而有所共契不成？

其實，在「羅門詩選」一書中，像「車禍」，「流浪」、「都市・方形的存在」、「二十世紀生存空間的調整」、「垃圾車與老李」……等等作品，皆與城市有關，所佔的份量頗重，在羅門的所有詩作，可能是最重要的。以「羅門詩選」一書所挑選出來的作品裏，羅門自己可能也最關心注意它。要研究羅門詩作的人，豈能忽視之？

## 四

在接下來的一九七六年，羅門的一首「都市的旋律」卻以另一種輕快的面貌出現，可算是異敎。

羅門在此詩末的「註」中說明：「這首詩是爲配合作曲家李秦祥所製作的現代敲打樂而作。著重於都市生活的節奏與律動感；從都市的動面與現象，直接捕捉都市的實體。」顯然的，羅門爲此而給自己做了一次不錯的考驗和改變，從宛若刺激的語言中，轉型到另一種較爲輕鬆的調律，算是感覺很不錯的。

自然，羅門基本上仍是關懷城市的，但他卻一慣以諷刺性的表現來襯托城市的現象，祇是語言的律動更緊湊，大有跳躍的激動。若是說別人的詩，是一幅幅的畫；則羅門的詩，更是一具具浮雕。

依照羅門的說法：人基本上是嚮往自然的，祇是城市的困境過於龐巨了，人相形之下就逐漸被淹沒了。

因此，我們可以體會到羅門爲何在城市詩中，特別將許多意象「自然」化的企圖，請看：

短裙飛來隻隻鳥
長裙飄來朵朵雲
腰不扭動 河會死
胸不挺高 山會崩
眉不畫濃 月會暗
唇不塗紅 花會謝
一滴香水 一池春
一個眼波 滿海浪——一九七六・都市的旋

羅門充分地自大自然取材到「鳥」、「雲」、「河」、「山」、「月」、「花」、「池」、「海」等等，這顯示了羅門是嚮往大自然的。而這也是人們在碌碌的城市裏，心之所嚮往？

然而，人們是很難完全投入大自然的懷抱了，城市如影隨形的結果，則是：

長髮長街一起蕩
流流流

流行歌排水溝一起流
追追追
機車公車火車一起追
咔擦咔擦 跑來藍哥兒
唏哩嘩啦 奔來牛仔裝
敲敲打打 衝出四聲道
要聽 耳與喇叭一起叫
要看 目與櫥窗一起亮
要知道下午 去問咖啡
要認識夜 去問酒
要了解床 去聽電子琴
要抱得緊 去找黛恩芬
要通過拉開 去拉YKK
要什麼也記不起 把鈔票丟下

如此的表現方法，也可想見城市的光怪離奇了！人們如何不迷失呢？羅門對城市生活官能反應的銳利，與特殊的視覺經驗，所表現的意象語言，是由外界反應到精神和思想的。

通常，寫詩若是多番運用排句的型式，多半呈現得比較呆板，會限制了詩人意象的發揮。可是，羅門運用排句的型式表現的結果，又有怎樣的效果呢？我並不認爲運用排句能儘情地讓詩人發揮他思想，反而因此會受到阻礙牽制，即使如羅門這樣詩人會處理得好，也恐怕不是好現象。所以，羅門是否在往後更能以更新的面貌，表達出更新的境界，也許是可考慮、可期待的，這的確是有關「一個現代詩人能不斷注意與探索詩語言新的性能與其活動新的空間環境」，所當尋求突破自我囿限的觀念。

## 五

一九八三年，羅門又寫下一首「都市·方形的存在」。這首詩又承襲了羅門自己慣常表現的技巧，然而更圓熟，更趨向於思考性。

在談這首「都市·方形的存在」之前，也先請看全詩：

天空溺死在方形的市井裏
山水枯死在方形的鋁窗外
眼睛該怎麼辦呢
眼睛從車裏
　方形的窗
　　看出去
立即被高樓一排排

方形的窗
看回來
眼睛從屋裏
方形的窗
看出去
立又被公寓一排排
方形的窗
看回來
眼睛看不出去
窗又一個個瞎在
方形的牆上
便只好在餐桌上
在麻將桌上
找方形的窗
找來找去，最後

全部從電視機
方形的窗裏
逃走

都市，在羅門的眼中是一個困境般的「方形的存在」！現代的城市擁擠，空氣汚染，高樓大厦四處林立，而無形中造成了一個「方形」的特有環境，它人情稀薄，利害相見，也摧殘了人們原本善良厚道的本性，造成某種程度的傷害。因此，無處不形成「方形」的框框。

這框框的「方形」才是致使人們迷失的陷阱！於是「天空」也祇好「溺死在方形的市井裏」，而「山水」更是「死在方形的鋁窗外」！人們雖然在鋁窗外植遍綠意盎然的盆栽，有土有花，但是那卻不是眞正「山水」的一部分，人們聊以自慰自滿而已。

當人們的「眼睛從車裏／方形的窗／看出去」其反射回來，不就是眞正也「立即被高樓一排排／方形的窗／看回來」。人心不古，利害的人際關係一旦形成對立的氛圍，人們祇好一樣被以相等的眼光對待。暗示所及，「方形的窗」也看人們了。

但是，窗爲何又「一個個瞎在／方形的牆上」呢？

這裏的「瞎」不但反射了人們眼睛及精神的「瞎」，也另一方面在反映都市的缺點。從外界的詠物上，又提升到人類內心的掙扎與無奈的轉化，點出了這首詩的動感意象，詩的藝術成分又增添一分，羅門的詩，在具備可觀的感性上，已進入了理性的觀視，而且使詩立體化，這原本是羅門極力推展自己的作品向空間突出表現的本意。

而「餐桌」也不幸是「方形」的，「麻將桌」也是，「電視機」也是，我敢說人心也彷若「方形」的，以「方形」的角去觸動別人，自己也陷入框框的「方形的存在」中，失措的。都市人的孤寂感，終於流露出來，而繁複的心象活動也透過譬喻，做了最精確的投射。與一九五四到一九五七的浪漫時期比較，「都市・方形的存在」一詩傳達了更尖銳更深刻的營造功力。羅門在「羅門詩選」此書的代序中說：

「我甚至相信強有力的意象語，是精神與思想的原子能，能在人類心靈中，產生無比的震撼力。」

以此爲努力的目標，羅門越行在這條路上，疾走如飛，而終有自己特有的氣勢與形態。這點，有目共睹，在詩作上更實驗也具有緊湊的素質。

羅門的確是頗爲認眞的詩人，於是詩作不斷，質也可觀，在他的創作世界裏進出自由，遨然濶步。

## 六

我再三地讀「羅門詩選」中關於城市的詩，更確信了自己的看法，城市與羅門共同存在，而羅門卻有正義之俠的作風，對城市嚴厲地提出批判，在城市中以詩作爲力量，向城市揮出足以令城市的人們反省的機會。

然而，城市的遺憾將如此留存下去？詩人不禁嘆息，人們是否能重視詩人在他詩作中所表現出來令人警示的意義？我實不敢想像。

可是，詩人還是那麼執著，有責任，比起汲汲於城市追索現實，卻可愛得太多了。我讀羅門的詩，眞好，除了也藉洩發我的觀點和情緒外，我願將「羅門詩選」推薦給別人。

臺灣時報一九八四年十二月二日

# 戰爭之路

## ——談羅門詩中的戰爭表現

陳煌

### 一

羅門的詩，給我的印象一直是不詭異、不脫離現實的；雖然在型式上的表現，有點自我囿限的感覺，但語言的變化還是多樣性的。尤其是，羅門詩的題材大部份拋開不了城市、自然和戰爭的描述及悟性，卻也可見其關心的方向，比起一些同輩的詩人，較之眞切而深入。這優點，大致是構成羅門的詩之形成，及風格之建立因素吧。

我曾經以八千字的長篇大論，寫「城市詩國的發言人」爲題，探討羅門詩中有關城市的觀視世界，及意識型態，而提出個人的看法。本來有意再繼續寫一篇探討羅門詩中的自然觀視世界，卻不料時間不許可，而始終耽誤下來。我想，就留在往後有機會再做討論。

現在，我就先來談談羅門詩中的戰爭表現技巧及旨意，它是具有相當意義的。何況，詩人總有他敏銳的一面，他運用獨有的思想來經營戰爭的題材，也必然有特殊的視野。另一方面，詩人所借重文字語言所呈現出來的意象，也引導讀者進入另一層峯迴路轉的境界，而達到思考和欣賞的效果。

## 二

戰爭，對許多人而言，並沒有一致的認同。我非常同情國外一些以「和平使者」自居的人士，他們反核、反戰爭，都可能是基於一種「出世」般的看法。可是，在世界尚未臻於眞正的和平之前，戰爭就可能成爲和平的手段與方法，藉著戰爭，才能使世界趨於眞正的和平，也就是正義與邪惡的衝突！有了邪惡，就必需消滅邪惡的勢力，而達到和平的目的，於是乎戰爭成爲一種正義一方應付邪惡的力量，除非有比戰爭更完美的方法，使邪惡屈服消滅，否則正義的一邊若無抗拒必永遠受害。何況，邪惡總以戰爭來達到其控制奴役他人的工具。爲正義爲和平而戰的事實，顯然不可免。

因此，反核反戰的人士應該了解，反核反戰並不是解決的最佳方式，除非反核反戰的人能使邪惡放棄其武力的侵略，否則有朝一日必會受到邪惡勢力的侵犯！我想這也是反核反戰的人士所不願見到的吧？再說，如果正義的一方沒有有利的武力做後盾，則只有做俎上肉了。

戰爭，對正義一方是不得已的。想到這裏，我又不得不對反戰反核的人士感到惋惜。

然則，戰爭事實上卻是一種不幸，家破人毀的失所流離，殘酷死亡的陰影，卻永遠令人神傷哀痛！死者已矣，但擺在眼前的殘破山河景象，無論如何，卻是詩人最佳的入詩題材。

羅門的詩中，就不乏有關戰爭的詩作。

在藍星詩刊第二號中，羅門的近作「時空奏鳴曲」，即是一首長篇力作，長達近二百行，共分爲「只能跳兩跳的三級跳」、「望了三十多年」、「穿過上帝瞳孔的一條線」等三小題，其中「只能跳兩跳的三級跳」最短，只有十三行。在「時空奏鳴曲」主題下，還有一個副題「遙望廣九鐵路」。可見，羅門這首詩是以戰爭所帶來的情緒而入手，鄉愁的成分居多。

現前中年以上的詩人，在臺灣光復三十幾年中，對故國的河山的情愫，大多來自遷臺後的對舊有大陸的感喟，但是也多半只能心懷愴然。因此，對可望而不可及的故國山河，就只有藉詩來舒發了。

於是像「整個世界／停止呼吸／在起跑線上／車還沒有來／眼睛已先跑／跳過第一第二座山／到了第三座／懸空下不來」的詩句，是不難了解的。

當眼睛的視線，不是一座兩座再高的山可能阻擋的，然而這種「只能跳兩跳的三級跳」的視線，的確是該在罩著大陸的「鐵絲網」這般的「第三座／懸空下不來」，那是不忍卒睹的！詩人的心更不忍見到戰爭殘忍的後果，竟是連視線也難以接受和跨越。這短短的五行，由「眼睛已先跑」和「懸空下不來」點出詩人的心境和情境，也暗示了戰爭下，活著的人的無奈與悲切。「本來，眼睛的目力一般而言，是無遠弗至的，可是又只能做跳兩跳的三級跳，這無非是令人不敢想像的。何況，將眼光懸空在「鐵絲網」上下不來，尤表現心情的無限悲哀。這樣的「往前／茫茫雲天／回頭／九龍已坐車／竄入邊境／將我望回臺北市／泰順街的窗口」是否也表達了詩人的感觸呢？其中的「泰順街」一詞，不但表示了羅門住處的街名，而且暗喻了臺北市的昌泰和順之和平安樂之意，相當吸引人。這首「只能跳兩跳的三級跳」雖然小題取得有點突兀，但詩卻是「時空奏鳴曲」中的最佳詩作。它精短而完整，密度也夠。

這首「只能跳兩跳的三級跳」並不直接寫戰爭，但卻以戰爭下的事態爲描述，旁觀側擊，卻也動心。這種旁觀側擊的筆法也是一些其他詩人慣用的方式之一。羅門避開戰火槍炮等字眼，而選擇這方式使用，必然也有他的理由：第一、詩質不致太露骨直接；第二、強穀詩的密度；第三、維持基本的創意。

但是比起「只能跳兩跳的三級跳」，「望了三十多年」一詩則未免太冗長了些。羅門使了大堆的現代詞句來映照鄉情，句子也排列整齊，這手法曾不止一次出現在他的詩中，會不會有傷自我突破的意圖？

羅門以「玻璃大厦」對「大榕樹下的童年」、以「野狼牌機車」對「較潑墨還迷矇的山水」、以「西式嬰兒車」對「抓不到乳瓶的棄嬰」和「廢墟」、以「百貨公司」、「餐廳飯館」對「歲月」、以「羅馬瓷磚」對「石板路」、以「香吉士」對「井水」、以「新上市的時裝」對「母親在風雨中老去的臉」、以「豪華大飯店」「樓房」「鑽石燈」對「菜油燈」

……現代與傳統的映照，雖然有利強化表現懷想的意圖，可是運用的比例太多，卻可能反而削弱說服力。關於這點，是否有待思索呢？

其實，在現代生活中，也有許多不同種類型式的「戰爭」在發生，例如對名利的追求，對失敗的掙扎、對人事的頑抗，以及對情緒心理上的壓抑……等等，也都屬於「戰爭」的一種。也正因有了正與反、善與惡、是與非、正義與邪惡的相對衝突，才足以構成「戰爭」的條件。我在想，羅門在這首「望了三十年」一詩中運用了如此多的映照手法，難道他也了解這些發生「戰爭」的相對性？因此，他才會那般堅執地一再慣用他精於此道的處理方式？

眞正的戰爭，一向都是悲劇，我認爲大部份的人類是絕對不想戰爭的，因爲戰爭而付出的代價太高了，而留給後來的人傷感也特別重，尤其是經歷戰爭的人，將隨時會觸景傷情地有所哀怨。羅門藉著「那個賣花盆的老人」的眼，而影射自己，正是這樣的心態。

而「穿過上帝瞳孔的一條線」正是「連上帝也會想家」的一條線，是「母親／妳握縫衣針的手呢」和「還有我斷落在風箏裏的童年」的一條線。這條線很長，「較雲走的地方還遠」，「母親／如果這條線／已縫好土地的傷口／我早坐上剛開出的那班車／沿著妳額上痛苦的紋路／回到沒有槍聲的日子／去看妳」，這不就是羅門這樣經歷戰爭的詩人最沉重心情的寫照嗎？只要沒有槍聲——沒有戰爭，這世界不是太美好了嗎？從那裏來就回到那裏，那裏是故鄉，是母親住的地方，落土歸根的觀念一直縈繞在中國詩人的心裏，不由得心情便甸重起來了。因爲：

只要眼睛
碰它一下
天空都要回家——見「穿過上帝瞳孔的一條線」詩第二節

談羅門的詩，須有耐性，咀嚼再三，始能享有其回味。談羅門的戰爭詩也一樣。因爲，戰爭，在羅門的靈視中不是單純的眞正一場「戰爭」，人性的各種衝突，也都歸類在羅門所謂的戰爭詩的涵意中，乍隱突現，引人入勝，得之不易。

以「板門店·三八度線」這首長詩而言，羅門也認爲是「透過戰爭的苦難……追蹤人的生命」的作品之一。他也將「火車牌手錶的幻影」、「茶意」、「望鄉」、「月思」、「遙指大陸」、「賣花盆的老人」等詩作，歸入此種範疇中，「去展開多方面追蹤『人』的工作，可見得，羅門在基本上並不以做爲一個單純寫詩的詩人爲滿足，他的理念及觀視已藉著詩這種文學型態透露出來。

一把刀
從鳥的兩翅之間通過
天空裂開兩邊
十八面彩色旗
貼成一排膠布
這個疤該不該算到上帝的臉上去——見「板門店·三八度線」詩第一節

玫瑰與酒是什麼顏色
唇也是什麼顏色
當玉腿與摩天樓
一同昇起天國的支柱
叫那些屍骨去埋成那一種鋼架——見「板門店・三八度線」第四節

有力的反省力，永遠是羅門詩作的噴泉！對世界和人類的嚴肅批判更毫不避縮。上帝——這個超脫凡人的天使，又如何能與人類同在？玫瑰、酒、玉腿、摩天樓以及鳥、天空從某種角度上看是虛無的，可是在戰爭的前題下，這些都變得虛偽和不幸，只有屍骨宛然是眞實的，卻不料「埋成那一種鋼架」！同樣的，在板門店談判的會議桌上，戰爭也才是眞實得令人悚目驚心：

會議桌上的那條線
既不是小孩子跳過來跳過去的那根繩子
便是堵住傷口的一把刀
拔掉　血往外面流
不拔掉　血在裏面流

又：

在用不著開槍的幾公尺裏

幾個沒頭沒腦的北韓士兵
　不知為什麼傻笑了過來
上帝祢猜猜看
　它是從深夜裏擲過來的一枚照明彈
　還是閃過停屍間的一線光

叫人側目的手法，也叫人讀來悽涼。戰爭的確是悲哀的，那既不是一條「小孩子跳過來跳過去的那根繩子」也不是「幾個沒頭沒腦的北韓士兵」的傻笑所能緩和的；那麼，戰爭之下，永遠是良善的受害，傻笑只使我們見到戰爭的苦楚。戰爭，在少數的極權者策動下，才可能發生，卻造成參與戰爭（北韓士兵）和不參與戰爭（小孩子）的犧牲，誰說這不是整個人類的不幸呢？戰爭一旦爆發，誰又能安然置身度外？難怪羅門要說：

那座有橋頭無橋尾
　有橋尾無橋頭的橋
連路都找不到自己
上帝祢走走看

「火車牌手錶的幻影」一首，在羅門所有的戰爭詩中，是較爲含蓄的，從一只抗戰期間大後方製造但已絕跡的一種「火車牌手錶」記述起，表現了時間的旅程感，但更重要的，卻是在經營過去戰爭的苦難歲月。

然則！這種因一只手錶而引起的幻影，也激起了：

葉隨彈片落
天隨炮聲暗
晨光用淚來白
晚霞讓血來紅
夜一直哭著睡——見「火車牌手錶的幻影」詩第一節

苦難歲月，隨著落葉、天暗、晨光白、晚霞紅、夜哭着睡來顯像，暗喻著對故國的懷想，不過山河變色也在一只火車牌手錶上以速度的語路來延續戰爭的聯想：

它不是快 就是慢
咔嚓咔嚓 快了
　　快的是槍聲
滴答滴答 慢了
　　慢的是快停了的心臟

寫的是一只手錶，但詩人的聯想力則是異於常人的，它欲吐露的，卻是對戰爭的驚懼，快快慢慢，是槍聲，是衰弱的心臟，槍聲能使心臟停止，戰爭更不用說。

羅門寫這首「火車牌手錶的幻影」時，顯然不愉快，因爲戰爭的「幻影」同樣牽繫著詩人的心，那是「三十年／錶換了／心不換」的情愫。一只火車牌的手錶可以絕跡，但戰爭印象卻一直留存在詩人的心頭。何況，戰爭並未結束，其影響所及，是刻骨銘心的苦澀。

羅門說，「所有的錶面/都是離家的臉」。我深信，時代因戰爭的變化，變得有家回不得的慘況，是詩人最不能忘的，不敢想的，可是它之所以易於成爲入詩的題材，卻也是詩人最不能忘的，不能不想的。

在戰爭之路上，有人只留屍骨，有人苟活下來，除非已安逸於眼前的暫時和平現狀，不然誰都對戰爭有過心懼、有過勇敢、也有過悲痛，但它已和往昔不同，在迅速的改變中，詩人運用最好最精確最多向性的詩作表達，爲歷史做了最佳的見證。這點，詩人的功勞不可忽視，羅門的戰爭詩也頗爲可觀。

何況是上帝呢？羅門的詩在表露戰爭下的悲傷情緒時，並不濫情，也不顯得做作，一放即止，留有餘韻。羅門在戰爭詩這方面的表現頗具功力。再接下去看：

如果這條線
是一筆描
動便長江萬里
那些凍結在記憶與冰箱裏的
冰山冰水
都流向大山大水

把鐵絲網與彈片全沖掉
祖國 你便泳著江南的陽光來
滑著北地的雪原去
然後 打開綠野的大茶桌
捧著藍天的大瓷壺
不在那小小的茶藝館裏
從「黃河入海流」
飲到「孤帆遠影碧空盡」
從「月湧大江流」
飲到「野渡無人舟自橫」
讓從巴黎倫敦與紐約
進來的照相機
都裝滿第一流的山水與文化回去
讓唐朝再回來說
那是開得最久最美的
一朵東方

這一節氣勢不小，讀來順暢，叫人欣喜，完全是以反映鄉情的嚮往。藉外物以表達現實情況的，在詩中就有不少，像大家熟悉的「感時花濺淚，恨別鳥驚心」即是一例。現代詩人能繼承古代詩人的傳統詩優點表現，已有相當火候。只是現代詩善於運用更多的詞彙及轉折，意象更繁複，更有把握去經營它，使詩更豐富更有意識。但古詩使用的文字技巧更爲精短圓熟，現代詩卻較冗長，這點似乎在現今詩人中顯得有點差距。這令我想到一般的敘事詩的冗長方式表現，同樣是處理一個事件，敘事詩則變得不夠精練了——當然這是題外話，不便在此做太多的討論。

這首包含三小題的「時空奏鳴曲」，全部以遙望廣九鐵路事件引起，三小題中皆以「眼睛」來做引導的主線，這種「車還沒來／眼睛已先跑」（見「只能跳兩跳的三級跳」第二節）、「望著自己三十多年來／仍一直望著的眼睛」（見「望了三十多年」第三節）、「只要眼睛／碰它一下／天空都要回家」（見「穿過上帝瞳孔的一條線」第二節）無異是充分地顯示那可見面而不可及的故國，因戰爭的未能熄止，而阻斷了詩人「卻比腳與泥土近」的鄉愁。

只要戰爭不息，鄉愁恒在。

詩人也難以放棄這感人的題材。

## 三

羅門處理戰爭詩的特點，在於保持他以往快節奏的特性，而以冷靜的心思去掌握詩所應具有的密度，這點前面已稍許談過——固然有些語言不免有削弱其詩密度的遺憾，但大抵而言，羅門在此題材仍大有可觀。這是羅門拋開浪漫詩風，再往前急速衝刺的成績，我們不妨去關心它往後的發展。

羅門在他的「羅門詩選」代序一文中提到：

「……我繁複的意象語，便也像是油井一樣，不可抑制的到處冒開來，形成我個人詩語言特有的氣勢與形態。」

而我認爲，在處理戰爭詩這特定似的題材上，若有相當的意象語節制，也不算是件壞事。除非，在架構整個戰爭事件或戰爭史，必須如史學家在記錄每一細節一樣，而非具有綿長巨構的條件不可，否則在涉及鄉情的舒發，是較易於鬆散浮泛的，不可不慎。羅門將這類戰爭詩，「大膽地將詩推入更深廣的精神層面」，其成果又如何呢？

如同羅門寫城市詩一樣，他帶著透視的批判性來表達戰爭詩的境界，叫人被懾於他的驚人感受力與龐沛的語言，而給人另一種感官的視野，有其個性和力量。

以紀念第二次大戰期間七萬美軍在太平洋地區戰亡的「麥堅利堡」一詩而言，羅門深刻地寫下：

七萬個故事焚毀於白色不安的顫慄
史密斯 威廉斯 當落日燒紅滿野芒果林於昏暮
神都將急急離去 星也落盡

你們是那裏也不去了
太平洋陰森的海底是沒有門的

在「彈片・TRON的斷腿」一詩中:

一張飛來的明信片

叫十二歲的TRON沿著高入雲的石級走

而神父步紅氈
子彈跑直線

在神的面前，人爲的戰爭依然冷酷的進行，而「神都急急離去」，「而神父步紅氈」，這是多麼令人絕望無助的事啊。至此，神和神父這些代表上帝的使者都無法化解戰爭，還有什麼力量能阻止戰爭的發生？神・急急地離去，是無法使已戰亡的人再生；神父走在血洒如紅氈的戰地上，他又能爲受傷的人類祈禱什麼呢？人類在戰爭中，變得十分脆弱。神說過，當祂要懲罰人類時，必然會使人類精神散亂——戰爭由此而起——也顯示戰爭的悲劇結果也是人類的咎由自取！羅門看淸了這點，他筆下的詩就宛如一把利刃，以某種角度對戰爭做了最好的批判解剖。如果，這一點讀者無法感受的話，要了解羅門戰爭中所要呈現的意圖，就沒法更深入去探視了。

在所謂的麥堅利堡，雖然是「美麗的無音房／死者的花園」，但也是「活人的風景區」！羅門用「活人的風景區」字眼，也深具有諷刺的作用。人類——活人一向將「風景區」當成休憩遊樂的公共場所，但若是將一片非常壯觀也非常淒慘的戰區墳場，也當成「風景區」的話，也不過是反映活人的現實無知而已。同時，更隱含了對活人的譏嘲意味。人類，尤其是活人往往忽視了過去的戰爭是如何會發生的，它的意義何在，只顧享受眼前的歡樂和平，嚴重地忽略了以往的戰爭血淚苦難史。羅門除了在詩作上有特殊的表現外，對生命及世界必有深沉的見解。羅門是個注重精神意識活動的詩人，由詩作中反應了有機化的觀念，是可喜的現象，也給現代詩注入新生命新營養，有助於詩人自我的創造力發揮。

畢竟，羅門是個對現代新語言強調詩應富有新意的詩人，他的詩作充滿生機和檢視的特性，意象繁複卻又明朗，昔日詩壇所普遍存在的晦澀，不知所云等弊病非但在羅門詩作中看不到，並且羅門仍然堅持自己跨步自己的路，眞實誠摯而自成一格。

臺灣新聞報一九八五年八月十日十一日與十二日連載

# 談羅門的三首詩

陳慧樺

第一首題爲「窗」，其詩如下。

猛力一推　雙手入流
　　總是千山萬水
　　總是回不來的眼睛
遙望裡
它被望成千翼之鳥
棄天空而去它已不在翅膀上
聆聽裏
它被聽成千孔之笛
音道深如望向往昔的凝目
猛力一推　竟被反鎖在

走不出去的透明裏

羅門這一兩年來寫的詩都很短，而且玲瓏透剔。「窗」以及我在後面要討論的兩首都是最佳例子。在這首詩裏，三節表現了三個動作，而且一個玄似一個。根據第一節，那「猛力一推」以及隨之產生的意象，都是從窗邊發出的。那推窗以及眼睛看到「千山萬水」的人，可能是你是我，也可能是我們。總之，詩人企圖在這首詩裏泯滅其個性，把經驗推廣到普遍的境地，因此沒有「你」或「我」等限制經驗的字眼。到了第二段，本來是很「現實」的窗卻突然變了形。如果依據第一行「遙望裏」和第四行「聆聽裏」，則這節裏所發生的一切都應是由詩中的「我」去主動促使完成的。可是當你看到

遙望裏
它被望成千翼之鳥
棄天空而去　它已不在翅膀上……

你就會發覺，詩中人是從遠處來看這扇窗的。而且這「窗」已不是普通現實界的「窗」，它可能是「眼睛」也可能是「靈魂」，它能被望成「千翼鳥」，「被聽成千孔之笛」，又能主動隱遁形軀，它應是一種象徵輝煌的美或藝術的東西。如果我的推測或了解是正確的，那麼，這一節裏的幾個意象如

它被望成千翼之鳥
棄天空而去　它已不在翅膀上

或

　　它被聽成千孔之笛
　　音道深如望向往昔的凝目

卻是合乎題意(motif)的。

第三節的「猛力一推」，緊緊扣住第一節的動作，但這一動作後，詩中的「我」並不像在第一節裏一樣，能夠在一推之後就迎接不盡的景緻，而

　　竟被反鎖在
　　走不出去的透明裏

窗從第一節的寫實到第二節的象徵，而到了這一節，它竟變成一座透明的迷宮。

一般來講，這首詩裏的意象都很透明，最吸引人的是三個動作的配合。窗從第一節的寫實靜態演變到第二節的動態象徵以及第三節的透明，都還合理。問題是在主題的處理上很難自圓其說。在第一節裏，窗只是普普通通的，只要一推開，我們就會被窗外的世界吸引住。到了第二節，窗已變成人類的靈魂：它是美的，是變化多端的，但是到了第三節，照主題結構來講，窗應是象徵人類心靈活動的永恒才對，但竟變成一座透明的迷宮，這種精神動向以及發展，無論如何都無法叫人理解其所以然的。

第二首題爲「鞋」，其詩如下

　　樓梯口的那雙鞋

竟是天窗裏的一朵雲
山遙水遠　雲非樹
水遠山遙　雲非雲
雲只是那條永遠
不
能
定
名
的
路
鞋也是
遠方也是
天空裏的那片飄葉也是

這首詩跟「窗」一樣，很短，意象也很純。在技巧上，它不似第一首，一個動作緊扣著另一個動作：不過跟「窗」以及羅門的許多詩一樣，它實在是一種「視覺的不斷變形」(an endless metamorphosis of vision) 意象和動作從第一行的實物「樓梯口的那雙鞋」散發開來，其他都是變奏，越寫越縹渺。而且，如果我們一定要把第一行跟後面的詩行分成兩個動作，也未免太過勉強。實際上，第一行只是意象和主題的起點，然後以演繹的方式，層層地扣住主題，把它逼出來。

這一首詩的意象是很恰適的，但是意象與意象間的銜接恒採跳躍的方式。例如，從第一行「樓梯口的那雙鞋」突然跳到第二行縹渺「天窗裏的一朶雲」，一般腦子呆硬的人一定不能接受。我覺得這種悖理的視覺上的跳動是有其心理學的基礎的。人常常有一種幻覺，有意無意地把兩件看來沒有關聯的物品連起來。在詩裏，由於鞋的小巧玲瓏以及其飄泊性質，致一躍而跟天窗裏的雲朶連起來並沒有甚麼不合理。假使一切都要以刻板的理性的心靈來談詩，則這首詩實在太難理解了。總之，人生事物的飄泊性是這首詩所要探討的。因此，有了第二行的飄渺，才有第二節很飄忽的意象。「山遙水遠」，人只能不斷追尋，某一個旅程的終結事實上正是另一個追尋的開始。因此，一切都是遙遠的縹渺的，致「雲非樹」、「雲非雲」。鞋子所能踩過是一條一永遠不能定名的路」。在意象的處理上，以「雲」的形踪來比喻人所走過的路，然後以一字排成一行，排成一條路型，確能顯出詩人的匠心。但是，雲的形踪是無定的。人走的路也不是坦坦直直的，地平線永遠走不盡，「天空裏的那片飄葉也是」不定的。以致當我們從「雲只是那條永遠……」唸起，一直到

鞋也是
遠方也是
天空裏的那片飄葉也是

句子越來越長，然後深沈地碰然停下來，使人有廻腸蕩氣之感。而羅門的許多短詩的好處在恰可而止地煞住，卻餘韻無窮。

我要談的另外一首叫做「短裙」，行數不多，也有「鞋」一樣巧妙的繪畫性。其詩如下：

　　裁紙刀般裁過來
　刷的一聲將夜裁成兩半
一半剛被眼睛調成彩色版
　另一半已印成愛鳳床單
　　就那麼的裁過來
　　　　裁成一九七二年的旋律
　　就那麼的裁過去
　　　　裁出那條令人心碎的
　　　　　　　　望　鄉　的　水

平線

多少日落
多少月沉
多少星墜

這一首短詩跟「窗」一樣，最令人震驚的是開頭那一句，力量萬鈞。不過，這一首跟窗不一樣的是，在後一首裏，三個動作跟最後一個動作緊緊扣在一起，而在這一首詩裏，意象環繞在短裙一「裁」而過的種種影響。意象對意象的銜接純是跳躍的，吸引住「眼睛」的「彩色版」是色彩繽紛的，而愛鳳床單也是色澤鮮明，因此，眼睛被它們迷住了。

在第二節裏，「一九七二」年的「旋律」除了能點出創作的時間外，意旨非常隱晦 (obscure) 而且分歧 (ambiguous)。它可以意指一九七二年流行的時裝款式，也可以指音樂的旋律。這一行似乎是本詩美中不足的地方。緊接下去從「就那麼的裁過去」一直到

多少日落
多少月沉
多少星墜

就有一點像敲鑼打鼓一樣，一直用細碎的聲音敲，然後砰然大大聲敲了兩三下而猝然截止，令人沉思迴想不已。在意象上，短裙遽然裁過去，然後一拉拉成一條長直的令人心碎的水平

線，而在水平線以外，日落星沉，變化既繽紛又繁多。而意象除了以文字顯示以外，就是以文字排比上的空間來顯示，一字一行長長地排成一條水平線，這種處理跟第二首是一樣的。顯然很受繪畫的影響。至於主題，我覺得兩節裏所刻畫的都可收在美的題意（motif）底下，也就是美的事物予人瞬間的感受。

從上面的討論，我們可以發覺這三首詩都很短，意象純粹而透剔，每首詩的開頭很新鮮而突然，收尾卻深沉而令人回味無窮。主題或明或晦，有時純粹是一瞬間的經驗，並沒有嚴謹的主題。最明顯的是。羅門在最近這兩三年來寫了不少精巧的短詩，而在這些詩裏，他最注重的是隱去個人的聲音，盡量披蓋上普遍人的經驗的外套。它們都是很好的小詩，但是精神面還得繼續探討。

（見蘭臺書局出版的「板歌」論著）

# 羅門詩兩首賞析

劉龍勳

## 一 窗

猛力一推 雙手如流
總是千山萬水
總是回不來的眼睛

遙望裏
你被望成千翼之鳥
棄天空而去 你已不在翅膀上
聆聽裏
你被聽成千孔之笛
音道深如望向往昔的凝目

猛力一推　竟被反鎖在走不出去
　　　　　　　　　的透明裏

全詩寫推窗遙望的感覺，借「推窗」、「遙望」、「聆聽」等三個簡單的動作，表現人在現實生活壓迫下，對大自然的渴望，和精神與形體的衝突。

首節：雙手猛烈一推，窗開了，兩手流暢的穿窗而出。「猛」、「推」點出人對突破環境壓迫的渴望，同時也敍述「推」能突破環境，重返大自然。「流」卽是一推之後，擺脫環境拘束的舒暢。

「雙手如流」本指雙手流暢的穿窗而出，但因雙手（形體）的流暢，當然也帶來精神的舒暢，故有「擺脫環境拘束的舒暢」的涵意。此外，「雙手」還有兩層用意：㈠連接下文的千山萬水時，就有擁抱的意思。㈡連接上文的猛力一推時，更可表現反抗環境的激烈。如把它改爲「隻手」，則不僅音樂效果削弱很多，連意義也就無法再這麼繁複了。

「千山萬水」代表廣大無垠的大自然，反襯出人爲環境的窄小有限，使「推」和「回不來的眼睛」在現實裏更具必然性。眼睛俗稱「靈魂之窗」，故「回不來的眼睛」，可說明精神飛向大自然，在貪食著大自然的美景。本來這兩句原是不相干的，現因用同樣的「總是」把它綰結在一起，於是使千山萬水和精神發生了關聯，使外界的景觀與內在的精神經叟合而混爲一體，伏下第二節內容的鋪敍。又因「總是」的重複使用，整節的句法自然起了變化，強化了詩的音樂性，也開啓下節重複的旋律。

第二節分爲「遙望」、「聆聽」兩大部份，前後句法幾乎雷同，可以視爲重複，所以和內容配合後，特別具有催眠的效果。

前半從視覺著筆，寫由於遙望而造成千翼鳥——精神如脫韁般的沖入高空，飛翔得自在自如，簡直已無需再借用翅膀。千翼之鳥指很會飛翔的鳥，比喻精神。意思說：「精神」這隻鳥很會飛翔，彷彿它身上長有很多的翅膀。「已不在翅膀上」一句，表明已脫落形體而飛翔。言外之意，指這時有了「翅膀」這形體，則對自如的飛翔反而是一種累贅。

後半從聽覺著筆，寫由於聆聽大自然的呼喚而造成千孔笛。「千孔之笛」指能發出很多、很複雜的聲音的笛子，也是比喻精神。故「音道」就是「精神」這枝笛子所發出的聲音的紋路，簡單的說，就是精神的呼喚所發出的聲音。「深如望向往昔的凝目」，是「如同凝望往日的目光一般深」的意思。以深而含意複雜的眼光，比喻深而複雜的聲音，是格外貼切的。更進一步說，通常要以具體的實物比喻抽象的概念，已經很困難了。這裏還以抽象的「光」比喻抽象的「聲」，而又能貼切，可知是難上加難。但更難也有更難的優點，如此處完全不涉及形體，能和內容配合得天衣無縫。

第二節表面全寫精神，再加催眠效果的配合，似乎令人沉醉在精神的飛翔裏而飄飄欲仙了。其實它整節的敍述觀點業已改變——從首節的全知觀點變爲以第二人稱敍述——可知當有更深一層的意義在：

「你被望成千翼之鳥」、「你已不在翅膀上」、「你被聽成千孔之笛」，詩人連用三個冷冷的「你」，無非是再三的喚醒被催眠的人。再從「望」與「被望」、「聽」與「被聽」，在視覺（文字排列的位置）和聽覺（音節的結構）上造成的明顯對比，當可意識「你」這個人除精神外尚有形體。如鳥、笛便都是有形之物。所以，當精神如千翼鳥在飛翔時，雙手也在地面無限的揮動，結果反而變成被望的對象。當精神在呼喚時，雙手也在地面發出呼喚的姿態，結果反而變成被聽的對象。故表面雖寫精神，但實際也暗暗的與形體對比了。

末節敍述「推」的最後結果。「竟」、「反鎖」、「走不出去」都含否定的意思，表示所得的正好和一、二節相反。整節的大意如下：雙手猛烈一推，窗是開了，但竟然還被一種透明的無形桎梏鎖著，再也無法走出一步。

到此全部「推」的結果是落空了，呈現出推的過程只是徒勞而已，推的努力只是徒鑽入更深一層的痛苦而已。爲什麼呢？因爲人究竟還有一個形體啊！因爲形體本身就是一個透明的、無形的桎梏啊！它不禁讓我們聯想到：人生不就是充滿著「推」嗎？但人儘管拼命努力，到最後，人難道還能擺脫自己身上的這種無形的桎梏嗎？不由得令人對人生再三嘆息。

造成全詩的諷刺效果，除前述的內容與技巧外，尚有矛盾語的應用。詩人特別把「透明」和「走不出去」並排列在同一位置，目的是要人一眼就可發現這種矛盾。另外，「的透明裏」這四字，孤零零的懸在一大片空白底下，在視覺效果上，也容易使人心裏頓然沉重不安起來。

全詩雖只分三段，但結構仍是完整的，首節爲「起」，二節寫精神爲「承」，與形體對照是「轉」，第三節是「合」。

## 二　流浪人

被海的遼闊整得好累的一條船在港裏
他用燈拴自己的影子在咖啡桌的旁邊
那是他隨身帶的一條動物
除了它　娜娜近得比甚麼都遠

把酒喝成故鄉的月色
空酒瓶望成一座荒島
他帶著隨身帶的那條動物
朝自己的鞋聲走去
一顆星也在很遠裏
　帶著天空在走

明天　當第一扇百葉窗
　將太陽拉成一把梯子

他不知往上走 還是往下走

在現代詩裏，有不少以流浪爲題材的佳作，如白萩的「流浪者」、余光中的「江湖上」等都是。但白萩的「流浪者」偏重圖畫表現，近於具體詩。余光中的「江湖上」，也是靠民謠的複沓寫成的，兩者都是偏重形式。羅門此詩則不一樣，而是以內容見長的。全詩除描寫流浪人共有的孤獨外，還著重流浪人內在心靈的掙扎。

一開始羅門就挑出流浪人在生活中必然要面臨的「海」和「港」，而分別賦予不同的意義，以象徵人生中兩種不同的生活態度：

海是遼濶危險的，而小小的避風港則是安全的；海上是冒險進取的，而港裏則是逃避、墮落的。所以「海」象徵了積極、力爭上游的人生，「港」象徵了反面的消極、日趨下流的人生。流浪人要如何選擇，那就造成他心靈上的掙扎了。

首句透露流浪人厭倦遼濶、冒險的海上生活，而選擇了「港」。第二句更肯定了這種選擇。因「咖啡桌」由下文「娜娜」這個咖啡女郎的出現，可知是指咖啡廳的桌子，它所具有的逃避、墮落的意象，和「港」是相似的。這兩句都是長句，讀起來確實使人有「累」的感覺。

「用燈拴自己的影子」和「隨身帶的一條動物」都描寫他的孤獨，技巧與李白「月下獨酌」一詩的「舉杯邀明月，對影成三人。」有點類似。「自己的影子」表明只有他和自己的影子，明白的說出他的孤獨。「用燈拴」是用燈拘束的意思。「燈」多少含有溫暖的意象

(雖然是咖啡廳的燈，但一點點溫暖的意象應該還是有的)，靠著這有限的溫暖，就能把他的影子拘來而且約束住，那麼流浪人如何孤獨當更明白了。「隨身帶的一條動物」在說明影子，指他身邊只有影子作伴，只有影子才是會動的有生命之物。「隨身帶」是隨時隨地都帶著的意思，強調他一向的孤獨。總之，這部份極力描寫流浪人的孤獨，以做爲他選擇「港」的理由。

「除了它」的「它」代表影子，也就是指孤獨。這三字按字面的解釋爲「除了影子」，意思說「除了爲了孤獨這一個理由」。「娜娜近得比甚麼都遠」一句是矛盾句，表示：事實上娜娜比什麼都更不屬於他。他只是爲了一個理由，才接近娜娜而已。反襯出流浪人的孤獨。另外，這矛盾句還提供了一個「他除因爲這樣才不得不選擇『港』以外，還有可能再選擇『海』」的懸疑，有力的振起全詩的氣勢。

第一節借「船」的累，影射人體的勞累，因而展開了流浪人的孤獨。第二節則拈出「故鄉的月色」——鄉愁，改從精神來表現流浪人孤獨。於是受濃重鄉愁煎熬的流浪人，只好借酒來麻醉了。他把酒當做故鄉的月色喝下去，心靈暫時可以獲得了麻醉，但等酒喝完了，空空的酒瓶再也倒不出一點一滴的故鄉的月色，麻醉的效用也告落空了，對著空酒瓶，心靈更覺得有如一大片荒島。「一座荒島」是比喻無邊的孤獨。

「空酒瓶望成一座荒島」一句，還可以解釋爲：酒喝很多，空酒瓶多得好像一座荒島。用「荒」字形容空酒瓶所堆成的島，亦可間接表現心靈落空的感覺，只是比前一種說法較爲曲折。

到此，寫由心靈的掙扎而表現出來的動作共有兩個——「拴」和「喝」，但「拴」是拴在咖啡廳裏，「喝」也喝得更孤獨，明顯的都失敗了。故他依然只有帶著隨身帶的那條動物，孤獨的朝自己的鞋聲走去。正如同遠遠的天邊的一顆星，也帶著廣大虛無的天空在走。

這節的後半部描寫得非常好，如「鞋聲」就用得很空靈，眞使人有路不知在那裏的迷惘。如把它改爲具象的腳步或路，就點金成鐵了。「一顆星」比流浪天涯海角的流浪人也很恰當，因此再透過廣大虛無的天空與一顆星，這種大小懸殊的對比，自然讓人明白了：孤獨與流浪人也是大小懸殊的對比。那麼，流浪人的孤獨是如何的無窮巨大，即可知道了。所以他雖有連自己也不知方向的鞋聲引路，但在巨大、無窮的孤獨的重荷下，他有辦法再去選擇「海」嗎？這未免是一個疑問了。

由於第一、二節的懸疑正好相反，故還需要第三節的「合」，全詩結構才算完整。其大意如下：明天，當陽光照在第一扇百葉窗上如同一把梯子，這時候新的一天開始了，但他不知道他將往上走還是往下走。

「明天」是有新希望的一天，因孤獨使他無法去擇抉，所以他只好把希望寄託在明天了。「第一扇百葉窗將太陽拉成一把梯子」，表新的一天開始時，陽光照在像梯子一樣的百葉窗上，看起來就像一把梯子。「往上走」指選擇「海」、「往下走」指選擇「港」。「不知往上走還是往下走」即是他在無法擇抉下的擇抉，也正是前二節相反的懸疑的答案。整節全是虛擬的，只因明天還未到來呀！但也全是實情，這由全詩籠罩著巨大無窮的孤獨，即能預料他從今再也難得有選擇的希望，也就是說，他根本就永遠沒有選擇的餘地——永遠沒有明天。

「將太陽拉成一把梯子」和前面的「把酒喝成故鄉的月色」、空酒瓶望成一座荒島」，是全詩中句法完全相同的三句，都是藉動詞連綴兩個名詞而成的，可以簡化如下：

㈠酒→喝→故鄉的月色

㈡空酒瓶→望→一座荒島

㈢太陽→拉→一把梯子

在㈠裏，我們可以看出前後兩個名詞，含有一些相近的性質，如酒的顏色（約分黃、白、琥珀等）和故鄉的月色大致相近，醉人的感覺也大致相同。在㈡裏，瓶雖有一瓶或多瓶的歧義（見前），但「空」與「荒」兩字的意義還是很近的。而在㈢裏，雖太陽與梯子毫無關聯，但數量上是一致的，而且最重要的，它是人人在日常生活中所習見的景觀。

「藍星詩刊」一九八〇年四月

# 羅門詩的哲思

賀少陽

首次拜訪羅門賢伉儷，在各種螺旋塔影的燈屋中，確感置身於一個東西方超感知、感性、知性的大整合；太空發射的稚拙造形，顯示了主人的童心。他以略帶廣東鄉音的國語輕聲解說自己的思想架構，使我略窺他的整體觀。他憂心忡忡的說，「當代文明的上面完全封閉。」這正是我要說的通向無限的「向上一路」斷了。

上個世紀末，歐洲文學的重心在帝俄文學——想文學史家會接受——文學的思想性濃厚，是以托爾斯泰等人的人道主義一線相傳。

西歐存在主義的出現是一由來有自的突變（精神丕變），反叛冷酷如同現實的政治，使身受其害又冷眼旁觀（文學變遷）的個人衝擊至大。驀然回首，姑不論存在主義的好壞，顯示文學闖進人類存在的核心問題。羅門也認爲，一入此問題，必入「形上」。

而在與存在主義發展的同時，並行的科學，尤其新物理，也證實了存在主義的「空無」區別在，不是存在主義的「絕對空無」，而是把物質世界證成了「通天下一氣耳」的空與無，與東方文化的空中有不空、無中生有的「空」，「無」滙合。物理的哲學接受的不是存在主義向下一路的空無，而是東方哲學向上一路的空、無。

相對論：質、能（加速、重力）的究極是「四度空時曲率的烏有」（空、無）。

量子學：「質量是無物。」（空、無）

物質世界非絕對空無，因爲還有數理符號的「曲率」和氫光譜中使能量向外層跳躍又回到基態層的數理公式在。

這個曲率和公式是誰掌握？上帝、道、佛性、梵？這就視每個人的感受和信仰而定了。面對原子有兩百多種粒子而茫然的物理學家，認爲「神秘後仍有神秘」，可能永遠也揭不開這個謎。就文學思想言，詩是文學的最上層建築，繼物理的哲學、生物進化的哲學之後，我們提出「詩的哲學」——哲學中的一環，是恰合時宜的。個人繼在「藍星」發表的幾篇文字之後，已建議使用此名詞，併一文由「心臟」詩刊披露，不贅。

## 一　羅門的「上升螺旋」

我曾建議人類文化的眞善美如金字塔的三面，滙合於「一」的峰頂。這純然自玄學上立論的。

羅門燈屋的各種懸、立、掛的螺旋代表他的「詩的哲學」，是自「美」的基礎出發的。他這一立論，也有哲思的滙通。

高懷民先生在「大易哲學論」中，言「圓道周流」並非一純粹的無端的「圓」，而是如彈簧螺旋。

基因學的基因，其分子排列如螺旋梯。

生命的進化，不是直線前進的。

個人「整體論」（實是中華文化的整體論）的結論是：「眞善美是人類五度（Dimension）心（一度）空（長寬高三度）時（一度）的運作，」現借用翁上林先生譯文「進展中的宇宙」的一圖（見附圖），所表示愛因斯坦的彎曲時空連續區（《天文物理》、科學圖書

物體之運動(MOTION OF BODY)

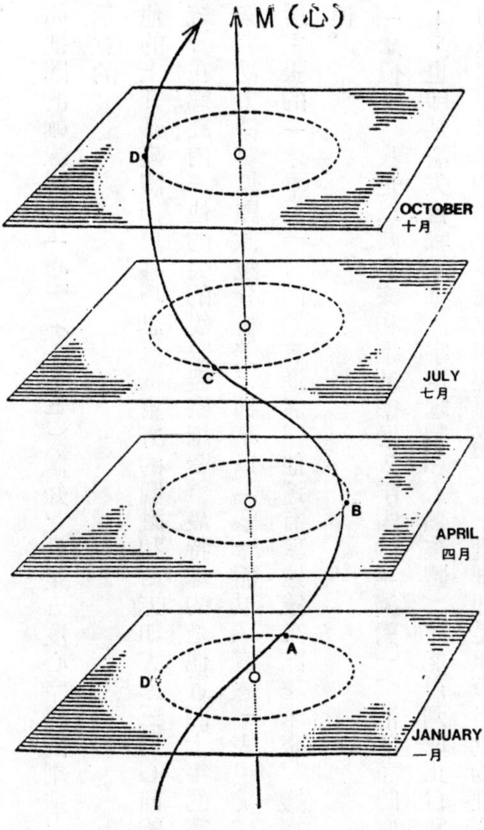


在愛因斯坦的彎曲的空時連續區內，地球繞日的運動軌跡是以一條稱爲「世界線」的曲線來表示。這裏太陽是以一小圓圈來表示，而地球則是橢圓軌道上的小黑點，每一個平面表示地球在一年四季中不同的位置，世界線是以彩色表示的。

社）。

如把圖的軸線M以「心」（Mind）認知，就是五度心空時的創造，是可爲羅門上升螺旋體示意的。

他的上升螺旋體卻更具巧思，把東方的圓融和西方如尖刃三角心向的超越（如貝多芬尼采）統合在螺旋內。他的美的銳眼觀察細密，最特殊的是他近四十年的精力投注於現代詩畫和音樂，功力深，以顯微鏡分析美，卻不以「腦」而以「直感」表現美。這點，我不得不接受他所主張的「才華說」。而尤有進者，他還有望遠鏡來瞻望未來，擁抱（萬物的）生命捕捉永恒。

「永恒」，我是以藝術家和宗教家融入宇宙的「絕對」、消除了時空的相對和自我來詮釋的——也卽是消失自我（進入宇宙本體和人類整體）才能得到眞正自我，在大一的整體中體認自我，很自然的消除了孤立與隔離感。這一刹那卽是永恒。就物理學言，當人被投入沒有座標的太空，沒有方向的認知，也就無時間先後的認知（時空本一），這一物理事件毫無意義（所以愛氏提出相對論）。而這一無意義的事件，就道禪和美學言，正是具有關鍵性意義的「永恒」。

## 二 羅門的「窗」

他向我剖析牆壁畫上的「窗」詩。我的直感，這是一首現代禪詩。

「窗」，象徵人的衆多囿限：人被封閉於屋中；人的心靈被限於肉體中。這是與生俱來的桎梏，就聖經的喻言，人的心靈原是與上帝合一的「氣」，被吹進泥做的軀體中，這便是「被造物性」，不得自由。就進化宇宙論言，大爆炸後，太初冷卻，電子找到質子成氫——宇宙建築的磚塊，「一陰一陽謂之道，」慢慢由氫的組合成九十二種原素，在地球上進化成生命以至於人。是故，人的潛意識中便有了根深柢固回歸粒子自由的鄉愁——「人的根在宇宙中。」人的過去，現在、未來是不可分割的。

「猛力一推，雙手如流」，這一突破交融的情識是非常自然的：「歸去來兮，胡不歸？」「總是千山萬水／總是回不來的眼睛」，周流六虛的山海波濤起伏，賞心悅目不盡。「遙望裏／你被望成千翼之鳥／棄天空而去／你已不在翅膀上」。主接爲客的投射，融入，似有而無；似無卻有。這是詩人特有具化功力的表現。

「聆聽裏／你被聽成千孔之笛／音道深如望向往昔的凝目」，視聽渾成一個整體的表現，或許還有味覺呢！以前述粒子的詮釋，讀者就可體會個中情趣了。禪語中有「分身成爲千百億」的況喻，在此言詩人的直感恰當。而似有卻無，似無卻有，如金剛經言，「所謂佛法者，卽非佛法，是名佛法。」究極爲空，空中卻有不空的自性（本體）在。

就古代道禪言，便到此爲止了。莊子已入「大通」，禪人已全般跳出，融入宇宙了。而根據禪的經驗，他們是一悟永悟的。

試看下面的一則公案：

「陸亘問南泉，『古人瓶中養一鵝漸長大，出瓶不得。如今不得毀瓶，不得損鵝，和尚怎麼生得出？』南泉召曰，『大夫！』陸應諾。南泉曰，『出也！』陸從此開解。」古代禪師以呼喚使人得悟的不少。佛洛姆等西方心理分析學家認爲一聲召喚，把人（交融的情識）整個喚出。

而羅門，深深體會現代人的痛苦——人與動物不同，動物只有條件反射的痛苦，而人能覺識自己的痛苦。且人除軀體的限制，尚有家庭責任，社會義務，文化囿限，所以「猛力一推／竟被反鎖在走不出去／的透明裏」，愁比天大。這是一種徹底無思考餘地的直覺，進入現代人存在的核心，羅門之與古代禪師不同，因做爲一個詩人，必須回到現實並反映現實的感受，成人類的代言人。

「常恨此生非我有，何時忘卻營營？」這種桎梏感自古皆然，唯當代環境的氣氛更使人有壓迫感。「老屋穿空，幸有天遮蔽。」淡化、幽默，或許使我們好過些。而道儒的「認命」和「忍耐」是另一種哲學，因爲無可奈何時，只有等待，環境會時移物轉。誠如羅門自己的哲學，人類會上升至另一螺旋，人類整體的心力會把自己帶往向上一路。就整體看，我是樂觀的，即成就負面言，人類如孩童，玩火柴灼傷多次以後，會找出脫困之路，進入高層螺旋裏。

人須偷吃了禁果喻，使人類產生痛苦的覺識；而基督文化的哲思，爲人類開闢另一條路：自由意志，人類固然有選擇自毀的自由，如核子戰爭；但也有選擇生存的自由，這正是目前地球上的趨式。有趣的是，無神論的物理學家們，在計算粒子行爲的或然模式裏，發現了人類有意志自由的空間，就宇宙長遠的生命看，我們銀河邊小小的地球上一個世紀，只是「一瞬」而已。但堅持向上的心志是必要的，羅門正有如此捨我其誰的擔當和氣概，這就夠了，他自已和我們均應得寬慰。

藍星詩刊29號一九九一年十月

# 向現代人內心世界探險的詩人——羅門

林興華

## 一

二十年來的中國現代文學，可謂頗不寂寞，比起早期的新文學，五四時期的嘗試以及三十年代的文學，畢竟有著莫大的差異，這個差異，一方面來自社會情況，另一方面來自西方現代文學的影響，以及鄉土意識的自覺，創作的技巧及其時空，題材的選擇，結構上，表現上由於受到西方藝術的影響，大量的運用暗示及象徵，作品更是含蓄有力，層次分明，更由於美學觀的反動，詩人及藝術家們已能對變形、交疊、幅射、易位、轉換去重組所思所見。

詩人羅門鑽探心靈空間的富庶，也有多年。多年來仍不減其爲人苦口婆心演說，心靈空間的架構，且樂此不疲，不！簡直該說有點走火入魔了。「美」，自然不是一種可憶及的知識，只是在我們主觀意志強烈的時刻更能去佔有罷了！三島由紀夫，在假面的告白開始便說：「我一直堅持說我曾經看過自己出生時的光景，再當我說出它的時候，大人們便笑開了……。」這是唯「美」的主張，羅門的美學觀，竟有形無形的立於這生命原始的基型上，因此他有了「心靈大學校長」之謔稱，二十年來在先行代詩人一一歇筆之際，他仍能以所肯定的生命的意義與永恒之「美」之間，馬不停蹄的開拓其間的領域，且不時的把那兒的甘美，「野人獻曝」般的推銷到每一處他所能觸及的角落。只是羅門這二個字畢竟是叫人感覺震撼的名字，因爲他門風太大，法規太多，不易接近。二十年來馳騁的心靈空間，豈止方圓百里，尤其他宗教式供奉「美」成爲心中的神，專一的心志使得他所認知的變成非凡，使得他對「美」的敏銳的感受，不時的擊中人們的心靈深處。這皆由於他所追踪的「美」，是穿過生命的各種情境包括了歡樂、痛苦與虛無。

這樣說來羅門已不是一位很難界定的詩人，二十年來，他仍對他所拓展的心靈的世界，均有其方法可循，其心路歷程，其可從其詩及詩論觀之，羅門的思想源流雖然西化與現代化的比率較高，但其思想以「人」爲核心，其藝術的純度，以及鍾情於詩與藝術，二十年來不改其志之精神，當代詩人藝術家羣中，羅門自是極其突出的一個了。因此之故，爲了解羅門，我們無法不知，他的思想方法及其詩觀與美學觀了。

## 二

二十世紀以來，由於現代科學的發展與機械文化的突飛猛進，加以幾次世界性的悲慘的大動亂，知識的暴漲，居住環境的污染，大衆傳播業的發達，種種；致使現代藝術的背後普遍的產生不安的景象，一切表面的現實，漸爲人類所懷疑，且對於存在乃至現象界的存有，浮現一種虛幻，恐懼與厭惡感。於是詩人與藝術家們乃不捨晝夜的絞盡心思，企圖解析人類的心態及現實，而在藝術活動的範圍之內，則運用各種材料與方法，重組意識的或潛在意識的一切，去尋求另一種「美」的開脫，去謀求設計理想中的另一境界，或完成某種形態的安定、平和及想望，及重啓人類未來的命運。然而，這種希冀在於「美」的成效上，並未能發揮較之以往爲大的效果，配合著新社會形態的要求，美的演化漸次的陷溺於沼澤般的困頓。

從整個藝術思潮觀來，二十世紀藝術的反動，普遍所嘗試採用的均是反自然主義的抽象，雖然歷盡滄桑延續推展到今日，人工環境異外的取代新自然主義成爲世界的駐腳。一羣前衞藝術的支持者，則思索著藝術與生活上的關係，且積極的在推廣綜合性的藝術生活的新穎境界，詩人則企求將永恒性作爲人生的標的，成爲人類信仰的另一門宗教。不過，我們當審省那些活動中，作品的裏外本質，及其與現象界的對立，無情的技術化，專業化，含混，虛無的表面，嘔吐不安的內在精神世界，荒謬、非含理性的使然，現來藝術的前程自然產生更爲疑難的文章。

綜觀近二十多年來的藝術表現，多是充滿著徘徊猶疑，凝視與對立的局面，而且自我意志的發揚及自由豪放的表現，變成了前所未有的苦悶空寂及震盪，在藝術中，自由形成極主觀的奢侈，過份的自由反而落入了茫然的飄泊狀態。由於自由故缺乏自我位置的肯定，致成爲更大的不安，以到自由的靈魂只好在無限的虛妄中掙扎，於表面上這種現代藝術思想的解體，所引來的動盪，隨著時間的發展，不斷的在擴大，這就是現代人類思想生活的軸心，自我、自覺、無常的失落，打轉，因而我們實在不難體認到本世紀初以來，藝術界所以不斷採取創造性的，分解式的搜索方式。經過兩次慘酷的世界大戰以後，人類社會正面臨著一次長期性的各種冷戰，三次大戰前的折磨，一切激烈與變化，對立與抗爭，都跟著生活的緊張，快速的打轉。記號與電腦的程式，那種冰冷的眨眼，代替過去詩人眼光中，曖式的星星，歌詠太空時代的歌篇。現代藝術也夾雜在新人類文化的騷動中，沉沒、掙扎與徘徊。深視近代藝術革命及流變的本質，我們卽可從其中找到詩人羅門的血緣，且對於其闡敍的世界有深一層的體認，對於一個「長期受著審判的人」，且將他的理論著作，評鑑於後：

思想的鑽透力，是羅門詩中的一大力學，其支點是存在的我，對於外在的客體世界，以及心的內在空間，其鑽探情形有如螺絲釘般的穩著，因此在他一把掀開浪漫性的狂放之後，卽直接接受了時代、生活、客體世界、美學思想、詩的使命感的撞擊，而呼出「現代人悲劇之精神」，本書出版於民國五十三年夏天，最早之作品當萌芽在此之前。以當時現代詩壇的一般心態而言，羅門當是其中較具前衞性、現代感、凸出性的一位。綜觀本書，不難發現其思想主旨、方法、程序，乃至思想之雛型，不外是現代藝術思潮加上現代人悲劇精神加上現代詩人的使命感的總和，個人以爲這一些亦正是羅門思想的根源，試將本集敍說，立論重點陳列如下：

1. 精神的頂峯世界——詩境

羅門認爲詩是人類智慧冠冕上的一顆最亮的寶石，因此詩持有的神秘性與美的感染力便也隨即被認爲是一項永遠威脅與征服人類心靈的最大力量，絕對控制著人類「精神的頂峯世界」，此一世界自然與理想主義的精神世界有所不同，由於人類趨向形而下的外在世界走，到最後便是陷進獸境，越向形而上的內在世界走，到最後便接近詩境，因此我們可知羅門所指的精神的頂峯世界即爲詩境。然而他企圖塑造另一「精神的冰峯世界」，使一切事物在高度冷靜與清醒的氣氛裏，永遠保持著完美不朽的遠景與良好的品種。

2. 現代人的悲劇精神

這悲劇已非古希臘物格化宇宙觀式的悲劇，也非往日浮士德式的悲劇，它是人心被二次大戰的極度傷害與廿世紀物質文明的極度躍進帶來的動亂、破碎與焦灼，所形成的虛空感與幻滅感的現代型的悲劇。在這一現代型悲劇中，受傷地活著的「靈魂」，祈到「教堂」與「廟」裏去療養的人已不多，倒是利用大量來自現代都市文明的痲醉劑（就物質享受），使靈魂痲醉，進入物慾的空漠世界，這種人到處都是。而這一現代型悲劇精神的發現，便也自然形成爲羅門內心世界活動的一個引發點，給於羅門後來二十年的立論與詩作確有決定性的影響，羅門二十年前即對「現代」的意義有所省悟，且二十年來於詩與藝術均有所執著，實在不易。

3. 虛無

「虛無」好像颱風發生在熱帶低氣壓，它發生在現代人將慾望之火焚城的瘋狂的呼聲中，羅門如是說：「我們當然不會贊同韃韃主義那近乎戲弄式的『虛無』，他又說：「帶有悲劇性的『虛無』在某種精神意識下，不但不在我們的心靈中製造可怕的破碎與痛苦，反而在我們平靜與深沉的感受中，產生一種莊嚴高超的「美」的力量，而擁抱實有。因此，如果說韃韃主義的虛無精神論者，所飲的是一杯劣酒，悲觀精神論者所飲的是一杯苦酒；樂觀精神論者所飲的是一杯甜酒或果汁；那麼超越於樂觀與悲觀之上，而帶有悲劇性的『虛無』精神論者所飲的，便是一杯高級的白蘭地或是威士忌了，冷藏在心靈的深處，酒味更爲醇濃了。」綜觀羅門對於虛無的論述，自然可知他所以爲的虛無正是服膺於心靈深處，美的眞境，而非頹廢，荒謬的，敗壞性子的虛無了，因而他說：「同虛無的年代爲鄰，若像韃韃主義的信徒一樣，將生存的意義與價值委託給無意義的空無，則他的藝術生命，也難保在對一切失去信心時，同時遭受破滅。」是故，羅門仍是堅持人必須像海德格那樣，把生命從空無中透過詩與藝術提昇到實有的位置。

4. 詩觀

羅門的詩觀、繁複、繽紛、充實和不可捉摸，不可捉摸的意義，在於羅門善於把握變的原理。因環境、生活、思想的異動，而有所調整，然而其原則亦終究不變，在其論證中我們可以找到一些佐證，羅門認爲：

·詩與藝術不是躲在傳統的八寶盒裏，啃精裝書封殼的，詩人與藝術家必須將「自我」

與「時鐘的齒輪」，一同送到磨坊裏去，去聽生命真實發出的回聲；同時必須不斷的向太陽的光猛奔，讓歷史去收藏你的背影。

• 現代詩人所嚮往的，是不斷深入現代人性靈活動的新領域與存在的新場地，去尋覓與創造出瑰麗與精確的活的素材，用以創造人類精神的新境界；它是經過現代人生命注血而在作品中成為有機的東西，——像是現代人精神的幅射塵，具有不可抗拒的感染性與襲擊力，且能不斷興起現代人心靈活動新的節奏與律動感。

• 我始終在此强調一個詩人尤其是嚮往藝術的現代人，他的工作可能永遠是替「美與沉痛」服役的，他必須在心靈與思想的裏邊擁有一個强大的「生命世界」與一個富麗的「美學宇宙」，因為唯有這樣，一個詩人才能有魄力去充當像我心中所認為的不凡的英雄角色：「哲學家、科學家是在人活動的世界上點燃火把的，而詩人與藝術家是將那純然的光輝帶到人的天國去同上帝的天堂爭光的」。

• 我們實在不敢置信一個單憑靠技巧的現代化而思想與精神內容與現代人無關的詩人，能在現代詩中有驚人的成就，我認為較大的勝利，應給於那些對「藝術本身」與「年代精神」都達到充份與完美表現的詩人。

• 詩人必須逐漸覺察到「詩」是應置在靈魂的深處去沉思、默想，才能抓住它深厚與完美的整體的生命。

• 第一流現代詩人，我認為便是把現代生活現象與現代人的悲劇精神用環扣串連起來，一同溶入現代詩的形式中，在那邊裏，人們可聽見人的靈魂在時空的絞架上喘息的聲音——使世界上任何美的一切，都與人類在時空中掙扎的心結合。

總而言之，羅門思想雛型之起源莫不在於承襲世界文藝思潮以及自我省悟的批評，合併成對現實現象的觀點和體認。本集與其說是羅門詩與藝術觀的基點，不如說是羅門伸展後來評論及詩創作的力點，雖然有部分美學有所因襲；且闡揚體認多於發揮，然而他都有所把持，且消化爲創作的動力，是可貴處。本集僅可窺見其創作方法論，此論基點，亦如此北辰衆星供之，是後來思想、創作經驗，心得的結晶，這一點且待下節論及。

## 三

這本書除了談論詩與藝術外，主要部分，都幾乎是羅門在自覺中，對悲劇生命進行著一連串的思索與默想過後，所形成的那些急著欲使一切與心靈直接談判的聲音；而非是那些工整的智識化的理論，在「現代人的悲劇精神與現代詩人」出版五年之後，羅門又記錄出他的「心靈訪問記」，他說：我從不敢否認過書本的力量，但我深知，在開發人類內在世界的奧境時，有一樣東西確較什麼都重要，它是連哲學家有時都不知如何去指認的，它就這樣成爲那門訴緒於心靈的感知的學問，教我們有效地把握住內在眞實的生命。那就是：「不斷深入人與事物的深處，去將『美』的一切叫醒」，很明顯的，「心靈訪問記」這本集子最大的特色，在於羅門捫心的深入告白，從思考、創作到完成，羅門總是不厭其詳的反覆敍述，其論說要點，除在「現代人的悲劇精神與現代詩人」一書所提列之外，亦有更加充實的地方，若拿來與上述一書比較，自然可知羅門心靈的架構，仍是一己理想型的架構。由於心靈畢竟不可捉摸，因此我們常可聽及一些人打趣的說，據說心靈的深處資源很是豐富。羅門有異於其他詩人藝術家，在於他的執著和肯定，並能將心靈的力學直達深處的靶，且不時將其觸及，發出火花，只是羅門在其探究的結果，企圖以論說來發揚時，由於太過偏重詩的語言的表露，致使其論說過於繁複及繽紛，立論點卽因此偏於感悟而缺乏邏輯了。然而我們仍能在其具啓示性的論說中，瞧見其不凡之處：

◎要不是「詩」將這封閉的有限世界，打開一扇窗來，展現出一切存在的美好的容貌與奧境，使我們窺見人造的而非上帝造的天國，窺見內在世界最神秘的部份；窺見「事物」與心靈在時空中存在的微妙關係及其活動時那種種幽美的姿態與聲響……我們還持有何種精神作業較「詩」的力量更能尋獲一切存在的永恒性及其純粹與完美的價值？

◎「詩」已日漸成為我的宗教，成為我向內外世界透視的明確之鏡，成為我存在於世，專一且狂熱地追求與創造的一門屬於心靈的神秘的學問。

◎在開發人類內在世界的輝煌過程中，詩人藝術家所採取的直覺與美感的線路，確較哲學家所採取的推理與邏輯的線路，更為捷便、靈活與美妙，而且它尚能以哲學家所不能產生的「美」的作用力，抑制與緩和人類陷在思想困境中所感受的一切痛苦，使我們在生命的裏邊，仍能觸及「存在」的一些較久遠與美好可愛的事物。這種效果，正是人類在物慾文明的二十世紀，面臨精神幻滅的危機，所唯一寄存的希望與唯一仍有理由去堅持的一項生存價值。

◎我一向堅持的詩觀，是詩人必須像耶穌背著上帝的十字架一樣，去背「藝術」與「時空」所釘成的那座十字架，去做美神真實的信徒，不在乎大衆在現在都是否了解你那樣做，你應該相信他們會逐漸在智慧成長的未來歲月中，了解你所做的。

◎一個現代詩人可品味一首美妙的古詩而如醉如狂，但要他去寫出像古詩人那種風貌的詩，那真是不可思議的了，那情形的確像穿著高雅的緞質長衫馬掛，跑到運動場上去，顯得非常不調和。

◎詩人已建立了一種專門性的學問體系——為了把埋在人類生命與萬物裏邊的那些美的一切呼醒，他不但要具有哲學家深入的思考力，去監視一切的活動，而且更要具有哲學家往往缺乏的那顆極其銳敏的美感的心靈，方能順利地進入一切的內層世界去握住一切活動的美的內容與焦點，也就是方能進入詩境。

◎任何一件藝術品在創造「美」的過程中，是必須同時進入人類心靈活動的底層世界，去抓住人精神存在的實境，「美」才能產生實感深度與向內的伸延力。

尾隨「心靈訪問記」自我辯釋的結果，「長期受著審判的人」的影子便躺在那面「牆」上了，羅門的「牆」橫陳在悲劇性的肺部，隨著人類存在的呼吸，吐吶出其中的壓力及重量。

羅門說：「我雖然強調詩與藝術的純粹性，但我無法強調一個詩人與藝術家的創作生命能純粹到不含有他的思想與精神；我更無法強調一個詩人與藝術家他能純粹到不是『人』；既是『人』，他便絕不能離開這面悲劇性的『牆』，無論他是以任何一種生存形態活著。」羅門的詩心及智慧在於其極敏感的洞察力、關懷人性存在，挖掘生命底各種困境，且舉發詩與藝術永恒之美以彌補人類生存的悲劇，更藉著悲劇之動力，引導心靈深處超越悲劇性之威力，昇華而上，致使人類心靈達到生存至美的境界。

從「心靈訪問記」其中不斷的自我內煉之後，「長期受著審判的人」更顯得有所突破，先是揭開人類存在的四大困境：一、愛慾引起的困境。二、回歸純我所引起的困境。三、戰爭引起的困境。四、死亡所引起的困境。認爲「它是四面堅固的牆，也是永遠望著人類的四面鏡子」，之後，又透過詩與藝術，做更精闢的批判；諸如他說：

「詩」已成爲宇宙萬物生命的核心，這個核心若沒有了，那便等於將一個人的心臟取了下來，叫他仍活在這個世界上；同時假使這個世界眞有上帝，那麼詩便是上帝的眼睛。

羅門本持一顆詩心，及敏銳的感應，除努力忠實於詩的國度之外，羅門的智慧及其美學上的覺知仍是令人驚喜的。他說：「我認爲的美，它不但發生於感官的形相世界之快感與內在世界的歡樂，就是痛苦，絕望乃至帶有悲劇性的虛無感，都可在精神的活動中，轉化成爲一種令人更震撼與沉醉的力量，而擬成更高的「美」。羅門的美學自然是處於人世的修爲之中，倘若我們走訪過羅門生活的居宅——「燈屋」，乍見燈火燦爛一束束光暈，廻旋而上，卽可知其中昇華的美。

或許我們從以上羅門的著述及思想看來，彷彿近些年來羅門的詩觀，美學思想未能有更深一層的突破性的表現，雖然各層次之思想仍不斷的有所附加而更趨於圓熟。然而十多年以來羅門個人思想的消化，吸收再孕育，確已逐漸有其規模，比較起當代一些先行代詩人，羅門仍是有其可觀的一面。

「長期受著審判的人」較其前二集自然更有所表現，其思維及其宇宙觀、本體觀更趨於圓熟，頗有渾然雄厚的感覺。顯然羅門持續二十多年心靈空間的探索，單以耐力論就有驚人之處，在這些持續的歲月裏雖然有諸多重覆的發音，但是亦有幾多新的創見及突破，近期更大膽提列「第三自然」的論調，且認爲是他個人廿年來透過詩與藝術，對人類內心與精神活動進行探索所做的認定。且認爲「詩人與藝術家創造了存在的「第三自然」」，非但可以解決當前詩與藝術所面臨的種種爭論與危機，並可指出詩人與藝術家所永遠站住的位置以及人類心靈活動接近完美的企向。

第一自然所指的是「日月星辰、江河大海、森林曠野、風雨雲霧、花樹鳥獸以及春夏秋冬等交錯成的田園山水型的大自然景象。第二自然則是指人爲的日漸複雜的現實生活環境與越來越都市化的現代社會形態；第三自然則是自第一自然與第二自然中超越，而昇華成一種接近永恒的存在之境，它就是詩人與藝術家轉化一切成爲內心中的更爲深廣與富足的「自然」。他說：「世界一轉化入以「美」爲主體的『第三自然』，便可能與上帝的天國爲鄰了；同時在一切都被人類懷疑與重新估價的現代世界中，我懷疑一般人那近乎迷信的絕對信仰，能確實的成爲上帝優秀的信徒，我深信只有進入詩人與藝術家所開發的『第三自然』，使一切存在與活動於完美的結構與形式中，方可認明『上帝』。」「第三自然」的提出，多少爲當前頗受爭論的「詩與藝術的社會性與現實功能問題」，提出他個人精闢的看法，更根據其中所發現到的詩與藝術對人類的存在所提供的價值，作深一層的推斷；同時，站在「第三自然」存在的層面上，清楚了解到作家心靈的「內視力」與「轉化力」，是最爲重要的，因爲它已看見了一切的核心，並把握一切向內延伸與超昇的形而上的勢能，觸及萬物在不可見中交感的世界；並且「第三自然」更能排解「古、今、中、外」詩與藝術時空性的爭執。於是他最後更肯定的表明了他的詩觀：

> 詩絕非是第一層次現實的複寫，而是將之透過詩人的聯想力，導入潛在的經驗世界予以觀照、交感並轉化為內心中第二層次的現實，使其獲得更為富足的內涵，而存在於更龐大且永恒的生命結構與形態之中，它也正就是詩人與藝術家創造了人類存在的「第三自然」。

綜觀上述種種，不難獲知羅門探索的心靈活動的神秘空間是發凡於人世的，而其終極意義，亦企求以詩與藝術之「美」來引領人類步向「永恒」的眞境，估不論他個人於美學上之論述有多少價值，然而於我們當代藝壇，有個人創見，且有所闡揚的，實在是不多，羅門依舊是較爲精彩中的一個，從羅門數十萬的言論中，或於其詩作之中，我們當可呼吸及詩與藝術完美的境界，對於一個熱愛詩與藝術，且孜孜探究二十多年且有特殊表現的詩人，亦理應有其應有的評價。

「明日世界」一九八二年元月

# 詩・並非盆景

## ——試論羅門的精神面貌及其創作動向

周伯乃

羅門說：「我認爲詩與藝術是構成心靈與一切在交通時的最佳路線，使完美的一切同心靈之間的距離拉攏到沒有距離的程度；並敎導我們如何用心靈來生活；如何在美中進入一切的核心，去把握住它們活動的焦點，讓我們沉醉於那種超乎一切的神秘性的力量，感覺到『美』已構成一切內在活動的全部內容——它包括了具象的與抽象的；同時也包括了快樂的與痛苦的，悲劇的與喜戲的，希望的與絕望的，永恒的與虛無的……這些都可以在各種不同的情境下，自由地俯向那些開放的心靈。」基於這個對詩與藝術的觀念，來探討羅門的內在精神世界與詩創作的動向，是一條比較可循的途徑。

羅門，本名韓仁存，民國十七年生於南中國海的海南島上，是一個以漁爲業的世家，但羅門並沒有繼承他祖先的家業。他早年在我國空軍官校學習飛行，學飛不成，學打球，曾一度成爲職業球員，稱雄體壇。由球場上跳出來，便跌進了極度寧靜的詩的國度裏。民國四十四年與女詩人蓉子結褵，被譽爲中國詩壇的勃朗寧（R. Browning）夫婦。著有詩集「曙光」、「第九日的底流」、「死亡之塔」；詩論集「現代人的悲劇精神與現代詩人」、「心靈訪問記」……等。曾榮獲藍星詩獎、中國詩人聯誼會新詩獎、國際桂冠詩人協會中國傑出文學伉儷，及菲律賓總統馬可斯（E. Marcos）頒給的金牌獎。

羅門的創作過程，與我國大多數的現代詩人一樣，經過一段短暫的抒情和理性的內省，然後透過象徵的模擬與意象的創造，而進入到一個自我覺醒的人類內在精神世界之探討，也就是羅門所謂的「美」與「精神的深度」之追求。

從羅門的第一本詩集「曙光」（民國四十七年）來看，這是充滿著浪漫主義情調的詩集，無論在技巧和選材上，都是富於浪漫主義色彩特別濃厚的詩，如「加力布露斯」：

加力布露斯，
在靜靜的深夜裏，我祝福你，
你流落到那裏去了呢？
久久的　我失去你的音訊像失去心中的戀歌，
即使我向遠地高呼你的名字——
親愛的加力布露斯，
而那激動的音響在冷漠的大氣中終歸流散，
即使我沿著舊路在夢中重遇你於往昔的金色年華，
而過去的美麗景象已不再如前般馥郁與喜悅，

久久的，我等你從茫無邊的海上歸來，
帶回你往日的歡歌同快活的情思，
可是在那熟悉的碼頭上我只是飲風淋雨遙望，
我的心是較深夜末班列車去後的月臺更為悽冷了！
時時我作夢騎上馬到草原與森林去找你，
希望重見你在緊緊的擁抱之中，
如多年別離的戀人，
又在藍天與綠地之間狂歌同飲，
可是在年月中我只聽見不幸走動在心底，
親愛的加力布露斯，
你是落星埋在不可到的遠方，
還是沉船淪入不可測的深海，
快快告訴我，你的芳影在那裏，
你的聲音就在風中嗎？
你的視線是否在陽光裏？
如果我不能再遇見你，
或者你回來我已雙眼閉上，

那時心會永遠死去，
黑夜在白晝裏延長，
海洋也會久久的沉默，
你知道歲月之翼不能長久帶領我，
在生命的冷冬我將跌倒於無救之中，
你為何仍遲遲忘返
親愛的加力布露斯，
每當晨輝閃耀，
我便像聽見你奔騰的馬蹄聲在清早的林野裏響動，
每當星月臨空，
我便像看見你牽著馬在夜色迷戀的曠野上漫步歌唱，
往日的歡笑如五月的暖風吹過我的心河上，
舊夢如泛光的雲朵飄過我生命的晴空，
可是親愛的加力布露斯
何時你方從春天裏回來？

在這首詩的前面有一段楔子，他說：「這首詩寫在邱翁渡生日那天，人們在電視中見他淚水盈眶，使我自然地聯想到這位世界著名的大政治家，在大英帝國國民的眼中都設有他的寶座，爲什麼臨近生命的終站他還是傷心地哭了呢？在過去他像失去了些什麼，在未來，他盡力想得到些什麼，可是這一切都似與人類的心靈永保持著相當的距離，令使我們刻刻向加力布露斯呼喚。」

西方的浪漫主義肇始於十九世紀二十年代，衰沒於六十年代，這是西方近代文學運動中最具有威力，且歷史最久，影響最廣的一種文學運動，它以反叛古典主義爲宗旨。他們認爲古典主義過份強調理性和規律，重視形式的整潔和道德的秩序；這些都足以扼殺個人的情感和思想的自由奔放，而文學創作最重要的因素乃賴於個人的情感和思想的表現。所以，浪漫主義的文學是主觀的、幻想的、超現實的；它包含著多樣的內容，在描寫的情趣上，它具有神秘的、渴望的、狂熱的、悲觀的、憂鬱的、反叛的特色。凱絲琳・巴特勒（Kathlcen Butler）在他的「法國文學史」（A History of French Literature 1923）中，對法國的浪漫主義特色提出六點要旨：㈠求完全的自由，㈡主觀的態度，㈢憂鬱，㈣對於自然的熱血，㈤驚奇的態度，㈥對於中世紀的誘惑的敏感，及繪畫的情景。

巴特勒雖然指的是法國浪漫主義的特色，其實也是其他各國的浪漫主義的共同特色。不過，還有一點是巴特勒所沒有指出的，那就是浪漫主義喜歡誇大，喜歡運用暗示及象徵，使作品產生神秘感，和朦朧之美，也促使讀者能自由地應用想像，展示出作品中的渾圓的意象。

現在我試圖循著兩條途徑來解釋羅門這首「加力布露斯」：一條是以他楔子裏提示的有

關英國首相邱吉爾，在他生日時所流下的眼淚去探索；一條是以浪漫主義的主觀意識上去探索詩人所要表現的自我世界。邱吉爾的眼淚是導引詩人創作「加力布露斯」的源泉，也是逼使他注視自我生命律動的因素，邱吉爾不僅是舉世聞名的大政治家，也是這一代對社會、對國家（大英帝國）、對世界貢獻不遺餘力的人物。曾歷任戰地通信員、議員、商業大臣、內務大臣、海軍大臣、軍械大臣、殖民大臣、財政大臣。第二次世界大戰發生，張伯倫邀其出任海軍大臣，並爲戰時內閣之一員。一九四九年五月張伯倫辭去首相職，邱氏出而組織各黨聯合內閣，並以其超人的才智，堅決的意志，和感人的演說，遂使全國上下，團結一致，奮鬪到底。在外交政策上，他主張歐洲聯盟，與美合作等。著有「世界的危機」（The Korld Crisis）、「餘波」（The Aftermath），以及「第二次世界大戰回憶錄」等。

以邱吉爾一生的輝煌成就，爲什麼會在他老年生日會上落淚、嘆息？這就不是一般人所能洞悉的人類的內在心境。而詩人羅門以其敏銳的洞察力和感應力，體認了邱吉爾急欲抵住生命的光輝的刹間，竟發現了生命的更大的空茫，猶如一個攀登雲梯的人，當他攀登到最後的一級階梯時，始悟他所攀昇的虛無，這時，他所感悟到的是那絕對虛無的悲哀。我想羅門就是從這一個角度去透視邱翁的心境，也同時以這一個角度回顧了自己，和自我生命的價值與意義。「親愛的加力布露斯，而那激動的音響在冷漠的大氣中終歸流散，就使我沿著舊路在夢中重遇你往昔的金色年華，而過去的美麗景象已不再如前殷馥郁與喜悅，久久的，我等你從茫無邊的海上歸來，帶回你往日的歡歌同快活的情思。」這一方面寫英雄落漠的悲哀，也寫邱翁「那激動的音響在冷漠的大氣中終歸流散」的悲哀。「你的芳影在那裏？你的聲音就在風中嗎？你的視線是否在陽光裏？」這一連串的緊迫追問，從層面意義來看，好似對邱吉爾發問，事實上，他是對他的理想人物加力布露斯發問；從更深一層的意義，他不僅對他的理想人物發問，同時也是對全人類發問。

詩人對理想世界的期待是急切的，就猶如在那熟悉的碼頭上飲風淋雨，遙望著他的降臨。他說：「如果我不能再遇見你，或者你回來時我已雙眼閉上，那時心會永遠死去，黑夜在白晝裏延長，海洋也會久久的沉默，你知道歲月之翼不能長久帶領我，在生命的冷冬我將跌倒於無救之中，你爲何仍遲遲忌返呵！」從浪漫主義的表現技巧來看，這首詩也是非常合乎邏輯結構的，而就現代詩的觀點來看，它也是合乎新批評家們所謂的「情感邏輯」的表現方法。

一首傑出的好詩，並非表現一己的情感，而是呈現人們共有的情感。法國浪漫主義大師雨果（Victor Hugo 1802-1885），其一生的創作，都是圍繞著人類共有的愛情、家族、國家、生命、死亡，以及他們所共同渴望的光明與自由。他對現實的題材特別敏感，而且洞察力也特別精細入微，對宇宙間的萬事萬物都有一種異於常人的感性與想像力。例如他在「懲罰集」（Chatiments）裏所敍述的有關拿破崙的三段戰史，都是透過完整的邏輯所完成的。每當我讀羅門的「加力布露斯」時，竟會不自禁地聯想到雨果的「滑鐵盧」（Waterloo）一詩。滑鐵盧在比利時境內，拿破崙於一八一五年與英軍在此交戰，被英軍擊敗，這也是拿破崙最後戰敗的地方，所以，滑鐵盧也含有任何決定性的慘敗的象徵意義。

英吉利的砲隊搶奪了我們的方陣，
荒原上不再戰慄著我的旗幟，
人們喉管裏湧出死亡的聲音。
戰爭的深淵紅得像一個熔爐，
在那裏聯隊像牆壁一般的頹傾。（借用覃子豪譯詩）

這種氣勢，這種壯美，這種震撼人心絃的震動力，若非大家，又如何能有這種表現呢。

王夢鷗教授在「文藝美學」一書中，有一篇「意境論——假象原理」，曾論及「悲壯」一詞。他說：「悲壯亦是一種意境，因它不是單純的由感官所掠到的現實感情，不能冠以可惱的、可怒的、可恨的等等形容詞。它是文學家從假象世界所構成的永恒的感情。說的精確一點，這是我們在實際生活中，或在文學家所創造或變形的活動中，所獲得的美的價值感情。接著他又說：「悲壯不是現實感情的悲哀。我們在生的旅程上遇到自然力或人力的打擊而生的痛苦，那是悲哀，而未必卽爲悲壯，故悲壯不存在哀傷痛苦之時，而是存在於崇高的意志表現、結局陷於破滅的境遇中。」

我覺得羅門的詩中所現示的美，是一種壯美，而非一般抒情詩人所表現的秀美。換句話說，羅門是壯美型的詩人，而非秀美型的詩人，他不善於雕琢細工，他的詩有一種潑墨的氣勢與豪邁。尤其是自「第九日的底流」（五十二年）以後，到「死亡之塔」（五十八年）都強烈地顯示出其壯美的獨特風格。「第九日的底流」是一首氣勢非常雄渾的詩，透過貝多芬的第九交響樂的旋律，去描寫現代人心遭受時空挫敗後的悲壯。詩人以其極度尖銳的感力，吸取音樂的節奏和內涵力，然後經過一段長期的內省，和對現實所感悟的種種境遇，而揉合在語言記號中予以呈現出來。這也就是他所謂的詩與藝術「不外是表現事物或心靈在時空裏存在的關係位置，及其在活動時那些優美的姿態與聲響。」

因爲「第九日的底流」原詩太長，不適合在這個專欄中介紹，我想就在這同一詩集中的另一首極具有羅門型的「麥堅利堡」，提出來與讀者共同欣賞，這首詩曾被譯成英、法、德、意……等國文字，且被「笠」詩刊專題討論過的詩，而羅門自已也不止一次的爲「麥」詩作詮釋和辯護的工作。

戰爭坐在此哭誰。
它的笑聲，曾使七萬個靈魂陷落在比睡眠還深的地帶。
太陽已冷，星月已冷，太平洋的浪被炮火煮開也冷了
史密斯　威廉斯　煙花節　光榮伸不出手來接你們回家。
你們的名字運回故鄉，比入冬的海水還冷。
在死亡的喧噪裏，你們的無救，上帝又能說什麼。
血已把偉大的紀念冲洗了出來。
戰爭都哭了，偉大它為什麼不笑。

七萬朵十字花，圍成園，排成林，繞成百合的村。
在風中不動，在雨裏也不動。
沉默給馬尼拉海灣看，蒼白給遊客們的照相機看。
史密斯威廉斯在死亡紊亂的鏡面上，我只想知道，
那裏是你們童幼時眼睛常去玩的地方。
那地方藏有春日的錄音帶與彩色的幻燈片。

麥堅利堡，鳥都不叫了，樹葉也怕動。
凡是聲音 都會使這裏的靜默受擊出血。
空間與空間絕緣，時間逃離鐘錶。
這裏比灰暗的天地線還少說話，永恒無聲。
美麗的無音房，死者的花園，活人的風景區。
神來過 敬仰來過 汽車與都市也都來過。
而史密斯威廉斯你們是不來也不去了。
靜止如取下擺心的錶面，看不清歲月的臉。
在日光的夜裏，星滅的晚上。
你們的盲睛不分季節地睡着。

睡醒了一個死不透的世界。
睡熟了麥堅利堡綠得格外憂鬱的草場。
死神將聖品擠滿在嘶喊的大理石上。
給升滿的星條旗看，給不朽看，給雲看。
麥堅利堡是浪花已塑成碑林的陸上太平洋。
一幅悲天泣地的大浮彫，掛入死亡最黑的背景。
七萬個故事焚毀於白色不安的顫慄。
史密斯 威廉斯 當落日燒紅滿野芒果林於昏暮。
神都將急急離去，星也落盡。
你們是那裏也不去了。
太平洋陰森的海底是沒有門的。

這首詩最初發表是在民國五十一年十月二十九日的聯合報副刊，後來收入他的第二本詩集「第九日的底流」，詩後有一段附註，附註中說：「麥堅利堡（Mckinlʎ Fort）是紀念第二次大戰期間七萬美軍在太平洋地區戰亡；美國人在馬尼拉城郊，以七萬座大理石十字架，分別刻著死者的出生地與名字，非常壯觀也非常淒慘地排列在空曠的綠坡上，展覽著太平洋悲壯的戰況，以及人類悲慘的命運，七萬個彩色的故事，是被死亡永遠埋住了，這個世界在都市喧噪的射程之外，這裏的空靈有著偉大與不安的戰慄，山林的鳥被嚇住都不叫了，靜得多麼可怕，靜得連上帝都感到寂寞不敢留下；馬尼拉海灣在遠處閃目，芒果林與鳳凰木連綿遍野，景色美得太過憂傷。天藍，旗動，令人肅然起敬；天黑，旗靜，周圍便黯然無聲，被死亡的感覺重壓著……作者本人最近因公赴菲，曾與菲華作家施穎洲，亞薇及畫家朱一雄家人往遊此地，並站在史密斯、威廉斯的十字架前拍照。」

我所以將這段附註錄下，無疑的是想幫助我們更能進一步地欣賞到詩人創作的過程和它最原始的動機。因爲麥堅利堡本身只不過是美國軍人的一座公墓，從公墓的本身來說，它沒有什麼偉大，只不過是諸多的公墓中，較爲雄偉的建築而已；就公墓的建築本身來說，它是死的事物。但作家最大的權力，就是要把這死的事物寫成有生命、有活力的活的事象；而詩人羅門，不但把這死的事物賦予生命活力，同時賦予它不朽的精神活力，這是屬於一種靈性的精神架構，它不是屬於具象的物體結構，不是那些水泥、鋼筋、大理石的同存物質的存在，而是存在於詩人對生命的價值與意義的肯定與否定之間，羅門說：這首詩是「在心理與精神都來不及設防的情況下、觀念還未張目之前、便去將這個『戰慄的性靈世界』擒住不放的作品。這個『戰慄的性靈世界』，原來便是躲在麥堅利堡那『偉大』與『不朽』的紀念裏邊，被死亡，空漠冷寂的力量控制住，被我們習慣上歌頌遮蓋住，最後終也被我精神的透視力，將它奧秘中的眞境全部揭露了出來。」

從情感邏輯上來看，羅門是將生命、死亡、戰爭、光榮、偉大與不朽等糾葛在一起，企圖自死亡中找尋到生命的意義，自生命中肯定死亡的價值；也同時在死亡中追認出戰爭、光榮與不朽的價值與意義。羅門不是像海明威、康明斯、杜斯帕索斯一口否定了戰爭對人類的價值，他認爲「爲了自由、正義與生存，我們仍是應該去迎接那偉大的戰爭的，縱使它有時帶給我們的痛苦超過了對偉大的感受。可見戰爭往往是人類必須去面對的一幕偉大的悲劇，這首詩便是對這一偉大的悲劇，通過人類的良知進行著一項至爲嚴肅的傳眞工作。」

從戰爭的表層面來看，它是殘酷的，它製造了人類集體屠殺的悲劇；但從它的爲正義、爲自由、爲生存的可能受到壓力的反抗來看，它又是必須的，也是絕對必要的。「戰爭坐在此哭誰」，這是人類慘受戰爭所帶來的死亡的極度痛苦中的吶喊，這裏所指的戰爭，不僅是指二次世界大戰，同時也可能是過去的無數次的人類遭受集體屠殺的戰爭，或者是暗示著人類未來的戰爭。所以，這裏的「戰爭」只是一個名詞，它不含有任何時間格式。「它的笑聲曾使七萬個靈魂陷落在比睡眠還深的地帶」，這個笑聲，多少含有嘲弄的意味，它嘲弄那些戰爭的荒謬，嘲弄那些死去的生命是否眞的有如人們所歌頌的偉大與不朽。詩人陳慧樺在「論羅門的技巧」一文中說：「詩人首先把『戰爭』擬人化，然後把『哭』與『笑』並置，使戰爭情況予以戲劇化，接著不說『死亡』（戰爭與死亡是等同語）能超昇人的靈魂，反而說它的笑聲曾使七萬個靈魂陷落在比睡眠還深的地帶，把戰爭的毀滅性巧妙地全盤托出。」

第二段是寫一切都已經成了定局，一切都成了過去，死亡是無可挽回的，這是被肯定的事實。那些光榮、那些慶祝的儀式都是無補於死亡所帶來的慘烈的痛苦，「煙花節光榮伸不出手來接你們回家，你們的名字運回故鄉，比入冬的海水還冷。」白萩認爲「煙花節」與

「光榮」無關，這是白萩對煙花節的誤解，但羅門辯說煙花節是設造的名詞，它象徵著一個含有慶祝與狂歡情景而放煙火的日子。倘若依照羅門的解釋，煙花節應該是一個獨立單元，它是含有慶祝與狂歡的意義，那麼在「煙花節」與「光榮伸不出手來接你們回家」之間，應該有個空格或逗點來點斷兩者之間的曖昧意義，使「煙花節」與「光榮」能在情感上貫穿，卻不會含混。

其實「煙花」原出於杜甫的清明詩中：「秦城樓閣煙花裏，漢主山河錦繡中。」後人常以娼妓喻爲煙花，而羅門設造這個煙花節的時候，大概沒有注意及此。

第三段，他仍然帶著強烈的嘲弄意味，「血已把偉大的紀念沖洗了出來，戰爭都哭了。偉大它爲什麼不笑。」這裏詩人仍然將哭與笑作爲反諷與對比，常常出現在傳統詩和詩劇中，且兩者是互依互存的，戰爭與偉大，犧牲與光榮都含有濃厚的反諷意味，而造成了一種戲劇性的對比。

而這種戲劇性的對比，是含有悲劇與喜劇的兩種成份的對比。

「七萬朵十字花，圍成園、排成林、繞成百合的村，在風中不動，在雨中也不動。」從字義上來看，是描那七萬座大理石十字架所構成的園林，能夠在風雨中屹立不動。但在字義的後面卻隱含著象徵七萬個壯烈犧牲的靈魂的偉大與不朽。

沉默是金，沉默又何嘗不是一種偉大呢？在馬尼拉海灣、在麥堅利堡，「鳥也不叫了，樹葉也怕動，凡是聲音都會使這裏的靜默受擊出血。」

出空間的隔離感，時間的流變，是構成麥堅利堡的最大的孤寂。活著的人，用鐘錶的刻度去計算生命的時間，而在麥堅利堡躺著的七萬壯士再也不會爲鐘錶的刻度所計算，再也不會因時光的流逝而悲哀了，他們已不再畏懼於被時空所擊敗的悲劇，他們已經完完全全的靜默，徹徹底底的逃脫了鐘錶的計算，而陷入於一種似永恒又不永恒，似眞實又不眞實的時空裏。在那裏「靜止如取下擺心的錶面，看不清歲月的臉。」

最後一段，詩人是企圖以動（浪花）與靜（碑林）的兩個畫面，作強烈的對比，所以說：「麥堅利堡是浪花已塑成碑林的陸上太平洋」，而成爲一幅悲天泣地的大浮彫，白萩認爲浪花與碑林不能建立比喩的關聯性。有關這一點，我是比較同意羅門自己的辯釋的，羅門說：「我們知道七萬座大理石十字架形成那片白茫茫的碑林，展佈在那遼濶的平面空間裏，給予我們視覺上的感受，是有理由去聯想成滿海的浪花的。」更重要的是羅門將浪花與碑林的交變中，呈現了時空的變位關係，他說：「麥堅利堡是太平洋的浪花已凝塑成碑林（另一活動形態的浪花）的陸上太平洋，此刻我們難道不爲這種空間變位而動心嗎？當太平洋的浪花（無論它是因砲火或那一陣風或自己開的）已換位成碑林的那種更茫然的『浪花』；海上的太平洋已換位成陸上那個更寂然的『太平洋』；一個流動的空間就這樣活活變成了一個凝固的空間，使世界呈靈出它更沉寂的靜態。」

羅門運用了「聯想的想像」（Associative Imagination），將浪花與碑林、太平洋與陸地彼此換位，而造成了一個新的意象。英國文學批評家溫齊斯特（C. T. Winchester）

把想像在文學表現上的性質之不同，曾分爲「創造的想像」、「聯想的想像」、「解釋的想像」三種：而創造的想像，是從經驗所得的種種事象，自發地選擇它所有這些創造的作用；而聯想的想像，是用一種事物、觀念、情緒，或情緒上類似的心象相結合的產物；解釋的想像，是作者主觀的認知某種精神的價値與意義，而藉某種事象表現出來，使其成爲這種事象的新意象。

羅門將浪花與碑林這兩個物象的換位，造成一種新的意象，而產生詩的內涵力。也許是因爲他過份重視意象的交感作用，使得很多讀者都不能進入他的詩境內；去感知他所要呈現的人類內在心靈世界之眞境。其實我們稍加沉思揣摩一番，也不難進入其內的；如浪花與碑林換位，產生意象的交感，我個人覺得比波特萊爾（Charies Baudelaire 1821-1868）、魏爾倫（Verlaine 1811-1896）、藍波諸人的詩中所運用的感覺性的交錯，要容易懂得多了。

從羅門的整個思想體系來看，他是一個主知詩人，對一切事物都較爲尖銳去觸及，且特別著重於人類內在精神世界之挖掘，所以，我說他是站在生命的高崗上吶喊生命的詩人。他的詩不是盆景，不是塑膠花，不是豪華客廳裏的裝飾品。他的每一句詩都是在強烈地鎚擊著人類的生命。

愛情、生命、死亡，以及人類生存的最後必然被時空所擊敗的悲劇命運，是架構其作品的精神基石，也是他始終把握著的創作動向。他的詩是要讓人去感，而不是讓人去吟哦的；他注重情緒的秩序，但不注重節奏，也許是他過份重視了人類內在精神面貌的急速捕捉，而忽視了詩語言的修飾，他的詩和論文都給人一種艱澀感。尤其是論文的句子，如果能修剪得短些，也許更能感人亦未可知。

「自由青年」五七三期一九七一年五月一日

# 論詩的境界

周伯乃

「境界」一詞，是我國歷來的批評家，爲了界定文學作品或藝術作品之價値的一個重要術語。但「境界」一語的本身，卻是非常曖昧而抽象的，它不像物理學上的名詞，那樣具有確切意義，或賦予具象性。它是隨著創作者和欣賞者共同架構起的一座屬於無限空間和無限時間性的塔，這座塔將恆久地屹立在人類的感知的世界。而所謂「感知」的世界，一則是屬於靈性的觸覺，一則是屬於知性的直覺。屬於靈性的觸覺，是一種感；屬於知性的直覺，是一種知。有人說：「詩的境界是用『直覺』見出來的，它是『直覺的知』的內容而不是『名理的知』的內容。」這裏所謂的「直覺」(Intuition) 是含有「見」而後「覺」的意義。在哲學上「直覺」一詞常常被視爲「直觀」同義。是指直接的領會，或知覺、判斷、認識等。換句話說，就是凡不經過推理與經驗之間接手續，而能成立者卽是。英文裏的 Intuition 原出自拉丁文的 Intucor 一語，是指直接認取的當前的事物，而與抽象的再現的知識，或由比量而得的知識之相對而言。

從直覺的用法而分，它所涉及的範圍甚廣，這不是本文所能概括的。譬如感性的知覺，是用以有別於概念的思考，而客觀的知覺，是用以有別於主觀的感覺。還有對現在事物的知覺，是用以別於再現的想像及產生的想像等等。另外還有「自我意識」，這是有別於外界事物的知覺，而專指內界之知覺的直覺。在美學上、神學上、道德學上都各有不同的釋義。在美學上認爲直覺是對於個別事物的認知。如藝術家之洞察美的價値，或鑑賞者之美的冥想，都是對美的一種直接認識。在神學上，對直覺的解釋，似乎較爲玄想，他們認爲人間可以直接與神靈交往，甚至神人可以合一，而神人交往或合一的那一刹間的心理狀態，就是直覺。至於道德的直覺，是指人間可離卻經驗，而直接領會道德的原理或悟及各個行爲之道德的性質。不過道德的直覺能否成立，至今尙爲直覺派與經驗派爭論不休。而康德亦嘗試經驗的直覺與純粹的直覺之別。前者是後天者，後者是先天的。他所謂的經驗的直覺，是指感性的知覺；而純粹的直覺，則指時間及空間。康德說：「苟欲獲物自身之積極的認識，必然人間具有知的直觀之能力。然而機械論之與目的論，可能之與現實，必然之與偶然，所由矛盾紛知不能融解者，以人間悟性中，缺乏此能力也。」康德和諸多哲學家一樣著重人類的悟性，人由悟性直接感受眞理，而不必轉手於推理、經驗等作用。

詩的境界，一則靠作者與讀者之間的共同架構起的「感知」作用，一則也靠作者的表現能力。而作者的表現能力之高低，是築就詩的境界之高低的最重要的一環。朱氏說：「詩的境界是理想境界，是從時間與空間中執著一微點而加以永恆化與普遍化。它可以在無數心靈中繼續復現，雖復現而卻不落於陳腐，因爲它能夠在每個欣賞者的當時當境的特殊性格與情趣中吸取新鮮生命。詩的境界在剎那中見終古，在微塵中顯大千，在有限中寓無限。」一個偉大的詩人，他所創造的詩中的形象，是鮮活的、明朗的。它能帶給人豐繁的聯想，「它是千變萬化的，它能使各種事物由大變小，由小變大；由動變靜，由靜變成動；由有變無，由無變有；由有生命的東西，變成無生命，將無生命的東西，付予生命。它是複雜而又單純，能發揮詩裏潛在的魅力。」

形象之塑造，全賴於詩人的高度表現技巧。詩內的形象鮮活與否，詩人的學養最爲重要所謂戲法人人會變，各有巧妙不同。一個有才能的詩人，他不但能隨時創造新鮮的形象，而且能把形象神化，它能使讀者從各種角度去欣賞它、鑑別它。使它產生各種不同的情趣和意義，在龐大而複雜的宇宙中，不可能有絕對相同的兩粒沙子。在不同的情景中，詩人所創造的意境自然就有大小、高低、深淺。

這種境界已不是常人所能悟及的，必須具有詩人一樣的心境，始能感出，這已近於一種「崇高」。而這種崇高是始自詩人的長期的沉思和反省，所悟及的一種境界，

正如羅門在貝多芬的交響樂中感悟出，一種崇高的感覺、一種超然的境界，他始寫下了「螺旋形的死戀」。從這首詩的標題上看，作者就運用了現代詩的象徵的技巧。螺旋形在事象的比喻，他是寫唱片上的紋路一直是向內旋轉的，而在象徵的意義上，它是象徵著現代人向內旋轉的生命的動向。作者在詩前面有一段小註腳，他說：「詩標題用了『螺旋形』三個字，對於有些讀者應該在此說明一下。顯然的，螺旋形是代表一種向內旋轉的深入的動向

——由於此詩是在音樂繚繞的『燈屋』裏寫成，從唱盤生產音樂時旋轉的情形以及精神隨著音樂向心靈深處旋轉的情形看來，都可聯想出一種多麼華麗且具生命感的『螺旋形』的形象，像建築那樣在我們的靈視中升起，使我們傾心且膜拜，同時螺旋形的東西在活動時更有著一種看不見底的奧秘，鑽進心裏去也比較牢——它象徵著一種特殊活動的精神傾向。」現在我們來看看他的詩：

門窗緊閉以堅然的拒絕
簾幕垂下完成那幽美的孤立
外面是消失在遠方的風
裏邊像波流涉及岸
全然絕緣後的觸及
是驟然在空氣中誕生的鐘之聲　電之光

這是詩人對「物化」的摒絕，而自囚於一個純粹靈性的世界。「門窗緊閉」這是一種具象形象，詩人企圖以具象的形象來隔絕現實的世界，然後把自己投入幽美的音樂的旋律中。「外面是消失在遠方的風」，這已暗示著外在的「物化」的世界已被那「堅然的拒絕」摒拒而且消失了，裏邊的世界是「波流涉及岸」的優美的旋律的世界，詩人在自築的音樂的孤境中救醒自己，在純粹的旋律中抓住自我的存有，在那個對外面完全絕緣的孤境中，詩人深深地感到生命是最充實的。因為他已自覺到純粹自我的存有，他已感受到那「驟然在空氣中誕生的鐘之聲，電之光。」這裏，鐘之聲和電之光，都是一種形象，這個形象所構築的意境是崇高的，幽美的，讀者可以感覺到那優美的旋律所射出的外延力——如鐘鳴，如閃電。這給人一種快速而又壯闊的感覺。

這一塊剪裁得多麼華美的空間
養一林鳥聲　著滿天雲彩
在目之外　座標之外　門牌之外
被鑽石針劃著大理石與水晶的紋路
連耶穌的芒鞋也不知它通往那裏
透明似鏡　光潔似鏡
純粹得如手中來回摸弄之物而呼不出其名

「這一塊剪裁得多麼華美的空間」，可能是指作者自己的客廳或書房，或者音樂房而言「剪裁」是表示修飾或裝飾的意思，換句話說，就是詩人已完全沉醉他自己所裝飾的華美的「燈屋」裏。在這裏我想順便提示一點，可能對他這首詩了解有助。羅門夫婦租賃一層樓房在臺北市安東街的一條巷子裏，雖然不是市心，但也具有市心邊緣的那種吵雜與喧囂，所以作者一開始就以堅然的拒絕，把門窗緊閉，企圖把市聲摒拒在門外。而他的客廳和書房、臥室都是相連的，客廳和書房都佈置得非常典雅，滿屋都是燈光，而這些燈光，都是作者自己親手設計的，利用種種現代工業的廢料，但經他設計後，這些燈光都顯得非常優美而諧和。

我曾經在一篇報導中說：「當我一跨進這座『燈屋』的時候，就發現一座貼滿了來自世界各國的賀卡的高高的燈塔，熠閃著逼人的光芒，它照耀著那一條長長的樓梯，樓梯的頂端是一排矮矮的木欄杆。推開木欄杆，給你的第一直覺，就是滿屋的耀眼的燈光，在燈光下陳列著滿屋的書籍，而最醒目的是兩幅巨大的莊喆的畫，給這個小小的而又佈置極其典雅的客廳帶來了濃厚的藝術氣氛。在充滿著藝術氣氛的客廳裏，有飄自遙遠的貝多芬式的強大的生命衝力，使人沉醉，使人覺出這一代的精神的覺醒。」由這一點對詩人的現實生活的瞭解，我們就較易推斷出他詩中所表現的生命力和精神境界。他說華美的空間，可能就是指他所生存那座現實的環境，「養一林鳥聲，著滿天雲彩」是寫音樂的旋律和優美的燈光所熠閃的光芒，這兩者揉和在一起，產生一種至美的境界。

「在目之外，座標之外，門牌之外，被鑽石針劃著大理石與水晶的紋路」，這是寫電唱機上的唱盤在旋轉，唱頭上的鑽石針劃著唱片的紋路在旋轉。這時，詩人已完全浸沒在優美的旋律中，他已進入忘我之境，「連耶穌的芒鞋也不知它通往那裏」了。「我便愛人般專情，順著旋律的螺旋梯，跌入那把握不住的彎形的傾向裏，直至心抓隱了那快活的死，我方醒來。」這是詩人完全進入到一種超脫的境界。他把他的精神集中於一點，像對愛人般的專情，這不但展示了作者當時對音樂的傾注，同時也暗示了他對他妻子的愛。

像鳥目睡醒在一樹綠色裏
一幢別墅坐著夏目明麗的花園

讓那光輕輕地從葉縫裏灑下來
讓那景靜靜地進入視境
讓那聲無聲地在莫名谷裏迴響

這五句詩所構成的形象，是至美的，這一種化境，作者已完全自物質世界超昇進一個靈的境界。像這種境界正合乎了我國有一句抽象的成語說：「只可意會，不可言傳。」羅門這種造境，已不是具象世界，所能告示出的感覺，而是要靠讀者高度的靈的觸覺，用我們的靈的觸覺去感知「那光輕輕地從葉縫裏洒下來」的至美，用我們的靈的觸覺去感知「那景靜靜地進入視境」的華麗。用我們的靈的觸覺去感知那聲「無聲」地在莫名谷裏迴響。在這裏讀者也許會疑惑於那聲「無聲」的矛盾語，但我們能稍爲放棄一點直覺所感悟的主觀意念(Idoa)，我們就不難感出那無聲的境界了。

「我已感知那相握　淚已滴響那靠岸的汽笛聲」這裏有幾種可能的象徵：一種是象徵作者與貝多芬的心境的相握。一種是象徵作者的妻子遠赴菲律賓講學時，而兩人的心靈同時碰觸在彼此的思念裏。也許是作者從音樂的旋律中，想像到他妻子對他的愛與別離後的哀思。於是，善感的詩人，便自強烈的思念裏，將「探視的眼睛沿著紅氈已找到那顆鑽戒」，「紅氈」是詩人在婚禮中踩着的紅色地氈，「鑽戒」是他倆結婚時的定情物，象徵著愛情的牢固、堅貞。所以當作者的妻子遠赴菲島時，他第一個最強烈的意念，就是回憶起婚禮進行曲中的莊嚴與肅謐，但也充滿著無限的溫情與愛戀。

怎樣也流不盡葡萄園裏的甜蜜
怎樣也看不停噴水池裏的繽紛
怎樣也拾不完睡嬰醒時眼中的純朗
驚喜得如水鳥用翅尖採摘滿海浪花
滿足得如穀物金黃了入秋的莊園

詩人把整個的心境都浸沐在愛情回憶裏，像葡萄園裏的甜美，像噴水池裏的繽紛，像水鳥用翅尖採摘滿海的浪花。像秋收時的金黃的穀物的充實。這都是作者對愛情的頌歌，但作者在運用現代詩的語言上，已經由形象進入到造境的境界，它所給人的感受，不是直覺的反應，而是要倚恃悟性。

當荷馬的七弦琴升起七個愛琴海
當音樂的流星雨放下閃目的珠簾
世界便裸於此　死心於此
　像含情的眼睛裸在睫毛的遮篷裏
　像綠蔭死於光與葉交纏的林中
多麼豪華的幽會　好端莊的風流
在上帝與凱撒都缺席的那次夜宴裏
我輝煌的神　以我的眼睛為座椅

電唱頭不斷地啃著唱盤裏不死的年輪
一顆螺絲釘為掛牢一幅畫在心壁上而鑽出聲來
一個漩渦為扭斷鐘錶的雙槳而旋轉的不停
沉靜的光流自燈罩的斜坡上滑下
我的臉容是一塊仰首在忘懷河上的岩石
　透明似鏡　光潔似鏡
　　收容一林鳥聲　反映滿天雲彩

從這裏我們可以看出作者對詞彙的修飾工夫，已到了爐火純青的境界。我們看不出半點矯揉或做作之態，但又似經過一再修飾和剪嵌的感覺。作者所給出的詩中的形象，是多變的、豐繁的。它不是直呈或有所具象的指涉，而是一連串的意象的重疊，我們像仰首望見纍纍的成熟的菓實，急欲從枝頭上掙脫而垂地的感覺。「當音樂的流星雨放下閃目的珠簾，世界便裸於此，死心於此。」這是詩人完全醉心於音樂中的每一個音符的敲擊中。作者所以用「流星雨」這個形象，只是用造境的方式，將貝多芬所創造的急促的節奏展出。這個意境很神秘，給人一種幽玄曚矓的感覺，一如那「含情的眼睛裸在睫毛的遮篷裏」、「像綠蔭死心在光與葉交纏的林中」。

我前面已經說過，詩的境界有深淺與大小之別。羅門在這裏所創造的境界，就是深的境界，他所進出的世界，是一個夢幻般的境界，似有深不可測的感覺。「一顆螺絲釘爲掛牢一幅畫在心壁下而鑽出聲來。一個漩渦爲扭斷鐘表的雙槳而旋轉的不停。」

作者對動詞的運用，似乎特別經過精心的設計，如「裸」、「死心」（原是副詞，被運用作動詞「啃」「掛牢」、「扭斷」等等，都是非常而且能給人一種新鮮活潑、確切而又朦朧的感覺

划入桑塔耶那眼中的藍湖
燈入罩　臉罩紗　蔭影藏住光的重量
景物以乳般的光滑與柔和適當我的視度
迴旋槳以千槳搖不醒我的醉舟
圓舞曲盪水波成圈　繞花朵成環
我便昏倒在那看不見圓也看不見弧的圓弧裏
如太陽睡在旋轉不停的星系中
再也看不清聖誕樹與火藥樹開的花
只感知在你常綠的銀華樹上
　青鳥是隻很帥的風信鷄

這一段仍然和前面的一樣，作者企圖以渾然的意象，造成朦朧的、神秘的美。「燈入罩，臉罩紗，陰影藏住光的重量」。在我國較前輩的詩論家，都主張詩有陽剛與陰柔之分，而現代詩也仍然存在著這兩種分類法。就以羅門的詩來說，他的「麥堅利堡」、「都市之

死」，就是屬於陽剛型的，而「螺旋形的死戀」就是屬於陰柔型的。陽剛的詩給人壯闊、雄渾之感；陰柔的詩，給人秀美幽雅感覺。羅門這首「螺旋形的死戀」一直是給人幽美、飄逸的感覺，像乳般的光滑和柔和。它使人有搖不醒的醉舟的感覺。

「仰望已成塔　眺望已成坡」是象徵著詩人對他遠離了的妻子的思念與愛戀。「在這一塊較眞空還純然無礙的空間裏，連空氣都死去。眼睛也隱入那深深的凝視。」這已說詩人的情感的專一，以及心境的寂寞，他把視線凝於一永恆的點，這個點就是他對藝術的專一，對愛情的專一。

永恆這刻不需陪襯　它不是燭臺銅與三合土
也不是造在血流上朽或不朽的虹橋
它只是一種旋進去的沒有攔阻的方向
　一種屬於小提琴與鋼琴的道路
　一種站在煙灰上的無限守望
　一種睡中的全醒
一種等於上帝又甚於上帝的存在
透明似鏡　光潔似鏡
　璀璨得如禮拜堂四壁的彩窗

作者以九個整句詩的長度，來形容「永恆」這一個抽象的意念。然而，「永恆」到底意味著什麼呢，沒有人能給予完滿的答案。任何一個詩人或其他藝術家都企圖自己的作品能夠永恆。而這裏的永恆，可能是指作者對愛情的永恆，也可能是他對自我的內在精神世界，所探索的藝術的價値的永恆。所以他說：「它不是燭臺銅與三合土」，「也不是造在血流上朽或不朽的虹橋，它只是一種旋進去的沒有欄阻的方向，一種屬於小提琴與鋼琴的道路，一種站在煙灰上的無限守望，一種睡中的全醒……」旋進去的沒有攔阻的方向，一則意味著電唱頭的鑽石針沿著唱片的紋路向內旋轉，一則也象徵著人類的精神世界，愈向裏探索，愈發現它的無限。小提琴與鋼琴的道路是指貝多芬的交響樂中的旋律。站在煙灰上，一則是指作者抽煙的行爲，從他妻子走後，企圖自香煙中摒拒寂寞，摒拒煩悶，這是有形的外在行爲，而事實上，作者的原意還可能意味著更多的含義。

「一種等於上帝又甚於上帝的存在」，這是詩人建築在靈視中的超昇，一種根本不可能存在，而又似存在的靈性的境界。「透明似鏡，光潔似鏡，璀璨得如禮拜堂四壁的彩窗。」於是，詩人「便像信徒般的專誠，緊緊地抓住另一隻十字架，去溺死在桑塔耶那的藍湖裏，潛入那個沒有什麼眞的會死去的螺旋形的世界。」

「銀華樹在那裏常綠，青鳥是隻很帥的風信鷄。」青鳥是幸福的象徵，而蓉子曾經出過一本詩集叫「青鳥集」，所以詩中的「青鳥」一則指詩人夫婦的幸福，一則也是頌歌她的詩集「青鳥集」而言。

羅門在這首詩中，所要展示的是人類向內旋轉的世界，愈往裏轉，愈能感覺出它的偉大與奧秘。而同時也表現了詩人的愛情的高超與崇美。從整首詩來看，他所創造的境界，是屬於形而上的精神境界。他表現了一種崇高的愛和幽美的情愫，這是詩人所要創造的永恆的生命。

一首詩的境界之有無，取決於詩人對意象的創造與把握，但境界有大小、高低、深淺之分，甚至於有我之境與無我之境，而這些都必須倚賴於詩人的學養與天資，因爲境界是一首詩的綜合表現，它不能抽取任一點，而使詩質存在。

「自由青年」一九七一年

# 詩的三重奏

## ——評介羅門的詩

呂錦堂

詩人羅門，是位才華橫溢的藝術家，他以敏銳的靈覺去從事藝術的探索，完成許多豐盈人類心靈的詩作，是一位享譽國際文壇的中國現代詩人，也是一位推動中國現代詩的健將，其作品無論在深度、廣度，和密度都十分完美，其詩作予吾人的印象是氣勢磅礴，富於陽剛之美，他將全生命投入藝術，擁抱藝術，故作品有著強烈的生命力。他曾說過：「藝術！優越與高超的人的食料，它已日漸成爲我靈魂之梯的扶欄，伸入奧秘之境。」藝術成爲他探索靈魂神秘空間的梯子，他以其詩人的氣質，探索出無數燦爛繁花，因爲他能在藝術的廣度上作橫的吸收，如古典音樂中，貝多芬的交響樂，蕭邦的鋼琴曲，較詩還早在他的生命裏邊，植下了那隨著歲月擴張的神秘與美的推力，那時，他也接觸了一些莎士比亞、海涅、歌德……等詩人的作品，那是在民國三十一年他進入空軍幼校的幾年裏，也就是在他十二歲以後的幾年中，他就接觸到這些藝術，而受到感染。我們也知道，羅門對於繪畫的靈敏度並不亞於一些專業畫家，因爲他能掌握藝術在本質上的共通性，而吸收溶化，成爲他在詩的創作上的養份。在藝術的深度上，他的作品不是表象的描繪，而是能觸及藝術的核心的，他在詩的創作上，已形成爲一種近乎宗教性的嚮往，所以他的第九日的底流，能創作出像貝多芬的第九交響曲那般的龐大，和有著顫慄性的美，當我反覆的讀著他的這首作品時，不由得使我想起了畫家尤特里羅所畫的教堂，是那樣的純淨，伸入天空。我們且聽聽詩人羅門他發自心靈的聲音：「詩與藝術是開發人類內在世界豐饒完美內容的力量，給我們以內在之目，去凝視肉眼所看不見的美的一切，給我們以內在之耳，去傾聽肉眼無法聽聞的美的一切，給我們以內在之手腳，去觸及四肢所捉摸不到的美的一切。於是，人類生存的奧境，便因此遼濶、深邃，且繁美了起來。」所謂「密度」，是指其作品的骨架、結構之完美性，藝術作品若缺乏完美性，則表示這位藝術家尚缺乏表達的能力，在技巧上不夠純熟，不夠精鍊，而羅門的詩作，在密度上可說是無懈可擊，我們可以信手舉出他的題爲「鞋」的詩作爲例：

### 鞋

樓梯口的那雙鞋
竟是天窗裏的一朶雲
山遥水遠　雲非樹

水遠山遙　雲非雲
雲只是那條永不能定名的路
鞋也是
遠方也是
天空裏的那片落葉也是

這首詩的意象很美，技巧也落於無形，鞋的漂泊，和雲的流浪，形成生命的無奈，然而藝術家卻看得很淡泊，這淨化的靈魂對於生命的無常已能看得很淡，而從「樓梯口的鞋」接下「天窗的雲」，如攝影鏡頭的推移，將我們從靜的世界，帶到動的世界，底下：「山遙水遠，雲非樹，水遠山遙，雲非雲」，就是一幅有著很美意境的水彩畫，再接著：「雲只是那條永遠不能定名的路」，「鞋也是」「遠方也是」，以視覺空間的推遠，帶動我們心靈空間的推遠，最後的「天空裏的那片落葉也是」，這一筆所寫下的休止符實在耐人尋思，呈現出「張力」。

我們可以說，羅門的詩作，就是一扇心靈之窗，我們欣賞他的作品，就好像「步入事物與生命的深處，將美的一切喚醒。」本文擬就「羅門自選集」裏的詩作，作個抽樣的欣賞，以和詩人共享藝術的奧秘。

## 二　詩之美

窗

猛力一推　雙手如流
總是千山萬水
總是回不來的眼睛

遙望裏
你被望成千翼之鳥
棄天空而去　你已不在翅膀上
聆聽裏

你被聽成千孔之笛
音道深如望向往昔的凝目
猛力一推 竟被反鎖在走不出去
　　　　　　　　的透明裏

在羅門的這首詩裏，所表達的是詩人的冥思，他在開窗和關窗的兩種不同動作裏，形成兩種不同的境界，前者開窗的動作，從「猛力一推 雙手如流」開始，是視野的開闊，也是思想的奔馳，詩人的思想逐漸的進入冥想的世界，如羽化而登仙，故謂「棄天空而去，你已不在翅膀上」，最後一段「猛力一推，竟被反鎖在走不出去的透明裏」，不但寫出了關窗以後，人類的孤獨感，也暗示了玻璃的質感。羅門的「第九日的底流」是首長詩：

## 第九日的底流

### 序曲

當托斯卡尼尼的指揮棒
砍去紊亂
你是馳車 我是路
我是路 你是被路追住不放的遠方

樂聖 我的老管家
你不在時 廳燈入夜仍暗著
爐火熄滅 院門深鎖
世界背光而睡
你步返 踩動唱盤裏不死的年輪
我便跟隨你成為迴旋的春日
在那一林一林的泉聲中
在你連年織紡著旋律的小閣樓裏
一切都有了美好的穿著
日子笑如拉卡
我便在你聲音的感光片上
成為那種可見的迴響

一

鑽石針劃出螺旋塔
所有的建築物都自目中離去
螺旋塔昇成天空的支柱
高遠以無限的藍引領

渾圓與單純忙於美的造型
透過琉璃窗　景色流來如酒
醉入那深坑　我便睡成底流
在那無邊地靜進去的顫動裏
只有這種嘶喊是不發聲的
而在你音色輝映的塔國裏
純淨的時間仍被鐘錶的雙手揑住
萬物回到自己的本位　仍以可愛的容貌相視
我的心境美如典雅的織品　置入你的透明
啞不作聲地似雪景閃動在冬日的流光裏

二

日子以三月的晴空呼喚
陽光穿過格子窗響起和音
凝目定位入明朗的遠景
寧靜是一種聽得見的迴音
整座藍天坐在教堂的尖頂上
凡是眼睛都步入那仰視

方向似孩子們的神色於驚異中集會
身體湧進禮拜日去換上一件淨衣
為了以後六天再會弄髒它
而在你第九號莊穆的圓廳內
一切結構似光的模式　鐘的模式
　我的安息日是軟軟的海棉墊　綉滿月桂花
　將不快的煩燥似血釘取出
　痛苦便在你纏繞的綳帶下靜息

三

眼睛被蒼茫射傷
日子仍迴轉成鐘的圓臉
林園仍用枝葉描繪著季節
在暗冬　聖誕紅是舉向天國的火把
人們在一張卡片上將好的神話保存
那輛遭雪夜追擊的獵車
終於碰碎鎮上的燈光　遇見安息日
窗門似聖經的封面開著

在你形如教堂的第九號屋裏
爐火通燃 內容已烤得很暖
沒有事物再去抄襲河流的急躁
掛在壁上的鐵環獵槍與拐杖
都齊以協和的神色參加合唱
都一同走進那深深的注視

## 四

常驚遇於走廊的拐角
似燈的風貌向夜 你鎮定我的視度
兩輛車急急相錯而過
兩條路便死在一個交點上
當冬日的陽光探視著滿園落葉
我亦被日曆牌上一個死了很久的日期審視
在昨天與明日的兩扇門向兩邊拉開之際
空濶裏沒有手臂不急於種種觸及
「現在」仍以它插花似的姿容去更換人們的激賞
而不斷的失落也加高了死亡之屋

以甬道的幽靜去接露台挨近開廳
以新娘盈目的滿足傾倒在教堂的紅氈上
你的聲音在第九日是聖瑪麗亞的眼睛
調度人們靠入的步式

## 五

穿過歷史的古堡與玄學的天橋
人是一隻迷失於荒林中的瘦鳥
沒有綠色來確認那是一棵樹
困於迷離的鏡房　終日受光與暗的絞刑
身體急轉　像浪聲在旋風中
片刻正對　便如在太陽反射的急潮上碑立
於靜與動的兩葉封殼之間
人是被釘在時間之書裏的死蝴蝶
禁黑暗的激流與整冬的蒼白於體內
使鏡房成為光的墳地　色的死牢
此刻　你必須逃離那些交錯的投影
去賣掉整個工作的上午與下午

然後把頭埋在餐盤裏去認出你的神
而在那一刹間的迴響裏　另一隻手已觸及永恆的前額

六

如此盯望　鏡前的死亡貌似默想的田園
黑暗的方屋裏　終日被看不見的光看守
簾幕垂下　睫毛垂下
無際無涯　竟是一可觸及的溫婉之體
那種神秘常似光線首次穿過盲睛
遠景以建築的靜姿而立　以初遇的眼波流注
以不斷的迷住去使一顆心陷入永久的追隨
沒有事物會發生悸動　當潮水流過風季
當焚後的廢墟上　慰藉自閤掌間似鳥飛起
當航程進入第九日　吵鬧的故事退出海的背景
世界便沉靜如你的凝目
遠遠的連接住天國的走廊
在石階上　仰望走向莊穆
在紅氈上　脚步探入穩定

七

吊燈俯視靜廳　迴音無聲
喜動似遊步無意踢醒古蹟裏的飛雀
那些影射常透過鏡面方被驚視
在湖裏撈塔姿　在光中捕日影
滑過藍色的音波　那條河背離水聲而去
收割季前後　希望與果物同是一支火柴燃熄的過程
許多焦慮的頭低垂在時間的斷柱上
一種刀尖也達不到的劇痛常起自不見血的損傷
當日子流失如孩子們眼中的斷筝
一個病患者的雙手分別去抓住藥物與棺木
一個囚犯目送另一個囚犯釋放出去
那些默喊　便厚重如整個童年的憶念
　被一個陷入漩渦中的手勢托住
而「最後」它總是序幕般徐徐落下

八

當綠色自樹頂跌碎　春天是一輛失速的滑車

在靜止的淵底　只有落葉是聲音
在眉端髮際　季節帶著驚慌的臉逃亡
禁一個狩獵季在冬霧打濕的窗內
讓一種走動在鋸齒間探出血的屬性
讓一條河看到自己流不出去的樣子
歲月深處腸胃仍走成那條路
走成那從未更變過的方向
探首車外　流失的距離似紡線捲入遠景
汽笛就這樣棄一條飄巾在站上
讓回頭人在燈下窺見日子華麗的剪裁與縫合
沒有誰不是雲　在雲底追隨飄姿　追隨靜止
爬塔人已逐漸感到頂點倒置的冷意
下樓之後　那扇門便等著你出去

九

我的島　終日被無聲的浪浮彫
以沒有語文的原始的深情與山的默想
在明媚的無風季　航程睡在捲髮似的摺帆裏

我的遙望是遠海裏的海　天外的天
一放目　被看過的都不回首
驅萬里車在無路的路上　輪轍埋於雪
雙手被蒼茫攔回胸前如教堂的門閣上
我的島便靜渡安息日　閒如收割季過後的莊園
在那面鏡中　再看不見一城喧鬧　一市燈影
星月都已跑累　誰的脚能是那輪日
天地線是永久永久的啞盲了
當晚霞的流光　流不回午前的東方
我的眼睛便昏暗在最後的橫木上
聽車音走近　車音去遠　車音去遠

這首長詩是羅門在民國五十三年出版的，他曾說過：「第九日的底流詩集出版時，我對詩的創作，才開始自熱愛轉變爲對其存在價值與意義的根本認知。」他的這首長詩，就如巴黎的鐵塔一般，自地面聳入雲霄，伸入那神秘的空間，其風貌就如鐵塔的幾何造型富於力學的結構，和冷凝的美感，並且進入默思的心靈，引起那無限深遠的感知。詩人意欲在此建立人類心靈的交融，以知性的筆調去觸及貝多芬那巨大的音樂，那是富於力感的，以及接近於宗教般對於人類善良，世界大同的膜拜，這首詩的意象，有如巴黎鐵塔上的灰色天空中，隱隱約約的閃現亮光，這是人類的心靈和神的交談，我們進入其中，如走進永恆，故詩人寫出如下的句子：「純淨的時間仍被鐘錶的雙手揑住」，而詩人崇拜藝術，就好像虔誠的崇拜著神一般：「窗門似聖經的封面開著，在你形如教堂的第九號屋裏」，在第「二」章裏的旋律，就如貝多芬的交響樂一般，以如歌似的聲音：「日子以三月的晴空呼喚，陽光穿過格子窗響起和音，凝目定位入明朗的遠景，寧靜是一種聽得見的廻音，整座藍天坐在教堂的尖頂上」，這些聲音能洗淨我們的靈魂，所以詩人說：「痛苦便在你纏繞的繃帶下靜息」，而世上的紛爭和不安在藝術的國度裏已經化戾氣爲祥和了：「掛在壁上的鐵環獵槍與拐杖，都齊以協和的神色參加合唱，都一同走進那深深的注視。」藝術的醇美，如酒般令人醉倒，所以詩人說：「以新娘盈目的滿足傾倒在教堂的紅氈上，你的聲音在第九日是聖瑪麗亞的眼睛，調度人們靠入的步式。」由於對於時間的敏銳感覺，在永恆和短暫之間，詩人以神秘的意象之美，寫出了如下的句子：「於靜與動的兩葉封殼之間，人是被釘在時間之書裏的死蝴蝶。」詩人的詩句乃是配合著第九交響樂的旋律而作著同樣的呼吸，當許多樂器交響以後，遂慢慢奏出靈魂上昇的牧歌：「當航程進入第九日，吵鬧的故事退出海的背景，世界便沉靜如你的凝目，遠遠地連接住天國的走廊。」，而最後一章的句子：「星月都已跑累，誰的腳能是那輪日，天地線是永久永久的啞盲了，當晚霞的流光，流不回午前的東方，我的眼睛便昏暗在最後的橫木上，聽車音走近，車音去遠，車音去遠」，這種描寫，給出一種意境，那晚霞，那遠去的地平線，構成寂靜的風景，而最後的聽車音走近，車音去遠，車音去遠」，更在寂靜中叩出音響，並逐漸消失於遠方。第九日的底流之長詩，風格雄渾，氣勢龐大，它和「麥堅利堡」以及「死亡之塔」等詩，都是羅門的詩作裏，典型的富於陽剛美的代表，它們富於悲壯的美感，意象繁複而晶瑩，如夜空裏閃爍的羣星，富於幻想和幾何的結構，詩人在這些詩中，不斷的探索生與死的問題，所以在「死亡之塔」裏透過了詩人之眼，他發出了如此的睿智：「生命最大的廻聲，是碰上死亡才響的。」羅門的詩除了陽剛美之外，也有他抒情的一面，如他的「廻旋的燈屋」：

### 廻旋的燈屋

芭蕾鞋尖將眼睛轉成那樣子
妳在廻旋的光中也就是那樣子
誰能在沒入渦流之後
　仍顧及兩岸的驚目
　　除了廻旋
　　除了層層的埋入
妳埋入我
我埋入妳
究竟這隻沉船該屬於那一種海底

這隻弦琴將敏感成那一種夜
只要一滴泉音便可驚動整座山
　一線風能癢及整個樹林
想及花景　妳已旋成春日
踩住太陽　妳已在降雪的峯頂
若火在冰層裏走成水聲
那條河被曠野拉了過去
妳我便是那隻鳥的雙翼
而所有的窗也都飛成鳥　響成洞簫
因為妳已被望與被聽得那麼遠

　當衆燈迴旋妳成繽紛
　千聲迴旋妳成靜默
那個步響　便一直沿著妳目之螺旋梯
　　　　　　　　　　迴旋而上
要那個世界有多高就有多高

這是一首富於韻律美的抒情詩，從首句「芭蕾鞋尖將眼睛轉成那樣子」到「究竟這隻沉船該屬於那一種海底」，以舞蹈的姿勢逐漸下降至底層的感覺，不論在形式的排列上，或是意象上，或是音韻上，都有著下降的感覺，而末段「那個步響便一直沿著妳目之螺旋梯」到「要那個世界有多高就有多高」，則讓人有著逐漸昇高至天空的感覺。又信手拈來的句子：「而所有的窗也都飛成鳥，響成洞簫」，那種悠遠的簫聲和窗的靜止，鳥的飛翔，構成的意境不是很美嗎？又如「只要一滴泉音便可驚動整座山」，形容靜止的感覺，眞是意象鮮明。

## 三　藝術的評價

羅門以藝術家的心靈，創造了藝術國度裏的「第三自然」，他在國際詩壇和中國詩壇的榮譽，應可稱爲一位桂冠詩人，但是，詩人認爲生命才是主要的建築物，而獎和榮譽只是繞著那座建築物的周圍，成爲一些好看或不太好看的風景與花樹而已。所以羅門的詩，是能邀我們去共渡那精神上的歡宴，進入生命的本體，他的詩作，有如透明的「精神晶體」，在夜的長空上，不斷的照耀著疲憊的心靈。

山水詩刊一九七八年六月十五日

# 羅門及其「都市之死」

張　默

像岩美第支（K. Armitege 英雕刻家）聳立青空有着半沉思的「生命之探究」。像莫拉維亞（A. Moravia）所擁有生命的「悲劇的峯頂」，像尼采（Mietzsche）透過嚴肅無情的考驗而終必是「勝利者」，像弗洛斯特（R. Frost）的「靈魂的鋼索」纏繞著他那複雜的心闈。……這一連串的比擬（也許並不恰當），祇是表現我在努力勾劃羅門時的一點影像的紀錄而已。

羅門早期的詩，特別是他在「曙光」中所現示的，可以說是一個澈頭澈尾的浪漫主義者。（有人稱他爲「新理想主義者」，我以爲並不恰當）像「加力布露斯」，「我心中永恒不滅的太陽」，祇有他這些作品，更可以佐證我的話是不虛的。往者已矣，一個人總是從牙牙習語而長大成人的，在現代詩的進程上，我們每個人都有最傷心和最軟弱的一刻，祇看延續時間的久暫而已。（甚至有些人一輩子跨不出）羅門從早期的「狂熱」，中期的「奔進」而到近期的「沉雄」。實足證明他的自覺性是非常高的，創作始於觀念，而觀念始於自覺，如果我們一輩子死守殘缺，固步自封，不知覺察當代藝術的浪潮，那我們的作品怎能追趕時代，超越時代，更遑論超越自我了，這是我首先要說明的第一點。

其次是，在現代詩的長程上，羅門的奔進是艱辛的，首先他要棄除浪漫主義的包袱（而那個包袱是他開始時所樂於背的），繼之要棄除語言的包袱（狹隘的抒情的），以及熱情衝動的，一時偶感的，未經冷藏與經不起考驗的……因之他的心靈的眸光必須探向個人所處現實的深處，作一種近乎「歷史性的挖掘」，由平坦直陳，一瀉千里而達至峯廻路轉，曲折迷離的境界，斷不是馬上可以臻至的。所以我在前面指陳他的奔進是艱辛的，不過如今總算走出來了，毋庸我說他已自知其堂奧，是以此刻的羅門雖然有著「身在此山中」的徬徨，而另一面他對某些現代詩人也懷有好感（像洛夫的詩），自不是沒有緣由的。

「都市之死」——充分洩示出現代人深厚的悲劇感，空漠感與幻滅感以及嚮往那不斷的「超升」。（注意「超升」二字）在那一連串詩人極其尖銳的潛意識的波濤中，他敲著世紀陰鬱的府門，一些廉價的死亡，一些酒液的夢寐，一些裸露的獸羣，一些掙扎的手臂，以及斷了的拉鏈，饑餓的頭顱，搖滾樂，絞架，彈簧門，斑爛的山谷等等，古代與現代爭吵，悲劇與喜劇擁吻，眞實與虛無交媾，一句話，它是現實被擠在人類裏的「靈魂的雕像」。該詩從「斑爛的山谷」開始，到「裝滿了走動的死亡」爲止，計六節，凡一百一十一行，（見作者「第九日的底流」詩集）我無法一一錄下，而改以重點評釋，這是不得不說明的。

現代是由古代延續下來的，所以一開始他就指出——

斑爛的山谷

氣笛的谷鳥不斷向他的主人瓦特歡呼
廿世紀超速得快要違警了

古代的光榮，在廿世紀閃光的速度下被輾碎了，這說明了隨文明而帶來的無情的殘酷，不錯「雕花的石壁」雖然有人流連，可是那能如「觀看錢幣流動的輪影」來得過癮，現代人的夢，即使是眞正的迷夢，我們也不得不從它的幾何型建築蔭影的夾縫中穿過，而嚐嚐它的鹹濕的味道。

都市是文明的心臟，我們不妨看看這文明的心臟，究竟出產些什麼，在第二節中，作者有最伶俐的陳述，我可以任意抽出幾句：「建築物的層次，托住人們的仰視」，「食物店的陳列，波紋人們的胃壁」，「凡是眼睛都成爲藍空裏的鷹目」，「神抓不到話筒」，「都市，你織的網密得使呼吸靜止」，「誰也不知道太陽那一天會死去，人們伏在重疊的底片上，再也叫不出自己」……就憑這些語句本身，羅門已是一個十足的創造者了。他把一已最尖銳的思維貫穿都市的心臟，而後輕悄地帶出上述這些富有極大暗示力的語句，「托住人們的仰視，波紋人們的胃壁，神抓不到話筒」……讀者不難想像這個世界是多麼擁擠，多麼忙碌與多麼庸俗不堪，但是作者在表現它時是幽默多於譏諷，暗示多於複述，動力多於姿勢，瞧，「神抓不到話筒」之句，既顯示出速度的巨大壓力，又顯示出作者在表現速度時還不忘記捕捉那種高尚趣味的悠閑神態。

人們不能老是把全付精神交給速度，交給踐踏不完的忙碌，交給蛆蟲蠶食的時間，因此他在第三節中，一開頭就指出揷著十字架的教堂，好像那才是減輕人類精神負擔的避難所，當我們迷亂，當我們一無憑倚，自會不自覺地走向「心靈之屋」，走向神父那裏去。但是那祇是暫短的休止符，你勢必還要回到現實裏來，所以一當你抖落眼眶上的十字架，一觸及現實的邊陲，你的人的原型又顯現無遺。

但步回街上　仍用眼去想造物藏在女人身上的秘密
仍去指認銀行窗口蹲著七個太陽

人是最原始的，也是最獸性的，所以海明威是非常討厭「神聖，光榮，犧牲」……這一類所謂偉大與不朽的空洞的字眼，我們身體隱藏在人性背後原始的黑暗與無道德感，自會同意海明威的這番話。

接下去作者更有令人顫慄的語句——

伊甸園設在較彈簧門還靈敏的日期裏　一碰就開
在尼龍墊上　在榻榻米上　文明如一條脫下的花腰帶
……
而腰下世界　是一光潔的象牙舞臺
教堂的尖頂　注射不入酒巴與咖啡室的黑色血管
十字架便也用來閃爍瑪麗半露的胸脯

這世界是不難垂察，道德的唾棄，文明的陷落……「而腰下世界，是一光潔的象牙櫃臺」，它們表面看似是那麼明潔，可是實質上卻把現實譏諷得淋漓盡致，作者常常有意是如此的，一種必要的過程，一種含有高度趣味的穿趣，在一篇較長的詩中，當情緒無限激湧時，惟恐熱情用力過猛，就這樣來它一下，是很有效用的。

自第四節開始，作者怕亂了一貫的「專神」(Concentration)，竭力壓制著自己的腳步，但大體上還是朝一個基調發展下去的，不過在觀察事物背後的世界，顯得更爲犀利，它預示人們在現實世界過度放縱與迷亂之餘的一種頽廢感，混沌感以及一種毀滅的影子時時刻刻伺機在興風作浪。譬如——

生命是去年的雪　婦人鏡盒裏的落英
死亡站在老太陽的座車上
　向響或不響的事物默呼
　向醒或不醒的世界低喊
……………
　刑期看來比打鼾在墊被上的睡眠還溫和

這些意象看似溫和平靜，實際上卻是最能令人靈魂躍動與舒伸的。他咒咀都市，可是他是含蓄的，富於魅力的。在第五節中，他有這樣的句子：「都市　你是不生容貌的粗陋的腸胃，消化著神的筋骨」，「你榮耀的冠冕，陷落在清道夫的黎明」，大家不妨仔細聽聽，聽聽這句所發出的聲音是什麼——是憤怒還是戲謔，這一節在表現上較前更為沉重，更為衝逼，如「日子急急毀於暴怒的獸聲，毀於機械的醒來」以及「掙扎的手臂是一串呼叫的鑰匙，喊著門，喊著打不開的死鎖」。那種被逼擠，那種被壓抑，那種被不得不燃燒的心火，而最後一聲「喊著打不開的死鎖」，好似令人恍然大悟又似一無所知，原來世界就是這麼回事。

在最後一節中，作者的情緒雖然略略下降，可是那具戲劇氣氛，「都市之死」。其實都市是不死的，只有人類不息的精神的火炬才能挽救它，必得要挽救它。

都市在終站的鐘鳴之前
你所有急轉的輪軸折斷　脫出車軌
死亡也不會發出驚呼　出示燈號
你是等於死的張目的死

「等於死的張目的死」，是何等的悲壯，是何等的不屈辱，為要看看現代的文明，為要看看更多的未知，他把自己藏在一具「雕花的棺」裏，以及藏在「裝滿了走動的死亡」的蔭影裏。它，就這麼悠悠地結束了，似給我們留下很多很多，但又似乎沒有——那份悲劇感、空漠感、幻滅感以及不斷又不斷的「超昇」。

一九六五年二月於左營　收到商務印書館一九六七年出版的「現代詩的投影」

# 羅門的「彈片・TRON的斷腿」

苦苓

## 彈片・TRON的斷腿

一張飛來的明信片
叫十二歲的TRON沿著高入雲的石級走
　走在斷樹望向摩天樓的漠然裡
而神父步紅氈　子彈跑直線
如果那是滑過湖面的一片雲
　也會把TRON的臉滑出一種笑來
如果那是從綠野飛來的一隻翅膀
　也正好飛入TRON鳥般的年齡

而當鞦韆升起時　一邊繩子斷了
整座藍天斜入太陽的背面
旋轉不成蹓冰場與芭蕾舞臺的遠方
便唱盤般磨在一枝斷針下

TRON是被越共彈片擊斷一隻腿的越南小女孩，她的遭遇登在五十七年十二月的生活週刊上，一個無辜的小女孩受了戰火的波及而斷了腿，自然是一件很可憐的事，詩人看了這篇報導，心裏有所感觸，就寫了這首詩來表示自己的悲傷和憐憫。

首先他提到「一張飛來的明信片」，這是比喩那塊飛來的彈片，明信片是傳遞信息的，但這張明信片傳來的可不是好消息，它使得年僅十二歲的TRON遭到厄運，每個人的一生都是向上走的，就像走在石級上一樣，但是TRON的腿斷了，使她就像一棵斷樹一樣，不能再向上了，只有漠然的看著高高的摩天樹，這就是她的命運吧！走在紅氈上的神父救不了她，而戰爭仍然在進行著。

如果打中她的不是一塊彈片而是「滑過湖面的一片雲」呢？或是「從綠野裏飛來的一隻翅膀」呢？前者代表安逸後者代表歡樂，這些都是年輕的TRON所應享有的，她本來就是愛笑的，鳥一般自在的年齡啊！然而這畢竟只是詩人的假想，畢竟只是「如果」，TRON的腿斷了，就像斷了翅膀的鳥一樣，再也不能盡情的翺翔了。

盪鞦韆是歡樂的，但若是繩子斷了　那該有多可怕！這就是比喩TRON在原本應該歡樂的環境裏所遭到的噩運，於是「藍天斜入太陽的背面」，再也沒有光明了，她的前途一片黑暗，溜冰場和芭蕾舞臺都成了她永遠不可能接近的地方，而如果生命是一首歌的話，她就是一張斷了針的唱片，再也不能繼續唱出動聽的歌曲了！

詩人運用比喻和象徵的技巧，使我們深切體會到一個斷腿女孩的痛苦，把他自己對TRON的惋惜和哀憐傳達給我們，使我們也爲這件不幸的事，一揮同情之淚，同時更了解到戰爭是多麼的無情與殘酷。

詩人坊詩刊一九八三年七月十日

# 以美學建築藝術殿堂的詩人

葉立誠

詩人羅門在詩壇享有極高的盛名，許多詩評家對他的詩作更是給予相當的推崇與評價，筆者多年來也一直探索詩人的哲思，以求更深切感悟詩人在詩作中所表現的獨特魅力。大部分的文學家或詩評家在評析羅門的詩作，似乎往往單一從詩的表層去觀察，而忽略進一步剖析詩人精神理念最純淨的詩質，尤其是這其中表現最明朗的藝術觀：

一、將創作以新的審美與觀物態度，產生具有現代感的創作空間。在創作過程把焦點移轉至較強的現代感領域，不論是材質的運用或色彩搭配，配合作品演出的時空，使其存在的定位獲得更深刻而傑出。

二、透過精神活動的深度建立起詩與藝術的完美性與純粹性。詩人在創作時除了注意如何表現掌握詩在脈動中的趨勢，尤能透過存在的特殊處境，產生心感，藉透視力從具象通向抽象，再由抽象回歸到另一具象，而緊緊扣住一切存在的活動質點。

從這二項詩人特有的哲思，不難理解羅門的詩能貴爲詩壇巨擘，及其間所散放的那分氣質。

論及至此，筆者試再藉羅門燈屋的造型藝術，實際的探討詩人藝術理念基礎。

凡是參觀過羅門的燈屋，都會驚歎詩人除了能將藝術理念置於詩質之中，也同樣能以點石成金的魔力，將這股「氣韻」表現在生活空間。

從詩人對生活空間的營造，我們不難看出羅門發揮了裝置藝術（Installation Art），並配合璧間的現代畫，所展現的拼湊藝術（Assamblage Art），即利用視覺藝術中的繪畫性、雕塑性與建築性的三種「合能」，來經營一個具體且含有詩質的美感空間，是一件藝術精品；更是一首用心靈感悟的視覺詩。

我們可以把羅門的藝術創作以美學觀點加以分析，與歸納出五項「質點」特性：

（一）運用畢卡索的「空間掃描」與「立體表現」觀念

它使世界由封閉的閉鎖容器，展現成透明的無限空間，獲得廣闊的視野，隨著移動的視點，而建立起多向的、多層面的立體美感空間。產生更富足的內涵力，而排除其平面性與淺薄感。

（二）運用加克美蒂的「壓縮造型」觀念

以雕塑特有所表現的壓縮、凝聚與冷歛美，獲得可靠的密度與質感。在意象視覺空間裏呈現，產生遠近大小強烈對比的美感效果，更深切把握一切存在的向內緊湊的力點，而有效控制整體存在堅強的結構性。

（三）運用布朗庫斯的「單純抽象」觀念

使衆多的形象，溶化於潛在的感覺之中，再從其感知的無形之中，也就是從全體形象的核心中，呈現出本質性的獨特形象，而成爲一具單純感的晶體，排除蕪雜與平庸性。

（四）運用康丁斯基的「律動美」觀念

詩人在藝術品的創作，以流動的形態，產生各種不同的聲韻與律動感，以形體轉化成悠揚的音樂性節奏感。使單一空間作品能共振出繽紛超時空意象，獲得生生不息的美感，而歸向高度藝術性。

（五）運用康利摩爾的「圓渾感」觀念

羅門對其作品的自始至終都是求得一種協調的美感，並以圓融的渾然之體與完整的穩妥之態，使詩境溶化爲中國人特有的精純渾厚臻至完美的境界。

這五個「質點」可以說是詩人在創作過程中一直本持的五項藝術意念，更驗證出羅門創作的觀點，即藉燈屋的造型藝術說明詩人藝術理念。

（A）詩人以開放的心靈去吸收世界一切美的事物，轉化成一切的能力，並將各種藝術主義及時空狀況均視爲創作體材，不論是「超現實」、「抽象」、「達達」、「普普」、「環境」、「裝置」，各種流派，羅門都能吸收其質素，最後透過繪畫性、雕塑性建築性三種視覺功能，轉化爲一整體而和諧的美感空間。

（B）「燈屋」的表現，不只是造型符號的敍述，更是生命與精神的象徵。諸如：「直展型」象徵人類不斷向頂端突破與超越，穿越永恆的精神狀態。「圓型」象徵圓渾穩定與和諧的生命狀態，及中國文人特有氣質的哲學觀。「螺旋型」則將「圓型」與「直展型」契合再延伸，象徵無窮的視野，創作人類生命與文化靈視新空間。

從對羅門「燈屋」造型藝術的探究中，不難發現詩人對古典派的描繪、印象派的點描或立體派的面構，都能表現出天、地、人三合一的人格風範，那樣自信篤實爲藝術空間再創新一層的境界，相信你我都確認羅門是現代詩壇最具代表的奇才子，更是當今藝術國寶級的生活大師。

藍星詩刊21期七十八年十月

# 超越時空的呼喚

## ——讀羅門詩集「曠野」有感

方　明



出書與結集，對年輕的作者來說，是一種喜悅與鼓勵，但對羅門而言，是對讀者的一份欣盼，對歷史的永恒交待，欣然的是在這物慾與靈知懸殊的潮流裏，有一種沈痛而淸晰的聲音，呼喚著千萬喧嘩而又茫然的靈魂，而人類的價值是被肯定在多元之性的內外衝激裏，持續建立與修正靈與慾的追求，畢竟這種活動是無止步的，而如何從這無止的伸探裏，尋求人類有限生命的恒久，這便是上帝使者所肩負的任務——也是詩人與藝術家的專利。羅門說：「我認爲詩人與藝術家是到上帝遼濶的眼界中去工作，領有上帝的通行證，那裏都可以去探望，這樣，方能充份擁抱與表現無數的「美」的事物與遼濶的生存境界。」

三十餘載與詩「死戀」，詩人羅門又有新的「結晶」「——曠野」，這本由時報出版公司策劃與鼎力推薦的詩集，像給沉寂一陣的詩壇注射了「強心針」，更帶給愛詩的人一種強烈的皈依與認同。寫詩與讀詩，必須同樣抱著莊嚴的態度及「孕育與承受」的痛苦，平時，我可隨意在任何時刻做任何事情，但對於讀詩，我必須選擇一個寧靜的時空，揉合溫馴和冷靜的情緒與詩的生命層層接觸，疊疊醞釀，與羅門曾強調：「在我看來，存在永遠是一種莊嚴且痛苦的抉擇，尤其是當你選中了詩與藝術，這種專注與全面投入的意念，是不容有偏差的。當你覺得世界上有更迷惑你的東西存在（例如：金錢與官位），詩與藝術便自動的遠離你……」這種心境是相同的。

從羅門的詩，我們明顯的察覺到他內心的廣體世界，從羅門的人，更容易被他那摯誠對詩的執見與傾吐，以及他平易近人的作風所感染，前者，可從他一系列異樣的詩作中尋得，如：

屬於戰爭的：

「TRON的斷腿」、「麥堅利堡」、「茶意」、「火車牌手錶的幻影」、「板門店38度線」、「望鄉」、「月思」、「自焚者的告白」。

屬於都市文明的：

「都市的落幕式」、「迷妳裙」、「露背裝」、「都市之死」、「床上錄影」、「咖啡廳」、「都市的旋律」、「瘦美人」。

屬於大自然的：

「山」、「海」、「雲」、「樹與鳥」、「觀海」、「曠野」。

屬於時空與死亡的：

「第九日的底流」、「隱形的椅子」、「死亡之塔」、「流浪人」、「旅途感覺」。

屬於人與自我的：

「目、窗、與天空的演出」、「螺旋型之戀」、「窗」

屬於生活中的實象：

「咖啡情」、「地攤」、「教堂」、「光住的地方」、「垃圾車與老李」。

後者，當你有機會走入「燈屋」與他談天，你會驚覺詩人的情感如同數根遍佈在教堂內的琴弦，只要你輕輕觸撥，便有千萬聲親切的廻響，使你更貼近他那莊嚴而又多情的世界。身爲一個卓越的詩人，羅門的確做到：「在你做爲一個詩人之前，應該是一個站在人類生存前衞地帶的人，勇於接受時空與一切的挑戰，並從挑戰中，體認出思想與精神，究竟是具有如何深度與廣度的東西，而將之提昇成爲詩的更爲卓越的境界。」羅門更一直強調「心靈」，無時無刻不以心靈作人類一切的出發以及歸依：「我始終強調心靈世界，是因爲「心靈」是詩人釀酒的「酒廠」，如果沒有「酒廠」，詩人幽美的詩思、智慧與人生經驗，放到那裏去「釀酒」呢。……世界上最美好的東西，都必須往心靈的深處放，往心靈的深處拿。」

有些詩人只沈溺在唐朝宋代，將生命投注於過去的輝煌及與現實脫節的懷古情緒中，而羅門卻能透過心靈的深度與廣度以敏捷的思維與創作的技巧呈現強烈的現代感，如：「猛力一推，雙手如流……猛力一推，意被反鎖在走不出去的透明裏。」「雲帶著海散步，帶著遠方遊牧。」「他踩著自己的影子，朝自己的鞋聲走去，一顆星也帶著天空，在很遠很遠裏走著……。」「張目是風景，閉目是往事。」

羅門稟性眞純，而且對於詩及藝術非常執著，以之面對現代高度競爭的工商社會，不但能「冷眼旁觀」這種叫囂荼毒人類心靈的結構組織，而且又必須以一種前衞的姿態挽救與指引迷失的衆生，這種「自我修練」與「物慾平衡」的心態，非有堅定的心力與正確的認知是無法做到的。

馳騁在超越時空的「曠野」裏，彷彿重新感受我們曾經熟識與交錯的影像，領我們突破事物外圍而進入核心地帶，這時，你會發現他對生命的龐大感覺，以及被他繽紛繁雜的意象所包圍。故以，我們很容易從羅門的詩裏聽到他個人強烈的吶喊，以及塑造「美的世界」的聲音。長期居住都市的羅門，並沒有被這匹華麗的巨獸所迷惑與筮吞，相反地，經過重覆接觸世態的冷漠後，我們可從羅門的詩裏，普遍發現他很成功的描寫出都市的現實，破滅、無奈。且不管羅門詩裏意象的連接與跳動，比較不遵守邏輯的結構，但他卻巧妙的借用外界的媒體呈現內心的超界，若你以感覺深入去讀時，就不難發覺自己沈浸在他充滿美感的世界裏，同時，他在文字技巧的喩意也有很突出的表現，例如在「曠野」詩集裏：

「猛力一推
竟被反鎖在走不出的透明裏」（窗）
「那隻鳥便在一聲驚叫中醒來
飛起滿目山水」（樹鳥二重唱）
「一叉上來　若是魚

必有歲月游過來
如果雙筷是猛奔的腿
必有飢渴的嗥叫」(餐廳)

張漢良說:「羅門是臺灣少數具有靈視的詩人之一,他寫反應現代社會現象的都市詩,是最具有代表性的詩人。」

蕭蕭說:「羅門的詩既有強大的震撼力,而他差遣意象確有高人一等之處。」

我想,或許在「曠野」裏,能得到更遼潤的印證。

「愛書人報刊」一九八一年十一月十五日

# 文字的藝術家

## ——讀「羅門詩選」的一點隨想

林文義

最近，讀「羅門詩選」（一九八四年七月由臺北洪範書店出版）——這本厚達三百七十頁，收集詩人羅門一九五四年至一九八三年，橫貫三十年的作品自選集，對於關心現代詩發展的朋友及詩人羅門本身，意義自是不凡。

羅門在現代詩壇，本身就是一個極爲特殊的文學個體，我所說的特殊是由於羅門的創作背景是從現代藝術出發的。早年的羅門參加五月畫會經常的聚會，五月的畫家們用抽象的線條，大膽的顏色，而羅門則用他充滿藝術家氣質的文字，成爲一首首動人詩作。反觀他早年的詩作（曙光時期一九五四——一九五七），充滿著歐式典雅的詩情，但一如當時奮力於詩創作的詩人們，作品的精神仍來自於歐美的各種詩潮，顯然可見羅門與他們那一代的詩人拼命從外來的意象中試圖掙脫，並且找尋自我的詩之風貌。

基本上，羅門是個強烈的人道主義者，在他的詩作中不乏對人類文明病態與對戰爭的譴責。羅門的代表作「麥堅利堡」爲集其大成——

死神將聖品擠滿在嘶喊的大理石上
給昇滿的星條旗看　給不朽看　給雲看
麥堅利堡是浪花已塑成碑林的陸上太平洋
一幅悲天泣地的大浮雕　掛入死亡最黑的背景
七萬個故事焚毀於白色不安的顫慄
史密斯　威廉斯　當落日燒紅滿野芒果林於昏暮
神都將急急離去　星也落盤
你們是那裏也不去了
太平洋陰森的海底是沒有門的

一九八四年四月十三日早晨，我獨自站在菲律賓馬尼拉近郊的美軍公墓，羅門筆下的「麥堅利堡」，這首詩彷彿像不遠處馬尼拉灣的浪潮，在我心中起起伏伏。我來印證羅門在一九六一年來到此地，並撰寫此詩時的心情，雖然相隔二十三年，但那份感動卻是緊緊相連的。

我一直覺得羅門是個「文字的藝術家」，在他多年來，描寫都市文明對人心侵奪與傷害，現實壓擠與無助的焦慮時，你幾乎難以想像，與女詩人蓉子共住在詩情畫意的燈屋裏的羅門是那般入世並且充滿對文明侵襲下，人類的深切關懷的；他的詩銳利而充滿著前瞻性，在他早期的詩作裏，已可以預知未來的種種，至今回顧，果然是實現了詩人當年那種前瞻性的隱憂與預測。

速度控制著線路　神抓不到話筒
這是忙季　在按鈕與開關之間
都市　你織的網密得使呼吸停止
在車站招喊著旅途的焦急裏
在車胎孕滿道路的疲憊裏
一切不帶阻力地滑下斜坡　衝向末站……——都市之死（一九六一）

一九六一年，羅門寫出「都市之死」，而今日的都市如何？這不是前瞻性獲得證實，是什麼？

羅門三十年詩的路程，在「羅門詩選」中一覽無遺，他的勤奮，他的文字大膽突破；在詩的國度中，他似乎永遠積極的向前邁進，而永不疲乏。他的文字印成鉛字時，那種排列彷佛是現代藝術的圖象，而這種文字藝術的激情焚燒了羅門三十年，到了這幾年，詩人畢竟逐漸老了，但老的是年歲，而不是詩的心靈。我們開始讀到他懷鄉的詩作，像極受稱許的「遙指大陸」，羅門感嘆的寫著——

他指的
是砲彈走過的路
血淚走過的路

他指的
是千里的遙望
孫子看不懂的鄉愁
順著他指的方向
直對著他看的
是他三十多年前的自己
青山般的站在那裏

這是詩人羅門的感懷，也是所有在臺灣的中國人的感懷。「羅門詩選」是一個重要的階段，它幾乎是羅門詩的旅程的大半生，後半生，創作力旺盛、強烈的羅門將給予中國現代詩壇更新的什麼？我們只能拭目以待了。

商工日報一九八四年十一月十八日

# 評介「曠野」

李弦等

## 一　評介「曠野」

李弦

羅門最近出版了詩集——「曠野」，在前行代詩人中他能持續的創作活動，而且依然保持其富於獨特風格的表現，這是當前詩壇中値得注意的盛事。

從早期，羅門就以獨特的心靈觀物，並以新的語言技巧表現其心靈世界著稱。這第五本詩集的書名，事實上也是他的意識中現代人心靈世界的象徵。因此，先談他的觀物方式：從傳統農業社會轉變向現代工業化的時代，羅門敏銳地感覺到：靜態的觀照，人與自然間的和諧、寧靜已經幻滅，而急遽，動盪的現代都市文明，勢必產生一種新的美學。羅門繼續在新的生存環境中，以他的審美經驗來彌縫人與現代自然間的關係：其中包括人與自然分離的困境，都市文明的種種荒謬……這些早期流行的存在主義所探討的主題，羅門仍舊持續地探索下去，曠野中的風景，在七〇年代邁向八〇年代的過程中，顯得較爲眞切而有意義。羅門是現代社會的都市詩人。

他的詩就是透過諸般藝術手法，想要進入新的自然與人類內在活動的核心，表現一種心靈世界。羅門廣範容受多種藝術媒體，很賣力地傳達他的現代感。「曠野」中仍舊不以敍述性的方式，而經由濃密的意象比喩、象徵，他不常作傳統詩中意象純然的呈現，而加以跳躍、羅列，其中有許多剪裁、拼湊，還有不少的超現實手法。因爲這樣，讀者也要賣力地參與，利用聯想去銜接那簡略，甚或不足的空白，而且自己去尋繹隱密於其中的邏輯發展。只有這樣富於創造力的讀者，才能進入羅門的心靈世界。只是這麼有耐性，且有原創力的現代詩讀者仍舊是不多吧！

古典的審美觀照中的世界，寧靜而美；而現代社會，工業成長中的中國人的心境，轉動而變化，羅門兀立曠野中，他能傳達出什麼訊息？他傳達訊息的符號能否讓讀者體會？凡此種種，對於現代詩的曠野，似乎將只有一些寂寞的廻響。

## 二 「曠野」的演出

陳煌

以追求藝術的永恒之心來講，羅門算是最能掌握其最內裏最震撼的那一刹那脈動的詩人。

遼濶的生命源力，在羅門的詩裏是時常呈現激盪一面的價值。這價值當它化爲詩而代表羅門的觀照和意識時，也許在他人的眼中並不似羅門自己想像中的重要，甚至有點顯得不可思議，但它的確給羅門自己產生最龐大而無限的力量，使他在詩的曠野上得以「柔靜」、得以「劇奔」，無遠弗屆。

對人性——或者談所謂的生命的詮釋，以及內心的審視反省，羅門似乎肯以整個心去投入，去透視！這點，表現在詩上的成就，不但在質量和數量上皆較其它的詩人都豐富，眼光尤鞭辟入裏。看來，羅門是一個永遠對生命忠誠而渴求自省批判的詩人。詩人擁有包容而空濶的心胸和觀念是十分重要的，這有助於自己在作品上註定廣度和深度。這點，羅門在「曠野」一詩中，可見功夫。

羅門一向慣用的手法是注生命之力量於藝術意境中，而深具「動感」，在其詩中頗爲多見。說得更眞確一點，卽是他的詩觀可濃縮成「生命」二字來代表。生命是活的，也是一切事態、現象、精神、意識、時空、宇宙，甚至詩心的主宰。捨「生命」，則一無所有，一無所得，也一無所成。

羅門了解這眞理，所以他把自己放在曠野的位置上，因可以前見古人，後見來者。也可以環視整個社會和人性，而一覽無遺。因爲，曠野所代表的不單單自然界的曠野而已，更是一整個藝術和生命的演出。

## 三　「曠野」精神

李瑞騰

羅門一直想要探尋的是純粹生命本體的存在，企圖藉著凝神觀照生命體在空間的形象，甚而通過表象以進入生命最原始的曠野。他之所以選擇寫詩做爲一生執守的事業，無疑是肯定透過詩之表現可以抵達他所欲追尋的終點。

寫詩近三十年，羅門不斷地走進深邃的心靈境域。就因爲如此，所以當讀者一接觸到他的作品時，很難迅速地走進他的詩世界。同時，紛繁的意象以及經過刻意經營之後的語句，也往往使得頭腦簡單的人裹足不前。

當他把自我理念放射到現實層面，去剖析披著彩衣的文明都市的一些潛在病根，或者是戰爭背後所蘊藏的無奈與苦難之時，他所關心的課題，仍然是，生命的存在問題：

・存在永遠是一種莊嚴且痛苦的抉擇。
・詩與藝術是對一切存在的真知與深見。
・詩與藝術家的存在，可說是內心對美的不斷追踪。
・詩與藝術能探視且提昇一切存在的完美之境。

基於這樣的詩之觀念，羅門以自我爲基點，一方面往內以挖掘心靈世界，另一方面則往外去追踪（反映或批判）客觀世界（事象、物象）的本相，雙線平行或交疊發展，是羅門從「曙光」、「第九日底流」詩集以降一直到最近出版的「曠野」的創作走向。

然而不管是內線或是外線，在羅門的理念中，皆是把「人」放在廣濶的「曠野」中去進行觀察或定位的途徑。曠野，雖與天空一樣是「不設門的」（「野馬」詩，見「死亡之塔」），但對於一個絕對自由的生命體來說，很可能連曠野都要「撕破」（「野馬」詩，見「曠野」）。有時，曠野具有「幽美的臥姿」（「瘦美人」詩，見同上）；有時，「殘廢的曠野／拉住瞎了的天空」（「板門店・三八度線」詩，見同上）。

所以我們就可以這麼說了：在羅門的理念中，「曠野」的「完美之境」，只是它「原本的遼闊」，它和其他的生命體一樣，會變形，會異化，做爲「曠野」詩集書名的那首「曠野」，所傳達的便是這樣的訊息，亦即本文一開始所說的，羅門的詩是企圖通過表象以進入生命最原始的遼闊之曠野。

## 四　尋找「人」的位置

蕭蕭

羅門是屬於二三十年來創作不輟的詩人，詩壇上多少的浪潮來了又去，他能處變不驚嗎？

約略而言，中國文化即是「人」的文化，羅門是不是曾經思考「人」的問題呢？「曠野」裏，「人」的位置在那裏？這是我翻開詩集後所要思考的唯一問題。

凡是一個眞正的「人」，必定具有他的「生命」與「使命」，生命是一種權利，使命就是一種義務，一個眞正的詩人當然更要有這種生命感與使命感，尊重生命，履行使命，中年詩人早該過了追求美與情的年齡，如果不能從生命中開發人的價值，體現人的尊嚴，仍然追求美、追求情、追求心靈，則他仍然是一個年輕的狩獵者而已。

如果審視「曠野」集中作品，能夠與鄉愁、事義結合的詩，往往是羅門的好詩。

### 茶意

──「茶！你靠鄉愁最近」

下午太陽無力地
　斜靠著天
疲累的頭一個個
　垂倒在椅背上
夕照與目光一同沉向
　微暗的水平線
整個視野靜入那杯茶中
　歲月睡在裏邊
　血淚睡在裏邊
　心也睡在裏邊
煙從嘴裏抽出一把劍
　無意中刺傷了遠方
　　一聲驚叫
沉在杯底的茶葉全部醒成彈片
如果那是片片花開　春該回

家園也該在
而沉不下去的那一葉
竟是滴血的秋海棠
在夢裏也要帶著河回去

這一首「茶意」與辛鬱的「順與茶館所見」，同具生命感，生命的滄桑，人的位置，都能從這首詩中標示出來，詩語言的犀銳又遠非青年詩人所可企及，如以下午太陽的無力引出疲累的頭，以「整個視野靜入那杯茶中」象徵一生的奔逐已進入晚年的平靜與苦澀，事實上又無法眞正平靜，沉思中、睡夢裏，往往致驚醒，彈片、家園，總會在最平靜的時候突然激醒他。

「板門店・三十八度線」、「遙望故鄉」、「火車牌手錶的幻影」、「自焚者的告白」「車禍」等詩，都能有鄉心、有事義，從其中透露生命感。正如羅門在「火車牌手錶的幻影」附註中所說：

「草鞋，是抗戰期間大後方常見到的鞋，踏在被彈片割傷『流血』的土地上，似乎較那經過橱窗地毯與柏油路方能同泥土接觸的皮鞋，更具親切感。從草鞋看亮晶晶的皮鞋，我們看見了幸福的生活；從亮晶晶的皮鞋想起草鞋，我們憶及過去苦難的歲月。」

苦難的歲月需要見證，請詩人來見證。

## 五 向精神困境突圍

陳寧貴

「曠野」一詩是羅門的力作，他有感於急速前進的現實，對人類常來了嚴重的迫害，逼得羅門不得不去注視、探討這個問題。

羅門詩裏的探索性極強，所以讀他的詩令人低迴不已，例如在他的名作「板門店・三八度線」裏的最後一段：「在用不著開槍的幾公尺裏／幾個沒頭沒腦的北韓士兵／不知爲什麼傻笑了過來／上帝您猜猜看／它是從深夜裏擲過來的一枚照明彈／還是閃過停屍間的一線光」刹那間讀者都怔住了，接著在心中興起松濤狂瀾。

羅門在「曠野」詩中，最後仍勸人回歸大自然，這和陶淵明寫「歸去來兮」說田園將蕪胡不歸？有異曲同工之妙。離我們現在一千五百多年前的陶淵明，曾經亟於尋回心靈的「曠野」，他所謂的田園將蕪，象徵著爲五斗米折腰的慘痛心靈。宋代的朱元晦，自認爲尋找到了心靈的「曠野」，有詩爲證：「半畝塘一鑑開，天光雲影共徘徊」，朱元晦是著名的理學家，他的「曠野」在書中。他是個典型的讀書人，祇要有好書可讀，便能達到羅門「曠野」中詩的境界：

廟選中了山的清高
十字架對正了天堂的座標
你把空茫磨亮成一面鏡

望著光開始流動的地方
泉水開始湧現的地方
花開始開的地方
鳥開始飛的地方
讓所有的路都能看見起點
所有的聲音都歸入你的沉寂

當然，羅門所尋求的「曠野」比朱元晦的還遼濶，這「曠野」是否在人間存在，關係著人類精神生活的禍福，如今我們感覺天地越來越窄，人的心胸越來越小；每天清晨開窗，迎面而來的不是青山綠水，而是一棟棟建築物，頓覺沮喪，「猛力一推，竟被反鎖在走不出去的透明裏」（羅門·窗）現代人的不幸就如此誕生了；更可憐的是，人們住在蜂巢似的公寓裏，把鐵門一關，誰也不理誰；據說在香港鐵門如果沒有三道，人們就沒有安全感。可見人與人之間，信任感已逐漸消失，每個人的天地、心胸都是爲容納自己而存在的，有時甚至連自己都容納不下，逼得人們挺而走險，道德因而淪喪，犯罪率因而提高。

「克勞酸喝得你好累／咖啡把你沖入最疲憊的下午」克勞酸原是提神的東西，卻喝得你好累，這有兩層意思，第一，現代人的累，不是身體上的，是精神上的，克勞酸對精神上的累是無益的。第二，現代人急於解除莫名的勞累，而利用現代文明的藥品，結果勞累還沒解除，卻衍生了另一種累。

「克勞酸喝得你好累」是「人從橋上過，橋流水不流」矛盾語法的運用，一正一反，一廻一旋，令人發怔、思索不已。至於「咖啡把你沖入最疲憊的下午」，也有兩層意思，第一，現代人喝咖啡打發無聊的時間，時間上打發了，卻一無所得，若硬要說有一得，那便是——疲憊；如果我們回想沒有咖啡的時代，我們的祖先如何打發時間呢？「一盃香茗把你泡入最悠閒的下午」——我想是如此。第二，「疲憊」幾乎成了現代人的象徵，克勞酸無法解，咖啡也一樣。這就成了值得探討的現代人精神困境。羅門在「曠野」詩中試圖突圍，但是仍在掙扎的階段，他能突圍而出嗎？我們且拭目以待。

## 六　回顧茫茫的「曠野」

林　野

二十世紀的科技文明，把人類的物質世界提昇到睥睨一切的峯頂，然而代之興起的，則是生物間的傾軋、賤害，不斷地削減著生存空間的共容性。現代人面臨著都市的壓迫感，被逼服膺於賜予生活溫飽的權威，忍受各種不能疏導的情緒，因而形成了普遍性的焦慮、抑鬱心態，逐漸轉向佚樂縱慾，乃將人類的精神世界放逐到虛無的荒原。

長久以來，直接源於都市景觀和人類生存層面的題材，一直爲詩人們努力地探討和詮釋。但探討此類的作品，多半由於語言的傳熱性和導電度不佳，或偏限於物象的表淺切割，以致不能激發強烈感情的痛覺反射，所造成的心靈震撼，也就不足爲奇。在當今國內詩壇，詩人羅門對於這些尖銳、猛烈的事物，始終投入最灼熱的觀照，可貴的是他對現代感的瞬間捕捉，透過冷靜的內省，精準地把高度活動性的意象和疊景，拉攏到靈視的圓心。從他的詩裏，經常可聽見血的聲音，都市譫妄的幻覺，同時也怵然看到現代人迷惘的表情。

在詩人燈屋的客廳和這本詩集的扉頁，羅門刻意安排了一扇窗戶。這扇原本用來眺望遠方的「窗」，此刻卻深深幽囚著現代人苦悶的困境，「猛力一推／竟被反鎖在走不出去的透明裏。」這種反覆徒然的動作，語重心長地說明了進退維谷，動彈不得的窘態，以下便是羅門推窗時所遭遇的阻力：

在「曠野」的長詩中，詩人目睹被破壞的生態和被文明汚染的大自然，發出了沉痛的控訴：

原始的大自然本是一望無際的遼濶，曾經是「最美的海報／展示著春夏秋冬的演出」，奈何隨著人類日趨頻繁的活動，「當第一根椿打下來／世界便順著你的裂痕／在紊亂的方向裏逃。」從此，在人類開天闢地之餘，天空已不再是天空，生存的空間愈來愈狹隘，於是「高樓大廈圍攏來／迫天空躲成天花板」，原野已不再是原野，河流壅塞，鳥獸匿跡，到處充斥著的是穿梭疾馳的現代獸——摩托車，於是乎「綠燈是無際的草原／紅燈是停在水平線上的落日」。現代人的生活緊張如扣緊的弦，爲了生存奔忙如蝗，汲汲於道，因此「克勞酸喝得你好累／咖啡把你沖入最疲憊的下午」，興奮劑畢竟不能消除白晝的疲勞，入夜後，支離破敗的心靈又不能獲得慰藉和棲息，祇好「把你的孤寂堆放在午夜的停車場上」，更糟糕的是置身在十字街頭，恍惚不知如何掌握自已的走向，才會有「是你忙著找路／還是路忙著找你」的絕頂荒謬。

詩人亦如同一般市民，在天天上班下班的過程裏，沉浸在沸騰的市聲，被那種廸斯可般瘋狂的節拍，像陀螺似地抽轉不停。然而詩人暗地摭拾了這些生活的片斷，把周遭的喧囂和擾攘，經過裝置在他內心深處，高性能的錄放映機，無比傳眞地轉播成爲一首快節奏，饒有現代感的高速「敲打樂」。

當都市的旋律隨唱盤開始旋轉，頃刻間卽從明滅的紅綠燈燈、車水馬龍的雜沓，跳躍出一連串喘不過氣的步伐，這種瞬間的位移，緊湊地構成整幅都市的鳥瞰。儘管處於如此喧騰的街市，難遣的疏離感卻如影隨形地掩至，以致「要知道下午／去問咖啡，要認識夜／去問酒」，咖啡屋的角落便有了沉思的影子，酒廊的桌檯上便有了買醉的蒼白靈魂。甚至要「抱得緊／去找黛安芬，要通通拉開／去拉YKK，要什麼也記不起／把鈔票丢下／去你的」，最後熬忍不住內心的寂寞空虛，祇好訴諸情慾的宣洩，去度春宵，去揮霍掉金錢和聲名。的確地，在都市旋律的尾聲，你可以看到許許多多攤瘓痲木的軀體，不能自拔地捲入霓虹燈的旋渦，掉進了都市埋伏的深淵，很可能他們遲早會成爲「要再見／不找昨日／要再見／找明天／要再見／找後天」，完全喪失生活目的之行屍走肉了。

不幸處於如此激盪不寧的時空，詩人們應同於任何一種偉大藝術的獻身者，積極而理智地規劃所目擊的窘境，並且透過藝術的媒體，分擔這些縱使醫學也不能解決的心靈苦難，協助重建人性尊嚴的定位法則，和肯定自我追求光明面的勇氣。寄望羅門在他恆久不懈的創作執著裏，不僅對物質鋒刃蹂躪過的都市文化大事撻伐，同時更能逐漸指引出人類返樸歸眞，重歸大自然的途徑，不再是四顧茫茫的曠野。

## 七　透過美感藝術

### ——談羅門的悲劇感

張雪映

「凡是善的事物都是自覺。」這是蘇格拉底的美學格言，而接近於上者的尤里波德思便是「凡是美的事物都是自覺的」然而，兩者皆是處於第二層面的自覺於事物中的美與善。就美的要素包括了時代性、永恒性之兩種層面而言；實則，一切美與善的流露，應是自覺地源於最原始的悲劇感之後，也就是說，一位具有深度詩人、藝術家，當他最初接觸到人生世界時，一定會發現這個有限的世界是痛苦的，一定對人生世界產生了悲觀的看法，倘若他沉湎在悲觀世界裏，就會灰色頹廢。然而，正因爲他是身爲美感藝術的創作者，所以，他必須冷靜客觀地從沉湎在悲觀裏，跳出來，進而在此有限的現實世界中去尋找一些象徵後無限、永恒等精神理念，而重新去肯定人生、生命的價値和意義。在此藝術造型所強調出的精神世界，亦是經由體驗過人生憂患後的悲觀態度再產生出具有淨化力量的悲劇精神。

由於近世紀科技的進步，悲劇精神也漸消失了。生活在機械文明的大多數現代人，一切講求近利，躭於追求物質的享樂，而缺乏一種面對憂患、面對人類生存環境的悲劇所激發的悲劇感。而羅門正是一位較爲「直感」的詩人，他直接地「自覺」於人類內心最原始的生命力之悲劇精神，我們可從羅門大量作品裏，窺出他面臨現代；都市文明與戰事與死亡與自我的關係，在在呈現出羅門直覺地引發出內心所欲渴求的超越性，欲藉著他所勾勒出來的媒體意象，引導著同感的讀者走向孤寂沉思的高峯，欲運用出他所深覺得較爲超越性的動感語言，加速著讀者血液的循環、與強調出內心的震撼。在羅門諸多的詩作中，「麥堅利堡」正是一首最爲成功地達到了上述的境界。我們要知道，一位成功的詩人，不單只是因爲在他敏銳的心眼中，能發現自己置身在許多生動而活潑的形相中，他更能夠透入這些形相最內在的地方。而不是以一種過份複雜而抽象的方式去看一切原始的美感現象，要將呈現在他眼前的具體事物以代替概念之象徵的形象，巧工地「隱喻」之，絕不是把某些個體零碎的特徵連在一起的集合體。而是能達到那，既可加速血液循環，又可帶來沉思美酒所具有的神奇組合。相對於讀者，也就能夠透過美感藝術而激發出生命的活力來，這將是詩人藉著這種悲劇精神，所產生的淨化力量，藉用著成功的藝術作品！美化人生、美化世界。

〔註〕撰自「陽光小集」詩刊一九八一年夏季號製作的「羅門與蓉子的詩情世界」專輯中的有關評介。

# 羅門的悲劇意識

洛楓

生命，是一趟悲劇的苦戀，戀愛的對象——命運——是善變的情人：飄忽的音容固然捉摸不定，玄幻的個性更是覓尋無跡，而他偏又以喜怒哀樂、悲歡離合來逗引，引得載滿慾念、理想的凡軀輾轉於生老病死的循環裏，直到油盡燈滅的時候，仍念念不忘許諾的盟書：要以超越時空的意志，求證今生今世存在的實感——透過生活，透過藝術，甚至是哲學的理念！然而，苦苦的癡纏裏，失敗了的便落得無聲無色地消失，提昇了的卻遺給後人一道血印斑斑的光環，繞得永恆……

生死兩極的拔河中，人類既不停地尋求歸向自我選擇的目標，卻又不斷意識這條繩索上的步步驚心，於是便產生了生命的悲劇感。西班牙哲者烏納穆諾（Miquel de Urumuno）認爲生命的悲劇意識（the tragic sense of life）包含著生命自身和宇宙的整幅概念，以及或多或少系統化的，或多或少有意識的整幅哲學，這一種意識不但是個體的人擁有它，它也可能爲整個民族所有①；換言之，生命的悲劇感是人類對內在自我以及外在世界的掙扎與苦難，透過觀察、體認、感受、轉化和昇華等認知過程，從而建立面對的態度和觀念。

相信文學作爲藝術的永恆性，便會明白藝術印證生命的越超性——詩人羅門，選擇了詩歌最精緻的語言，搖盪心靈美善和性情，謳唱沉厚的哀歌，向悲劇的生命世界提出反省與思量：反省人類悲劇命運的種種因果，思索通向永恆的路向……

喀爾（Karl Jaspene）在《悲劇的基本特性》（Basic Characteristics of the Tragic）中指出，生命最大的悲劇不是對苦難與死亡的默想，而是當人類捲入由自己親手製造的禍害裏，無論性命、意志與潛力都全然毀滅的時候②。依我看來，戰爭最能表現這種悲劇特性，因爲它具備了種種矛盾的意義——人類既是它的創造者，又是它的受害者；人類利用它來保護自己的生命、民族與疆土，卻又用它來破壞別人的。這種潛伏正負兩面力量的作爲，往往容易產生悲劇的震撼性，羅門的「麥堅利堡」便是最好的證明，詩端的副題指出：「超過偉大的／是人類對偉大已感到茫然」，跟著又寫道：「戰爭坐在此哭誰／它的笑聲曾使七萬個靈魂陷落在比睡眠還深的地帶」，「血已把偉大的紀念沖洗了出來／戰爭都哭了偉大它爲什麼不笑」，「哭」與「笑」、「偉大」與「茫然」都是相對的情操表現，詩人巧意的安排，是爲了給全詩營造「反諷」（Irony），這七萬座紀念第二次大戰美軍陣亡的大理石碑，既標誌著太平洋悲壯的戰況，也象徵了人類悲慘的命運，而在時間的沖洗下，卻又變成「死者的花園、活人的風景區」，在這充滿諷刺性的氣氛下，作者感到了死亡的重壓；此外，詩人還運用了時間意象——「靜止如取下擺心的錶面　看不清歲月的臉」，「在月光的夜裏　星滅的晚上／你們的盲睛分不清季節地睡著」，「空間與空間絕緣　時間逃離鐘錶

——來展示戰爭悲劃的永恆性，如果歷史是前人遺留的經驗與教訓，那麼，對於麥堅利堡透過「痛苦」換來的「偉大」，站在「建設性」與「破壞性」的雙重意義上，我們該予以肯定還是否定的價值？而詩人羅門，賦予的似乎是更多的同情與悲憫：

「麥利堅堡是浪花已塑成碑林
　的陸上太平洋
一幅悲天泣地的大浮彫
掛入死亡最黑的背景
七萬個故事焚毀於白色不安的顫慄
史密斯　威廉斯
當落日燒紅滿野芒果林於昏暮
神都將急急離去　星也落盡
你們是那裏也不去了
太平洋陰森的海底是沒有門的

亞里士多德（Aristotle）認爲悲劇的力量在引發人類情緒中的「恐懼與同情」（fear and pity），羅門的「麥堅利堡」在這方面是成功的，詩中不但充滿了死亡的壓迫感，而且還隱含對生命嘲諷的意味，迫使人類反省戰爭的意義和價值，羅門曾說：「人類一隻手從戰爭中握住了『偉大』與『不朽』，另一隻手必須握住人的『血』……戰爭是一幕冷酷的悲劇，往往連上帝都無法導演和正視它，但人必須面對它，在兩排刺刀相對逼近之間，被推進去的是『人』，逃不出去的也是『人』；於是戰爭往往將人類從悲壯的情境，推入對苦難命運產生沉痛的默想之中，可是人類仍是逃不過它。」③對於不能自主的戰爭悲劇，有人徹底的投降了，拒絕思想，有人偏激地詛咒、否定和排斥，像海明威（Hemingway）。而羅門不獨沒有躲避，還以人道主義的精神反省戰爭雙重的個性，「麥堅利堡」中，他從歷史角度上肯定了戰爭的偉大與不朽，卻又從人道主義的精神上爲那七萬條犧牲性命感到悲哀？或正如烏納穆諾所說，人爲了保有自己，以及對於不朽的永恆渴望，而有悲劇性的掙扎④，或許，正因如此，生命才有矛盾，人類才對自己的「偉大」產生「茫然」！

羅門的另一篇詩作「彈片·TRON 的斷腿」，更進一步利用生命原應具備的光明面對照戰爭死亡的陰暗，根據作者自注，TRON 是被越共彈片擊斷一隻腿的越南女孩，對於一個只有十二歲的小孩來說，生活該是「滑過湖面的一面雲」，讓她的「臉滑出一種笑來」；也是從綠野飛來的一隻翅膀，讓她「飛入鳥般的年齡」；可是活於戰火中的人，必得面對殘缺不全的命運：

「而當韆鞦昇起時　一邊繩子斷了
整座藍天斜入太陽的背面
旋轉不成溜冰場與芭蕾舞臺的遠方
便唱盤般磨在那枝斷針下」

「鞦韆」、「藍天」、「溜冰場」、「芭蕾舞臺」原是生活所應備有的青春與活力，然在炮火的洗禮下，這一切都給扭曲異化了，變成不完整的、缺陷的生命。戰爭的破壞性在這首短詩中實在表現得很透徹，當人類基本的生存權利都不能掌握的時候，思索的恐怕已不再是「偉大」與「不朽」的問題了，而是「神父步紅氈／子彈跑直線」背後的價值取向，羅門在這裏是肯定了戰爭對人類冷酷的摧殘。

「生年不滿百，常懷千歲憂」，伴隨戰爭而來的是「死亡」，它是人類共同的命運，誰也逃避不過，而詩人羅門卻要「透過死對生命認知」，並且說：「生命最大的廻聲，是碰上死亡才響的」。站在『死亡之塔』上，我更看清了生命」；我總相信，人類的勇氣在面對死亡的瞬刻會更具光華！

「未知生，焉知死」，死亡的形相究竟是怎樣確實沒有人能夠知曉，仍舊呼吸於既定的時空裏的生命，對於死後的世界只能憑間接的經驗，如哲學沉思、宗教信仰等來聯想那片虛無完全沒有暗示的天地；然而，死亡只是一種形式，用以結束有限的軀體，開展另一種存在模式（mode of existence）。羅門在「死亡之塔」中表現的便是他對死亡的觀照，詩的起端利用了黑暗遮掩光明的意象，勾劃死亡的形象：

「當落日將黑幕拉滿
帆影全死在海裏
你的手便像斷槳

沉入眼睛盯不住的急流裏
抓不住火曜日
握不住陽光的方城
也划不動藍波的醉舟」

在詩人眼中，死後的世界是握不住光明的，至於「誰也不知屬於那一季／而天國只是一隻無港可靠的船」，更指出死後的無所歸向，這是詩人在初步接觸死亡時的懷疑：「將視線收回來好苦啊」，是作者對「生命」的眷戀，「地球也哭著回去」，是詩人對「死亡」的痛傷。

可是，當他從死亡的燃燒裏領受毀滅以外的訊息後，對生命便有了新的認知：

「當焚屍爐較郵筒還穩妥
一封信在火途上快遞
我便清楚地讀到　主啊
你在用骨灰修補天國」

假如「天國」是死後人類的歸所，而它又具備了「人間」的「屬性」，那麼，透過死亡，生命將有更深廣的完成，這時候，「生」與「死」再不是兩種相對的抗力，而是合一的完成：

「主啊　你如果就是那扇啓閉的百葉窗
在兩根繩來回的反拉裏
便有一輪月從產房衝出

　一黑夜釘入棺蓋」

生死存亡原來也不過是「百葉窗」的一啓一閉，或白晝黑夜的輪替循環，這一正一反的兩極，是個體存在的兩面；只是當人類正式步入死亡以後，便脫離了時空的限制：

「當永久的假期寫在碑石上
你是那隻跌碎的錶　被時間
永遠的解僱了
自由脫離它鐵絲網的婇母
强風找不到它森林的鏡子
退潮帶不走它抱過的岸
你便步出自己　逃離脚印
　逃離路」

羅門自覺意識裏，「死亡」不過是有限的軀殼在有限的時空裏的結束和消失，並非全然的毀滅無存，死後的人依然具有「形相」，可以「步出自己逃離腳印逃離路」。確實的，有限的時空無疑是對生命的威脅，沒有人能「活」於時空以外，除了死亡，由於無法抓住光陰的流轉，於是更加深了死亡的暗影：

「追思日　亡友的臉不再是
　一枚光亮的金幣

誰肯老待在冷風裏
苦苦去認出昨日的風
誰又能在燈滅後
仍一直抓牢那影子
當一年十二個月從壁上走下來
長短針跑在沒有刻字的鐘面上
生命只是一堆天色
摺在那把黑傘裏
一堆浪聲 疊在風中」

在歲月的擺動中，「生命」依存「死亡」而來，如「一堆天色摺在黑傘裡」，「一陣浪聲疊在風中」，「死亡」是生命，時間刹那的凝結，當生命與時間互相脫離以後，無人能夠改變「死亡」的現實。由於「死亡」是無可轉逆的，使人容易對「生命」也產生難於掌握的茫然：

「而我們總是握住掌心
而不知手在那裡
總是想不出鳥飛出翅膀的時候」

「握住掌心」就是把持「生存的意念，「不知手在那裏」卻是指對整體生命——生老病死

——在整體宇宙世界——時間和空間——的無可歸向；鳥飛出翅膀是超越「死亡」的意圖。將這種種的茫然結合，迫使詩人冷靜沉思「生死」的問題。表面看來，生與死是兩項互相排斥的力量，各不相容，然而，在個體存在的本質上，生與死是相輔相成的，透過生存使人了解死亡作爲終結，藉著死亡便可認淸了生存的局限，而人類就是寄身於這兩極之間的時空內，能夠超越者必能提昇「死亡」，步入永恆：

「而它是光　我們是被透過的玻璃
它是玻璃窗　我們是被納入的風景
它是造在風景上的塔
我們是被觀望的天外」

這裏的「它」是指「死亡」，異於詩的開端，作者已意識到死亡的本質，以及死亡與生命的關係，所以他不再用陰沉的意象描劃死亡的形相，相反地他利用了一種「透明」的色彩來點染，一方面賦予死亡明亮的形相，一方面給予正面的肯定，還企圖以死亡來超越生命的時空——「它是光　我們是被透過的玻璃」，死亡的力量，能穿透我們既存的生命；「它是玻璃窗，我們是被納入的風景」，死亡的涵攝量，能包容整體的生命；「它是造在風景上的塔　我們是被觀望的天外」，死亡的提昇，能將原是局限的時空生命推向永恆——在這個層層遞進的認知過程裏，詩人曉得透過死亡來認識生命藉著生命來肯定死亡，並將生與死的概念融化在一個永恆的觀念裏，從而提昇生命，超越死亡，而步入恆久長存的時空內……

每一個時代都有每一個時代沉重的包袱：上古的人類爲著生存的基本問題已經傷透腦筋，而文明都市裏的現代人偏又要面對同樣的疑難，只是從前搏鬪的是自然，如今搏鬪的卻是物質與精神的種種衝突。現代人的空虛痲木、徬徨孤絕，所面對的靈肉與信仰、生命與生活、現實和理想等問題，已絕非一個時代一個地域裏一小撮人的痛苦，而是全球性人類共同的憂慮，可不是嗎？當艾略特（T. S. Eliot）悲吟於「荒原」（the Waste Land），狄勤生（Emly Dichinson）苦誦於孤絕（The Myistery of Pain）的時候，早夭的王尚義呼喚「從異鄉人到失落的一代」和「現實的邊緣」，而詩人羅門卻選擇了中國現代的語言，爲文明時代種種陸離的現象留下印證。

「都市之死」長達百多行，全詩共分五節，每節集中敍述都市某項腐敗的特點；詩的開端寫出了生活的機械化：

「建築物的層次　托住人們的仰視
食物店的陳列　紋刻人們的胃壁
橱窗閃著季節伶俐的眼色
人們用紙幣選購歲月的容貌
……〔略〕
人們抓住自己的影子急行
　在來不及看的變動裏看

往來不及想的迴旋裏想
在來不及死的時刻死
速度控制著線路　神抓不到話筒
這是忙季　在按鈕與開關之間
……〔略〕」

都市的節拍是急促的，不容停歇的步伐中人們已欠缺思想靈魂的時間，而變成機械化的行屍走肉，生活變成「按鈕與開關之間」的「忙季」，文明人的悲哀便是麻木與虛空，急旋造轉的時代裏，抓不住半點自我和喘息的機會，連「歲月」也是「用紙幣選購」的，而「腳步是不載運靈魂的」，因此，現代人在文明都市生活的催迫下，只餘下機械化活動的軀殼！然而，這個靈魂空虛的軀殼裏，卻並非一無所存，而是隱藏著熾熱的肉慾，詩的第二節，詩人的筆尖劃破機械的軀殼，直刺入人類腐化的露魂深處，表現了都市文明人對性慾獸一般的渴求——「伊甸園是從不設門的／在尼龍墊上　榻榻米上　文明是那條脫下的花腰帶／美麗的獸便野成裸開的荒野／到了明天再回到衣服裏去／回到修飾的毛髮與嘴臉裏去」——都市的人利用華麗的裝飾掩藏了內心的汚穢，他們的靈魂是不潔的，這種人類原始的慾念在道德瀕臨瓦解的年代表現得尤爲迫切和瘋狂，那時候，宗教已失卻其淨化靈魂的力量：「那神是不信神的那神較海還不安」，「十字架便只好用來閃爍那半露的胸脯」，所謂「文明」(civilization)

在這段詩裏便充滿了嘲諷意味，「文明」所開發的恐怕只是人類原始的性慾吧！

既然人類機械的軀殼裏是一具充滿獸慾的靈魂，那麼他們的生命便是一片蒼白沉落了，詩中第三節披露的便是都市生命的沒有生氣：

「去追春天　花季已過
去觀潮水　風浪俱息
生命是去年的雪
婦人鏡盒裏的落英」

「時針是仁慈且敏捷的絞架
刑期比打鼾的睡眠還寬容
張目的死等於是罩在玻璃裏的屍體」

機械化的都市節奏，滙合無休止的慾念放縱，便形成了生命的了無生機，文明人變成了「活著的死人」（Living dead），一具沒有思想感情的「屍體」，當這種都市悲劇不斷延續的時候，人類的生命只會越變得徬徨沒有出路，終至滅亡，這是詩歌第四及第五節所表現的旨意——「誰能在來回的踐踏中救出那條路／誰能在那種隱痛中走出自己撕裂的傷口／誰能在那急躁的河聲中不捲入那渦流」——這是帶點無助的宿命，都市生活與文明精神的墮落，在詩人眼中是一把「打不開的死鎖」，而死鎖背面的卻是一道沒有轉機的衚衕：「都市在終站的鐘鳴之前／你所有急轉的輪軸折斷，脫出車軌」，「都市在復活節　一切死得更快」。在羅門的筆下，都市文明對人性、靈魂的摧滅的終點是「死亡」，這裏的「死亡」不是肉體上功能的停止，而是精神、靈魂的腐化，「一具彫花的棺，裝滿了走動的死亡」，不但意含諷刺，也暗示了人類葬身物慾的悲劇。其實，「都市」與「戰爭」一樣，是人類憑藉智慧建立而成的，兩者都本存無限的潛力，可以築起更豐盛的生命，也可以破壞原有的自然秩序，人類既擁有無窮的力量創造和毀滅，生命的悲劇便由他們主動的導演和被動的主演。悲劇論者常以爲悲劇的根源在於人類無法克服自我的脆弱（weakness），又無法抗拒環境主宰，於是便有悲劇性的掙扎，以至挫敗、毀滅。羅門筆下的都市相貌，是人類無法抗拒物質文明的沖洗，和宗教、道德等等淪亡以後的腐化的表現，所不同者，他們缺少了自我意識的反省能力，無法洞察都市生活的五花八門外潛伏的危機，或許，這才是另一種更可悲的活劇！而作爲詩人的羅門，卻主動地替都市文明人擔當反省的角色，透過觀察、體認、轉化和提昇，浮現都市醜惡而眞實的一面，對物質和文明保持批判的態度。雖然他沒有提出改變現實的方案，因爲詩人不是政治家或社會改革者，而他透過沉思而反映出來的經驗世界，卻足以發人深省！

亨利（Henry Myers）論及現代悲劇時，曾以「向日葵」（sunflower）比喻「悲劇詩人」（tragic poet man），「向日葵」具有向陽的自然本質，卻遭受命運的安排，叫「她」的生命一半活於陽光，一半活於黑暗，換言之，人類的本性雖然是尋求快樂，但接受痛苦偏又是不可逃避的命運⑤。生命本來就不是單向性的運作，雖然它的終極免不了「死亡」，但在步向結束之前，人類必得在生命無數齒輪的滾動下，啃嚐悲歡離合糾纏不清的滋味，愈具有「意識」（consciousness）的人，愈能理清每個時刻身處的環境帶來的認知，愈能反省人類生命陰暗和光明兩面的特質；而羅門正是一個具有「悲劇感」的詩人，他不但以心靈透視自我，還觀照世界，還運用詩歌語言浮現他的所知所感，帶到讀者眼前，讓人們在觀覽宇宙生命的外象之餘，能夠深入理解事物背面的另一個形相。雖然他的語言未臻圓熟，但他敢於擔負時代、生命，以及對詩抱持的堅信，我還是深深欽佩的！

【附　　註】

① 烏納穆著，蔡英俊譯《生命的悲劇意識》，遠景出版社一九八二年三月再版，頁二三。

② Karl Jaspers Basic Characteristics of the Tragic", Robert W. Cornigin edited "Tragedy: A Critical Anthology, U. S. A: Hang & Aon Mifflin Company, 1971, p. 776-777".

③ 羅門《我選擇了詩》，中外文學；七十一年二月，頁四三。

④ 同註①，頁一七。

⑤ Henry Alonzo Myers "Tragedy: a view of life", New York: Cornell University Prəss, 1956, p. 156.

# 靜聽那心底的旋律

古繼堂

羅門是臺灣現代派的十大詩人之一，也是最有特色的詩人之一。不斷地追求和探索，使他的詩不斷地拓出新境，進入一個新的天地。

羅門，本名韓仁存，一九二八年十一月二十日出生於廣東省文昌縣。一九四二年進入國民黨的空軍幼校，一九四八年畢業，進入杭州筧橋空軍飛行官校。到臺灣後，一九五〇年因踢足球腿部受傷，停止飛行。羅門離開空軍後，曾當過半年的職業足球隊員，一九五一年考入臺灣民航局工作，直至一九七六年退休。現任藍星詩社社長。

羅門由空軍走進詩國的殿堂，有著必然的和偶然的兩種因素。必然因素是他有詩的才華，詩的感覺，詩的素質。也就是有作爲一個詩人的內因。偶然因素是一位人間的「詩的女神」，舉起繆斯之火，點燃了他詩的火花，激發了他詩的靈感。羅門在回答高歌的《訪問記》中說：「那是一九五四年，我在民航局工作，蓉子已經在詩壇上很有名氣了。由於她的激勵，加上愛情，輝亮出我潛在的靈感，使我寫了一首《加力布露斯》。那是一首以整個年青的心靈去喚醒生命與愛情的詩。這首詩發表後，曾引起當時詩壇覃子豪與紀弦的重視，更激動了我創作的力量。於是，當我與蓉子在詩神的祝福下，成為夫婦後，我便被一種不可阻擋的狂熱帶進詩的創作世界中來了——如果那些往日在我年輕的心靈中，衝激著詩與音樂的美感生命，是一條未曾航行過的冰河。那麼，蓉子的出現，便是那製造奇蹟的陽光，使冰河動了。」羅門和蓉子是一九五五年結婚的，在羅門的心目中，他的夫人蓉子在他詩的生命中佔有非常重要的地位。是澆活他詩的生命的甘露，是溶化他靈感冰河的一輪光芒四射的太陽。羅門還講：「我常常想，若在未來的時日裏，我確能創作出世人認可的作品時，我將永遠對這兩個人感激不盡。一個是女詩人蓉子……另一個則是貝多芬——我心靈的老管家。他在我生命中埋下了那超越不凡的力量，時刻教導我，提醒我在探向事物與生命的根源時，必須使用深入的心靈。」一個有名望的女詩人甘願嫁給尚未成名的羅門，又把羅門引進詩園，自然是恩重如山，情深似海了。

羅門在臺灣詩壇異軍突起，很快和蓉子並駕齊驅。羅門的作品在數量上雖不及蓉子，但在開拓和創新方面，蓉子則自嘆不如羅門。羅門在三十餘年的創作生涯中，不管是創作上和理論上，都有了可觀的成果。他出版的詩集有：《曙光》、《第九日的底流》、《日月集》（羅、蓉合集，英文版），《死亡之塔》、《隱形的椅子》、《羅門自選集》等。他出版的詩論集有《現代人的悲劇精神與現代詩人》、《心靈訪問記》、《長期受著審判的人》等。這些成就使羅門獲得了不少榮譽：一九六六年獲菲律賓前總統馬科斯「馬科斯金牌獎」；一九六七年他的《麥堅利堡》一詩又獲「馬科斯金牌獎」；一九六九年獲菲律賓總統「大綬勛章」；一九七三年獲文學榮譽學位。他和蓉子並被稱爲「中國傑出的文學伉儷」。

羅門寫了大量理論文章並出版了多部詩論集，表現了他在詩歌理論上的深入思考和創見。他從創作中總結出理論，用理論來指導創作，這種理論和創作的緊密結合，成了他在臺灣詩壇上的一個重要特色。

羅門曾經提出詩人創造「第三自然」的觀點。他把原始的自然界，卽日月星辰、江河大海、森林曠野、鳥獸魚蟲等歸入第一自然。把經過人工製造的物質文明歸入第二自然。把陶淵明的「採菊東籬下，悠然見南山」與王維的「江流天地外，山色有無中」和一切詩人、藝術家創作的高度精神文明歸入第三自然。他在《詩人與藝術家創造了第三自然》的文章說：「無論是進入內心的那種無限的嚮往也好，進入物我兩忘的化境也好……都不外是進入我所指認的那個使一切獲得完美與充分存在的第三自然，——它正是詩人和藝術家創造的。「他認爲，這第三自然。就是使一切「存在與活動於完美的結構與形式之中」。最後他明確地爲第三自然下了這樣的定義：「第三自然是掙脫一切阻撓，獲得其極大的自由與無限的含容性，永爲完美而存在，使時空形成一透明無限的宇宙。古今中外納入其中，呈現出一併列相容的呼應性的存在。」由這一觀念出發，羅門認爲，詩人和藝術家的任務不在於對事物的外在形態的摹擬，而在於開發人類的心靈世界。詩人藝術家必須永遠活在可見的內心世界中。他說：「我敢斷言，一個詩人與藝術家，若不用深入的心靈來創作。他抓住人類的心靈也絕不會深刻與久遠。如果他的心靈已被鄉願與現實的勢利所浸蝕與毒化，則他的藝術生命除了趨向死亡，便沒有其他的路可走了。」由於羅門在理論和創作上都極力主張追求對心靈世界的挖掘和開發，因此他被稱為「心靈大學的校長」。他在詩中，總是透過事物的表層結構，把筆刀刻入那內在的深層之中。例如他的《窗》：

猛力一推　雙手如流
總是千山萬水
總是回不來的眼睛

遙望裏
你被望成千翼之鳥
棄天空而去　你已不在翅膀上

聆聽裏
你被聽成千孔之笛
音道深如望向往昔的凝目

猛力一推　竟被反鎖在走不出去
　　　　的透明裏

這首詩，寫的是詩人處在一種被現實的社會環境和生活壓迫困擾得喘不過氣來的情景中，詩人憤然一擊，猛力一推，推開眼前的障礙，脫出身邊的困境，斬斷現實的藩籬，以便能進入一個更廣濶、更自由、更潔淨的理想境界。於是詩人選擇了「窗」這個具有濃郁象徵的意象，表達了這一衝刺和終於沒有成功的眞實。詩的第一節表現了詩人爲突破眼前的困境所作的努力，這是詩人的行爲和動作。其中第二、第三句是對萬水千山那無限廣濶的世界的嚮往。這是透過表層，表達主人公心靈深層的活動。第二節表現了詩人心靈衝出去獲得自由的狀態。一用形——千翼之鳥，一用聲——千孔之笛。詩的結尾句，表現了一種現實的眞實那猛然一推的結果並不太理想，而是反被鎖進了走不出的透明裏。可見周圍惡勢力之強大。這也說明詩人銳敏的目光，看到了個人奮鬪、個人拚搏是無法眞正獲得自由的。整首詩運用，一種超現實主義的象徵手法，透過事物的表象，揭示了人物內心的活動。這比一般的描繪人物的外部形態，和直接白描人物的外部行動的詩要耐讀多了。結尾句的「透明裏」寫的是一種心靈的觀察，即主人公雖然沒有能獲得自由，但他內心裏對一切都是看得十分清楚的。再如《流浪人》，整首詩幾乎都是在寫主人公的內心活動：

被海的遼濶整得好累的一條船在港裏
他用燈拴自己的影子在咖啡桌的旁邊
那是他隨身帶的一條動物
除了它，娜娜近得比甚麼都遠

把酒喝成故鄉的月色
空酒瓶望成一座荒島
他帶著隨身帶的那條動物
朝自己的鞋聲走去
一顆星也在很遠裏
　　帶著天空在走

明天 當第一扇百葉窗
　　將太陽拉成一把梯子
他不知往上走 還是往下走

這首詩描寫一個從海上流浪回來的浪子，茫然的不知去向，在咖啡館裏產生的一系列內心的悸動。臺灣詩壇捕捉意象的高手羅門，一開始便用兩句不凡的詩拉開了詩的序幕：「被海的遼濶整得好累的一條船，他用燈拴自己的影子在咖啡桌的旁邊」實際上應該是，他像一條被海的遼濶整累了的一條船，被自己的影子拴在咖啡桌邊。詩人將詩句那樣一變化，顯出一種新鮮感，這也是現代派詩人常用的句式。同時爲了承接下一句「那是他隨身帶的一條動物」，詩人故意把影子繫燈，說成是燈繫影子，顯得協調而不重複。除了它，「娜娜近得比甚麼都遠」一句勾出了那個流浪漢在借酒吧女解悶的內情外態。「近得比甚麼都遠」寫得相當俏皮而傳神，似乎連吧女那種既要取悅客人但又有防備的神情都傳達出來了。對流浪漢心靈深處的揭示，集中的表現在第二節裏。「把酒喝成故鄉的月色，空酒瓶望成一座荒島」，彷如電影的蒙太奇手法，中間迭印了許許多多複雜的心理活動。把酒喝成故鄉的月色，是流浪漢在喝酒時，想起了自已漂泊異鄉的孤獨，引發了內心的鄉愁。於是那故鄉的樣態便通過一種幻想出現在酒中。空酒瓶望成一座荒島，說明這流浪在咖啡館呆的時間已經不短了。酒瓶都喝乾了，而越喝越感到心裏的空虛，越喝越感到靈魂的荒蕪，於是空酒瓶在他的眼裏變成了荒島。實際上是流浪漢的心靈，是一座漫漫的荒蕪之島，在百無聊賴的情況下，拖著疲憊且搖晃的身子離咖啡店而去。詩人不用腳步聲，而用「朝自已的鞋聲走去」，顯得靈動而傳神。「帶著天空在走」，寫活了這個流浪醉酒後天旋地轉的神情，無聲地流露出他內心深痛的痛苦。末段詩人想將詩寫出一點希望，但事實是無情的，那個流浪漢只能從流浪的路上來，再到流浪的路上去，他茫茫然，仍然不知該流浪到哪裏。由上述可看出，羅門的詩一是追求詩和詩句的高度凝凍，盡量擴大詩和詩句的含蓄量和容納度。二是在著力探求人物心靈世界的潛意識，即第二、第三、甚至是第四感覺。例如，空酒瓶望成荒島，這已是一系列感覺串連起來得出的意象，如果沒有流浪漢那一系列的潛意識活動，酒瓶和荒島是很難連繫起來的。即使都有荒和空的含意，但那也難以理解，因而要解開這詩句，必須順著詩人創作時的意念途程，向反推過去，把詩人跳過的東西再接上去，然後才能找到酒瓶和荒島之間的連繫。這種潛意識的追求和表達，大大地豐富了詩的表現力，增加了詩的濃度。羅門有部詩論叫《心靈訪問記》，他在開拓心靈的荒地上是下了很大的功夫的。羅門怎樣向心靈深處開挖，怎樣透過表層和淺層去捕捉那深層的東西呢？訪問記中的描繪，對我們了解羅門的創作是很有幫助的。他在談到創作《第九日的底流》一詩時說：「就拿《第九日的底流》這首詩來說，我就曾把自己沉入一切的底層世界，傾聽其內在活動的聲音，並且表現出生命與時空在美的升力中存在與活動的狀況，以及那種帶有宗教色彩與音樂性的美感世界。當時，我不僅把燈屋裏所有的燈光都關掉，使整個時空產生一種無盡地空茫的壓力，我更不止一次地，讓貝多芬的音樂衝擊著我，淹沒我，使我的精神接觸到超越與深邃的一切，以至到最終，它們已成爲我自己。我的感悟和體驗，使我透過深一層看見，幾乎認出了永恒的臉貌。因此詩句也自然透過精神的深刻面，而擊亮生命的本質，這本質可說是上帝的沉醉之物。」這段話中，羅門形象而生動地通過一首詩在創作過程中怎樣切入事物的深層，抓住生命的本質的描繪，有聲有色地爲我們繪製了一幅圖畫，通過這幅圖畫，我們又可從個體到一般的去理解羅門的詩歌理論和創作。

羅門借助他詩歌理論的鏡子，可以十分敏銳地觀察到事物的深層，看到它的本質。但羅門並不把自己的目光，定死在一個點上，而是移動地去對許多事物進行觀察。當他發現一個有價值的目標時，就要把它看穿看透。羅門用組詩的形式寫過幾部長詩，如《第九日的底流》、《死亡之塔》、《麥堅利堡》、《隱形的椅子》、《都市之死》等。《第九日的底流》是由多首無韻的詩組織而成的。詩人透過身邊的現實去反覆探討生命、時間和永恒的關係及其意義。臺灣詩評家陳慧樺在談到這首詩時說：「當我們把全組詩研讀再三後，我們就會發覺，它們並不是一個邏輯的發展。它們是心靈進入到物體內，跟它們撞擊後的實況報導。」臺灣詩人兼教授張健認爲這首詩是「詩人羅門生命的重心」。羅門本人對這首詩也非常喜愛。因爲詩人在這個他創造的世界裏找到了自我，看到了生命的意義。《死亡之塔》是爲紀念藍星詩社的社長覃子豪的逝世而寫的。表達了羅門對覃子豪之死的傷感和哀思，展示了覃子豪的形像和作品的巨大意義。詩中奇想迭出，佳句頗多。《麥堅利堡》是非律賓馬尼拉市郊的一個地方，那裏埋葬著第二次世界大戰期間，太平洋戰爭中和日本交戰陣亡的七萬名美軍將士。羅門一九六一年到非律賓，去墓地憑弔，寫下了這首詩。此詩曾獲非律賓前總統馬科斯金牌獎。詩人在這首詩中，以悲憫的情懷和濃烈的人道主義精神，表示了對在第二次世界大戰中爲反對法西斯而犧牲的美軍將士們的深摯懷念。現將這首詩寫在下面：

戰爭坐在此哭誰
它的笑聲 曾使七萬個靈魂陷落在比睡眠還深的地帶
太陽已冷 星月已冷 太平洋的浪被炮火煮開也冷了
史密斯 威廉斯 煙花節光榮伸不出手來接你們回家
你們的名字運回故鄉 比入冬的海水還冷
在死亡的喧噪裏 你們的無救 上帝的手呢

血已把偉大的紀念冲洗了出來
戰爭都哭了　偉大它為什麼不笑
七萬朵十字花　圍成園　排成林　繞成百合的村
在風中不動　在雨裏也不動
沉默給馬尼拉海灣看　蒼白給遊客們的照像機看
史密斯　威廉斯　在死亡紊亂的鏡面上　我只想知道
　那裏是你們童幼時眼睛常去玩的地方
　　那地方藏有春日的錄音帶與彩色的幻燈片

麥利堅堡　鳥都不叫了　樹葉也怕動
凡是聲音都會使這裏的靜默受擊出血
空間與空間絕緣　時間逃離鐘錶
這裏比灰暗的天地線還少說話　永恒無聲
美麗的無音房　死者的花園　活人的風景區
神來過　敬仰來過　汽車與都市也都來過
而史密斯　威廉斯　你們是不來也不去了
靜止如取下擺心的錶面　看不清歲月的臉

在日光的夜裏　星滅的晚上
你們的盲睛不分季節地睡著
睡醒了一個死不透的世界
睡熟了麥堅利堡綠得格外憂鬱的草場
死神將聖品擠滿在嘶喊的大理石上
給升滿的星條旗看　給不朽看　給雲看
麥堅利堡是浪花已塑成碑林的陸上太平洋
一幅悲天泣地的大浮雕　掛入死亡最黑的背景
七萬個故事焚毀於白色不安的顫慄
史密斯　威廉斯　當落日燒紅滿野芒果林於昏暮
神都將急急離去　星也落盡
你們是那裏也去不了
太平洋陰森的海底是沒有門的

這首弔亡詩不同於一般的弔亡詩，它帶有史詩的性質。說它帶有史詩的性質，但它又不具體去描寫歷史，而是以深沉的抒情和沉鬱的氣氛，深深地打動著人們的心。現代派詩人的作品本來是主張知性，排斥抒情的。但羅門此詩卻相反，句句段段都包含著濃烈的感情。詩中許多詩句讀了簡直能使人心情沉重得發冷，催人淚下。這樣飽和著深情的抒情句子，在典型的現代派的詩中是少見的。此外這首詩裏，詩人是非常注意適合主題表達的氣氛的營造的。詩的開頭便立言不凡，「戰爭在此哭誰／它的笑聲，曾使七萬個靈魂陷落在比睡眠還要深的地帶。」詩人以擬人化的手法，將戰爭這個狂人的情態和罪惡一語俱陳。第二節詩人營造了一個非常冷冽的氣氛，太陽冷，星月冷，連太平洋的浪濤被戰火煮開後也冷了。詩人有點爲壯士們惋惜和怨恨，雖然光榮，但節日卻沒人接你們回家，只有你們的名字被冷冰冰的運回家去。詩人甚至質問上帝「上帝的手呢？」爲什麼不來救救這些死難者？第二節和第三節以沉靜的氣氛表現了墓地的莊嚴和肅穆。最後一節創造了一個黃昏的景色，因爲黃昏是鳥歸巢人回家的時刻，但這些將士卻永遠回不去家了。全詩的氣氛和主題非常和諧一致，這種氣氛的創造對表達作品的思想，突出詩中的感情，有著非常明顯的效果。

羅門是臺灣詩人中較早和較集中地剖析、批判資本主義罪惡的聚集地——城市的罪惡的。他從所謂的資本主義的現代文明中，深刻地看到了醜惡和罪孽混合而成的本質。一九五七年，當臺灣還沒有跨進資本主義的門坎時，羅門就敏銳地觀察到了那裏正在發生和發展的不治之症，寫下了《都市的人》這首頗富哲理的詩。

他們的腦部是近代最繁華的車站，
有許多行車路線通入地獄與天堂
那閃動的眼睛是車燈，
隨時照見天使和魔鬼的臉。

他們擠在城裏，

如擠在一隻開往珍珠港去的船上，

慾望是未納稅的私貨，良心是嚴正的關員

這裏所寫的那些人，決不是一般的城市貧民和勞動者，而是那些以城市爲賭場的冒險家。開往珍珠港的船，並非實指美國太平洋上的珍珠港，而是泛指開往發財之地。這首詩對諷刺對象心靈的揭露，既嚴厲而又深刻。羅門抓住城市這個題材，不斷地深入開拓，使他贏得了臺灣「城市詩國發言人」的稱號。一九六一年，他又寫下批判性更強烈更徹底的長詩《都市之死》。在這首詩中，詩人寫下了這樣的詩句：

人們用紙幣選購歲月的容貌

在這裏　脚步是不載運靈魂的

在這裏　神父以聖經遮目睡去

凡是禁地都成爲市集

和在別的作品中一樣，羅門在這首詩中還是把筆的刻刀伸入人們的靈魂深處進行解剖。從人們的慾望、意念中去挖出那痛苦和無恥的眞實。「伊甸園是從不設門的／在尼龍墊上，榻榻米上，文明只是那條脫下的花腰帶／美麗的獸，便野成裸開的荒野／到了明天，再回到衣服裏去。」羅門運用豐富的想象，爲資本主義的現代文明畫了個像：它不過是既無恥且醜惡的那條「脫下的花腰帶」，也就是說，資本主義的現代文明是和色情緊密地連繫在一起的。在羅門的眼裏，資本主義《都市的旋律》是這樣的「短裙飛來隻隻鳥／長裙飛來朵朵雲／腰不扭動河會死／胸不挺高山會崩／眉不畫濃月會暗／唇不塗紅花會謝／一滴香水一池春／一個眼波滿海浪。」

羅門不僅用現代派詩的形式描寫資本主義劇毒下的城市面孔，而且用民歌的形式道出那裏的污濁。《都市的旋律》這首詩，就帶有濃鬱的民歌風味。現代派的作品並非都是晦澀難懂之作，關鍵是看你寫什麼和怎樣寫。在羅門揭露資本主義的所謂城市文明的詩中，就有用現代派的手法寫出的明白易懂的作品。例如《咖啡廳》就是一首較典型的現代派的作品。第一節是以無生命的物來比喻有生命之物，第二節反過來以有生命之物來比喻無生命之物。羅門運用同樣的排比句式將許多事物同時作聯類對比，於是一個閃動的眼睛，抹著口紅的嘴，露著肩膀，露著大腿，露著乳房的，充滿著色情氣味的夜，便在我們眼前栩栩如生地飛動了。這首詩雖然是用現代派的手法創作的，但卻具有強烈的現實性，它是臺灣都市夜景的一幅十分逼眞的圖畫。由此我們可以看到，現代派的藝術手法，一樣可以用來反映現實。羅門是臺灣現代派詩人中，最能和現實結合的詩人。他的作品的意義和成就，使他在臺灣現代派的十大詩人之中，無愧地名列前茅。羅門寫的大量優秀的城市詩，奠定了他的臺灣城市詩人的基礎，爲他贏來了都市詩人的桂冠，也使臺灣有了專門描寫都市的「都市詩」這一品種的出現。

本文收進文史哲出版社「臺灣新詩發展史」

# 迷人的光芒

## ——試論羅門的詩

和權

盛傳羅門先生豪放不拘，文采華美，是臺灣少數具有靈視的「重量級」詩人，也是一位飲譽國際文壇的中國現代詩人。

前不久，我曾與千島同仁月曲了聊詩，月曲了無意中提及一位剛從大陸出來的朋友，他讀了羅門先生的「麥堅利堡」後，心靈被這篇巨型作品所震撼，驚歎道：「這是一首多麼美好多麼深刻的詩啊！」可以藉此知道羅門的詩有怎樣驚人的感受性與力量。羅門的「麥堅利堡」是他最具代表性的傑作，此篇有獨特的運鑿技巧，無論在深度廣度與強度密度方面都已接近至高的藝術境界，曾於一九六七年榮獲菲總統馬可仕金牌獎。

近日詳詳細細品讀「羅門詩選」，愈讀愈有味，深覺得羅門先生感情眞摯而眼光銳利，意象繁富而語言亮麗，幾乎篇篇皆有強大的撞擊力。他善於從生活中擷取題材，從日常接觸的事物中發掘深廣的涵蘊，他的詩沒有拖沓累贅的句子，用字精確，節奏的操縱十分圓融。令人讀後，始終縈繞腦海。

可以預言，羅門先生許多巨構型作品，將會星斗一樣地均佈在歷史的夜空裏，永遠閃熠著迷人的光芒。以下試析他寫於一九七五年未完成的隨想曲：

人穿衣服
衣服口袋裏放著一張護照
鳥穿天空
天空口袋裏什麼也不放

此篇是作者描述「人」與「鳥」不同的所在，顯露出詩人嚮往大自然的心境，並對高等動物「人類」做了批判。

首段第一行與第二行頂眞。主述者鈎勒出一個看起來平凡的意象「人穿衣服」「衣服口袋裏放著一張護照」。「衣服」與「口袋」，皆暗喻人類的「拘束」，而「護照」則暗喻人類的「不自由」、「管束限制」。

人，即使蓄積了足夠的財富，同時「口袋裏放著一張護照」，也不能通行無阻地到處亂跑。出國一趟非容易，不但有許多繁文縟節的手續，兼且有種種限制出國者之行程的「因由」就算沒有這些「限制」，人家准不准我們去，還是一個問題。所以「護照」，也是今日人類的「齷齪」。

二段第一行與第二行頂眞。「鳥穿天空」「天空口袋裏什麼也不放」，在此，「穿」乃是雙關，除了表示「鳥」在天空飛行以外，又表示「鳥」將天空當作衣服穿」了起來。

詩人以自己的觀點，描寫「鳥穿天空」，把「天空」擬物化，變成了鳥的「衣服」，意象新穎，令人喜愛。「鳥穿天空」這句詩，觸發人想起豪放之士的「幕天席地」，及「泥牀風被雨帳」，令人對大自然傾心。

「天空口袋裏什麼也不放」與「衣服口袋裏放著一張護照」對比十分尖銳。「鳥」沒有護照，沒有可資辨識的身分證，卻能夠展開翅膀，隨心所欲地飛東飛西，毫無束縛，更不知道什麼叫做「邊界」，而人類只能生活在一方天地裏，想出一趟遠門，還眞不容易呢。這種情景，不能說不是人類的悲哀。

此詩，諷諭褒貶，寓意深遠，寄託了主述者對人類行爲的看法，給人很激烈的感受。再看羅門先生另一首未完成的隨想曲：

牧笛是一條河
流出乳般的晨光　酒般的晚霞
槍管也是一條河
流出白色的淚　紅色的血

羅門寫了許多「戰爭主題」的詩。他認爲：「透過人類高度的智慧與深入的良知，我們確實感知到戰爭已是構成人類生存困境中，較重大的一個困境，因爲它處在『血』與『偉大』的對視中，它的副產品是冷漠且恐怖的『死亡』。」

羅門常以「詩」記錄戰爭的慘酷，也以「詩」對戰爭做出了「人類內在性靈沈痛的嘶喊」。

此篇，第一段第一行，詩人以物擬物，把長長的「牧笛」化作形狀相同的「一條河」，予人新的看法，新的感受。第二行，「流出乳般的晨光」「酒般的晚霞」，這裏，「乳」作爲「晨光」的明喻，「酒」作爲「晚霞」的明喻，「乳」的顏色是白的，而「酒」，顏色則是「紅」的，一方面用來強調大自然的「顏彩」，另一方面則用來形容時間的「變遞」。在此，「一條河」「流出乳般的晨光」「酒般的晚霞」，讓讀者產生了「河水緩緩地流動」的視覺感受。這諧和的景象使得讀者情柔意迷。

第二段，詩人再次以物擬物，將長長的「槍管」也化作了「一條河」。然而，這條河卻「流出白色的淚」「紅色的血」，至此，詩中有了十分驚人的意味。「槍管」與「牧笛」對比，「白色的淚」「紅色的血」與「乳般的晨光」「酒般的晚霞」對比，造成了詩作的強大張力，也造成了反諷效果。

此詩以「物」傳「心」，前後兩段同樣使用「一條河」這個意象，流出的卻是大不相同的東西，不但暗示了戰爭的可悲可怕，也描繪了人類本身互殺的慘況。

以「白色的淚」與「紅色的血」這兩個冷酷意象顯示戰爭的醜惡面貌，叫人感到「悚慄」。詩人內心的沈痛，藉「牧笛」與「槍管」是「一條河」這個奇喻精警地表現了出來。

再看羅門寫於一九七〇年的「送早報者」：

「昨日」沒有被毙掉
「昨日」坐印刷機偷渡回來了

那是在牛乳瓶的聲響之前
安娜還未游出臂灣之前
他的兩輪車衝在太陽的獨輪車之前
「昨日」像花園被他搬了回來

人們的眼睛擦亮成瓶子
等著插各色各樣的花
文明開的花　炸彈開的花
上帝愛看或不愛看的花

首段，「昨日」顯然是這世界發生過的大小事件，是經人蒐集的「新聞」，——它就展現在今天的早報上。

作者把「昨日」加以擬人化，描述它沒有被斃掉，坐印刷機偸渡回來了。羅門採用「斃掉」與「偸渡」這樣的字句，實有深刻的寓意。「斃掉」與「偸渡」十分醒目，細味之後，讀者便可察覺戰爭的陰影。在此，詩人暗示這擾攘紛爭的人間，幾乎每天都在發生人類互相戳殺的「新聞」。詩人慨歎世界永不太平，在他的眼裏，這「昨日」實在非常幸運，不但沒有被「斃掉」，兼且乘坐印刷機的舟楫「偷渡」成功，回到今天來了。

第二段寫「送早報者」出現的時刻和行動。「那是在牛乳瓶的聲響之前」「安娜還未游出臂灣之前」，意謂天還未亮，送牛奶者還沒有在家家戶戶的門外，把牛奶瓶碰得亂響，安娜還沒有起牀，仍在她丈夫的懷抱裏酣睡。這兩句詩，把都市在天際露出魚肚白之前的情景，精妙地刻畫了出來。

「安娜還未游出臂灣之前」，若以異樣的眼光看，這句詩隱含著嘲諷；安娜也可以泛指任何一個賣春女子，正像一條魚似的，還未游出嫖客的臂灣。這句詩，或會讓讀者看到都市醜惡的一面，接觸到「妓女」這個古老的問題。

「他的兩輪車衝在太陽的獨輪車之前，『昨日』像花園被他搬了回來」，這裏，「送早報者」忙碌的景況，躍然於紙上，他的兩輪車爲何需要與太陽的獨輪車競賽？爲何需要每天這樣辛勞地工作？答案只有兩個字：生活。將一座花園似的「昨日」搬回都市，而「搬」東西該出多大的力氣？詩人以「搬」字表明「送早報者」在都市中所扮演的角色，以及「送早報者」的艱辛之狀，可謂非常貼切恰當。

第三段第一行，「人們的眼睛擦亮成瓶子」，主述者將睡醒的人們之眼睛喻作擦亮的「瓶子」。晨起的人例必洗臉、擦眼，擦著擦著，便把眼睛擦亮成「瓶子」了。羅門此句，詩趣盎然，兼且新鮮可感，不落俗套。此段第二行「等著揷各色各樣的花」，由於「昨日」像花園被「送早報者」搬了回來，這裏，「瓶子」的功用自是「揷花」，而「瓶子」正「等著揷各色各樣的花」，讀者一定了解詩人所指的是：晨起的人們正「等著閱報」或「等著閱讀『昨日』發生的各種新聞」。

接下來的第三、四行，詩人點明了「瓶子」揷的是什麼花：「文明開的花，炸彈開的花，上帝愛看或不愛看的花」。是的，除了這些，人們尙奢望揷些什麼花呢？

「文明開的花」，使我們想到汽車排出的汚氣，也想到手銬、鋼盔、迷幻藥、香水、唇紅、塑膠釘筒、槍械，以及被用來製作燦白奶粉的工業酪素……「炸彈開的花」，雖然好看，卻使我們懼怖、驚恐。在這世界，許多角落仍有熾烈的戰火，因此，我們翻開報紙，總會看到絢麗的「炸彈開的花」。不管「上帝愛看或不愛看的花」，全都揷入眼睛的瓶子裏。可知，上帝對世人的所作所爲，是怎樣的無奈。

此詩，語言簡潔，意象新穎，是一首成功的好詩。

羅門在中國現代詩壇，無疑是風雲人物。他創造了自己獨特的聲音，完成的每篇作品都有超卓的表現，而種種活潑的意象，被他大量地使用著，他的詩有澎湃激越的情緒，也有平穩的情感，不但引起海內外衆多讀者內心的共鳴，也使萬千讀者在細細品讀他的詩作之過程中，產生快感與美感，同時獲得啓示。

他被稱爲「重量級」的詩人，印證於他技藝上乘的作品，誠非過譽。

菲‧聯合日報一九八八年五月八日（藍星第八號轉載）

# 試論羅門的「週末旅途事件」

和權

「週末旅途事件」這首詩意象豐盈而耐人細嚼，收入「七十五年詩選（爾雅）」。該書編委按語如下：「此詩從都市觀點出發，切入了大量的過去戰時場景，使得時空交錯，色譜跳接，令人眼花撩亂，目不暇給，內容之繁複，給人心情之沈重，是他近年來作品中所僅見」。

「週末旅途事件」全詩分三段，共五十四行。這首詩，時空游移對映；詩人把他在旅途所見之景象一一回推到過去，從時間上可以想見戰亂期間的「染血彈片」與「逃亡腳步」，從空間上可以望見故國沾了血和淚、黏了陰暗的無限江山。此詩，「疊映」技巧的運用至為高妙：

身穿五顏六色的人羣
帶著都市與假期的心
　擠滿在月臺上
一行披著鬱綠色草原的軍人

帶著槍支與戒備的心
走著軍步來
把孩童與成人驚異的目光
分開成一條河道
流來我三十多年
不見的長江

進站的汽笛聲
拉著警報來
響來戰爭的年月
一陣慌亂
大家都往防空洞裏逃
坐定下來
竟是觀光號車廂
在西式雙人座椅上
誰會把朱唇
看成染血的彈片

把跳著迪斯可的輪聲
聽回剛才的軍步
走回逃亡的脚步
那幾支久未冒血的槍管
轉入都市頻道
已美如餐桌上的
　香檳酒瓶
打開來
既是杯光笑影
便不是淚痕了
什錦火鍋上來時
世界還會在戰火上嗎
邊吃邊看的服裝秀
如何去認出炸彈
　開花的原野
往事把車窗

磨成一片矇矓
一切好近
又好遠
只是兩小時的車程
竟在記憶裏
走了三十多年
只是鄰座嬰兒醒來的
一陣哭
那位老鄉額上的紋路
已被一排槍砲聲
叫入萬徑人蹤滅
路好累
世界好睏
關上眼門睡一會
只留下那道門縫
陪著三十八度線

天地線
一同去望鄉

首段，採取了前實後虛的方式，以實照虛，以虛映實，透露出詩人歷經戰爭的洗禮，以及表現出「去國多年」的主述者之濃重鄉思。

首段起首三句「身穿五顏六色的人羣／帶著都市與假期的心／擠滿在月臺上」，這裏，暗示了都市的繁榮，同時暗示出詩人安身之處乃是「豐衣足食」的地方，人人忙碌了一星期，週末便打扮得漂漂亮亮，爭著擠到月臺上，想去郊外旅遊一番。

第四、五、六句，「一行披著鬱綠色草原的軍人／帶著槍支與戒備的心／走著軍步來」此處，「鬱」字乃是雙關字眼，明寫軍人披著與草原同一顏色的「鬱」綠軍服，暗寫軍人「帶著槍支」與「戒備的心」，走著「雄赳赳」的軍步來，令人想起戰亂時期的軍人，也令人想見屍橫遍野的慘況，因而使人感到「鬱」悶。

第七、八、九、十句，「把孩童與成人驚異的目光／分開成一條河道／流來我三十多年／不見的長江」，孩童沒有「烽火連三月」的痛苦經驗，所以對出現於車站的威武軍人，流露出「驚異」的目光：難道他們也要去旅行嗎？而成人飽經戰亂，一見到帶槍的軍人，便迅速地聯想到許多令人心悸與令人心碎的戰爭場景，因而流露出「驚異」的目光。接著，「驚異的目光」分開成河道，把「目光」化成可見可感的形象，而「流來我三十多年／不見的長江」，顯示了作者已離家三十多年，也曲達了思鄉的情懷。

羅門多次採用對比的手法：一、身穿五顏六色的人羣與一行披著鬱綠色草原的軍人相對比；二、帶著都市與假期的心與帶著槍支與戒備的心相對比；三、孩童與成人驚異的目光相對比。這些強烈的對比，組成了「三角對比」，因而產生出另一種特殊效果。

第二段，一、二、三、四、五句「進站的汽笛聲／拉著警報來／響來戰爭的年月／一陣慌亂／大家都往防空洞裏逃」，是寫出記憶中慌亂地逃避來襲的飛機之情景。詩人技巧地把進站的「汽笛聲」轉化爲「警報」，以使時空換位，從而畫出一幅「逃生」圖。詩句中，隱隱顯出「人命如蟻」的意味。無限感慨，都在言外。

此外，這五句詩，接納感官交綜移就。由「汽笛聲」而「警報」而「響來戰爭的年月」而「一陣慌亂」而「大家都往防空洞裏逃」，由「聽覺」換位到「視覺」上去了。因而使意象分外活潑生動。古詩中也常見將五官的感受力交換的佳句，例如李賀的「今朝香氣芳，珊瑚澀難枕」（賈公閭貴婿曲），是將嗅覺的感官，移就到味覺上去了；例如李商隱的「燈光冷如水」（和鄭愚贈汝陽王孫家箏妓），是將訴諸視覺的印象，轉讓觸覺去感受。

第六、七、八、九、十、十一、十二、十三句「坐定下來／竟是觀光號車廂／在西式雙人座椅上／誰會把朱脣／看成染血的彈片／把跳著迪斯可的輪聲／聽回剛才的軍步／走回逃亡的腳步」，詩人坐定下來，發現他自己不在「防空洞」裏，卻是好好地坐在觀光號車廂，而且坐在西式雙人座椅上。人，坐在「舒服」的座椅上，還會想到苦難的情事嗎？誰人會把「朱脣」看成「染血的彈片」？誰人又會把「跳著迪斯可的輪聲」，「聽回剛才的軍步」，

「走回逃亡的腳步」？其實，在羅門的心裏，早已把眞實世界中的「朱脣」，看成了「染血的彈片」，且已把眞實世界中的「輪聲」，「聽回剛才的軍步」與「走回逃亡的腳步」，將分隔在二個不同的時間和不同的空間中的事物予以疊映。顯然，詩人時刻忘不了慘烈的戰爭。

「跳著迪斯可的輪聲」，這一句，深得擬人轉化之妙，頗富詩趣。第十一、十二、十三句「把跳著迪斯可的輪聲／聽回剛才的軍步／走回逃亡的腳步」，仍是接納感官交綜的運用。由「輪聲」而「剛才的軍步」而「逃亡的腳步」，將訴諸聽覺的感官，移就到視覺上。此外，這三句詩也採用了「疊映」的手法：跳著迪斯可的「輪聲」，既是「剛才的軍步」，又是「逃亡的腳步」。

陳陶的「隴西行」：「誓掃匈奴不顧身，五千貂錦喪胡塵。可憐無定河邊骨，猶是春閨夢裏人。」後兩句，也是把不同時空予以疊映，而產生了妙意。

第十四、十五、十六、十七、十八、十九、二十句「那幾支久未冒血的槍管／轉入都市頻道／已美如餐桌上的／香檳酒瓶／打開來／既是杯光笑影／便不是淚痕了」，將香檳酒瓶，複映在久未冒血的「槍管」上，令人有新的感知。而打開來，「既是杯光笑影」，「便不是淚痕了」，此處，「笑影」與「淚痕」相對比，前一句寫太平歲月的歡愉，後一句寫戰爭年月的恐怖，「笑影」與「淚痕」一眞一幻對比地疊映著，那歎惋之意，今昔之感，遂從映象本身以外湧現了出來。

第二十一、二十二、二十三、二十四、二十五句「什錦火鍋上來時／世界還會在戰火上嗎／邊吃邊看的服裝秀／如何去認出炸彈／開花的原野」，作者再次把「戰火上的世界」複疊在「什錦火鍋」上，把「炸彈開花的原野」複疊在「服裝秀」上，在現實的景象之上，附加了「腦海」中追敍的景象，這些複疊的映象，極爲奇警生動。

「什錦火鍋」不但暗示社會的繁榮，人們的富裕，也暗示早年老百姓無日不在「戰火」之上受著煎熬。而在太平盛世，那有人會從「服裝秀」上，去認出什麼「炸彈開花的原野」呢？詩人的悵痛，令人不堪。

第三段第一、二、三、四、五、六、七句「往事把車窗／磨成一片朦朧／一切好近／又好遠／只是兩小時的車程／竟在記憶裏／走了三十多年」，這裏，「往事」是彈片、防空洞，遍野的死屍、染血的山河、饑寒與哀號，也是逃亡、去國離鄉、寥落、寂寞……主述者在車廂裏思憶起「往事」，便不由自主地「涕零」了，而詩人「淚眼」看車窗，頓覺車窗被「往事」磨成「一片朦朧」了。這一片朦朧的車窗，有廣大沾血的江山和三十多年濃重的鄉愁！「一切好近」，過去種種，只如「前日」才發生的事啊，但「又好遠」，實際上，那些永生忘不了的「往事」，已遠隔了三十多年。僅僅「兩小時的車程」，詩人卻穿越時空，「走了三十多年」，回到了戰亂時期，而重新目睹種種民生的艱苦……。使人感受到詩人心中低迴沈痛之思。

此處，「一切好近／又好遠」，「只是兩小時的車程／竟在記憶裏／走了三十多年」，皆是矛盾逆折的語法。作者在極短的距離間，將兩個衝突的意思融合一起，以造成詩句的警策。

第八、九、十、十一、十二句「只是鄰座嬰兒醒來的／一陣哭／那位老鄉額上的紋路／已被一排槍炮聲／叫入萬徑人蹤滅」，這裏，「嬰兒醒來的一陣哭」是「一排槍炮聲」，而「槍炮聲」把「老鄉額上的紋路」叫入「萬徑人蹤滅」，暗示了人與人阻隔，及老鄉心中的孤絕感。戰爭的槍炮，使人們親朋失散、離鄉背井，造成了人與人的阻隔，也造成老鄉的孤絕。柳宗元的「江雪」、「千山鳥飛絕，萬徑人蹤滅。孤舟蓑笠翁，獨釣寒江雪」，首兩句，寫一幅冰酷嚴寒，毫無生氣的雪景。而一個人置身於大雪霏霏，飛鳥絕跡的空廓的千山裏，那是何等的孤絕啊。

此處，詩人情感投射，改造事物，把端坐在鄰座的那位老鄉，說成「額上的紋路／已被一排槍炮聲／叫入萬徑人蹤滅」，正說明了作者自己心中的孤絕感。

第十三、十四、十五、十六、十七、十八、十九句「路好累／世界好睏／關上眼門睡一會／只留下那道門縫／陪著三十八度線／天地線／一同去望鄉」，詩人導情入物，將「路」與「世界」人格化，讓「路」與「世界」因飽經戰亂及流離之苦痛，而覺得好累好睏。詩人不說他自己身心俱疲，只說「路好累」，「世界好睏」，語意是含蓄的。所謂「以我觀物，物皆著我之色彩」，這種移情作用的詩句，很能造成詩趣，及撼動讀者的性靈。接下來，詩人閉上了眼門，想睡一會，但他心中一直映著「染血的山河」，所以就算閉上了眼門，仍要留下「那道門縫」去不住地望鄉。詩人說「那道門縫」，陪著「三十八度線」與「天地線」「一同去望鄉」，強烈地暗示他的「鄉愁」，及對「和平的日子」的「渴望」。

此詩，寫來眞摯，語意悽婉，意象歷歷鮮明。「今昔」之對比，既反映出戰亂中民生的苦況，又烘托出作者「懷鄉」及「傷時感世」之心境，是一幅能使小中見大，含蘊不盡的人世之滄桑變化圖。

名詩人羅門的高乘之作數見不鮮，此篇尤勝，讀者不宜輕易放過。

藍星詩刊一九八八年十月

# 羅門的流浪人

翁光宇

被海的遼闊整得好累的一條船在港裏
他用燈拴自己的影子在咖啡桌的旁邊
那是他隨身帶的一條動物
除了它安娜近得比什麼都遠

椅子與他坐成它與椅子
坐到長短針指出酒是一種路
　空酒瓶是一座荒島
他向樓梯取回鞋聲

帶著隨身帶的那條動物
讓整條街只在他的脚下走著

一顆星也在很遠很遠裏
帶著天空在走

明天當第一扇百葉窗
將太陽拉成一把梯子
他不知往上走還是往下走

羅門是臺灣現代派詩人中典型的都市詩人。現代詩緣用都市意象，首推法國的波特萊爾他的《惡之華》所觸目的是巴黎的陰森醜惡，贊嘆的是生命和死亡。在資本主義制度下，物質財富的創造者反倒成了物質財富的奴隸；在越來越發展的高度物質文明中，人們的精神卻越來越感覺空虛。這種精神危機深刻反映了現代資本主義社會的危機。六十年代以來臺灣社會的情況，雖不能與發達的資本主義國家類比，但已經顯示出了都市的病態。羅門以都市生活爲題材的詩，占的比例甚大，《都市之死》、《都市的五角亭》、《都市的落幕式》、《機場・鳥的記事》、《咖啡廳》、《迷你裙》等均是。

作爲批判現代都市生活的詩人，羅門詩的一個重要內容就是反映人的生命的寂寞，《流浪人》就是寫的無形的寂寞的網，牢牢罩著飄泊的生命的。

羅青對《流浪人》一詩評價甚高，認爲：「全詩以流浪人心靈的孤寂與形體的飄泊爲主題，字句連環扣緊，意象層層剝露；意味含蓄而深邃，手法新鮮而動人，是新詩中不可多得

的佳作。」(《從徐志摩到余光中》)

詩的第一節是寫流浪人孤單地來到咖啡館，從賣笑女郎身上找尋寂寞心靈的慰藉。首句的「一條船」可作兩種解釋，一是實指流浪人的海員身份，二是比喻，泛指流浪人猶如被生活的海洋整得精疲力竭的小船，現在到咖啡館或酒吧間來找他的避風港。第二句寫流浪人坐在咖啡館形影孤單的情景。這兩句是倒裝句，按正常語法應爲「在港裏有一條船被海的遼闊整得好累」，「在咖啡桌的旁邊他用燈拴自已的影子」。現在第一句將主語、狀語加以倒裝，構成被動句型，第二句將狀語倒裝，成主動句型，產生了強烈的藝術效果。因爲流浪人的孤寂，並不是他主動尋求的，而是在生活中飽受風浪所產生的效果倒裝句以「海的遼闊」作主詞，「船」是被海整累後才去尋找「港」作休息場所，這種被動，是生活中的悲劇，人無法主宰自己的命運。與第一句相反，又流浪人「拴自已的影子」卻是主動的，因爲生活中他已一無所親，唯影子最寶貴，此句也將狀語放在句末，可產生對襯的作用和連續的節奏，使人能夠把兩句聯系起來體味。有燈就有影，把人和影聯系起來寫並不稀奇，奇的是詩人將無生命的影子比喻成「一條動物」，被流浪人緊緊「拴」在身旁，這就加重了流浪人孤獨的感情。流浪人花錢尋找精神刺激，「安娜」(泛指賣笑女郎)的肉體雖然靠得近，但精神卻離得很遠很遠，金錢能買到肉體，卻買不到眞正的精神慰藉，因此第四句用「近」和「遠」的矛盾語法，進一步烘托流浪人心靈的孤寂。他在這個社會上沒有一個能使人精神得到安慰的朋友或親人，所有的就是能和他身形不分離的影子，他把自己的影子視爲最可珍貴的寵物，如心愛的猫、狗那樣，緊緊「拴」在身旁。其心靈的寂寞該多麼使人驚憂！

第二節寫流浪人賣笑尋求刺激失敗後以酒澆愁。前三句是因果倒置，即一句先寫果，二、三句才寫因。對影枯坐的人最誘惑不過的是杯中物，隨著時間的消磨，酒喝了一杯又一杯，剩下的是「空酒瓶」。「空酒瓶」猶如一座空寂的「荒島」，只能增加流浪人心靈的孤寂，他並不能從酒中找到苦悶的解脫，結果越喝越醉，爛醉如泥——「椅子與他坐成它與椅子」。將「椅子與他」簡單地移位爲「它與椅子」，以「坐成」作動詞，眞是神來之筆。「他」未醉之前，雖然心靈愁悶，但畢竟還是有生命的；到長坐久飮，神經痲木，即與無生命的椅子一樣，變成一具徒有形骸而實際上木然的「它」！只是到深夜咖啡館打烊，他才不得不下樓離去。寫流浪人下樓離去不直說，而用「向樓梯取回鞋聲」，十分傳神。這樣寫不僅加強了動作和音響的效果，還能暗示出流浪人是孤寂地來，又是最後一個孤寂地離去。因爲如果他是和一批酒客同時下樓，那就分辨不出哪些是他來時「留」在樓梯上的「鞋聲」；只有獨來又獨去，那下樓的鞋聲才恍如他上樓時的鞋聲，才好說「取回」。

詩的第三節是寫流浪人出了咖啡館，醉步長街的迷離恍惚的情景。這一節用的是對照的寫法和反邏輯語法。流浪人醉步長街，這時街上夜深人靜，他形單影隻，一種淒淸的情景，剛好和天空中，一顆劃過的流星相對照，更加深了流浪人的淒凉感。流浪人醉步長街和流星過天的感覺，都不是詩人旁觀的淸醒意識的感覺，而是一個醉態中人模糊意識中的感覺。所以，本來是「腳在街上走」、「星在天空走」這些正常的邏試語法，就變成了反常的非邏輯的句子：「讓整條街只在他的腳下走著」、「一顆星……帶著天空在走」。這種非邏輯的語言，運用在此處，將流浪人醉中的神志恍惚刻畫得入木三分。

第四節寫次日清晨流浪人酒醒後所面臨的生活道路的選擇。整節都是用暗示的手法。陽光透過百葉窗射進屋裏，由於百葉窗的特性，造成了屋內陽光的「梯」形，這還是寫眼見的實景。但深一層去理解，這「梯子」樣的陽光，又是一「明」一「暗」的，「明」的才是陽光，「暗」的乃是陰影。理解了這一暗示，則「他不知往上走還是往下走」的結句，才含有哲理性，而不是自然物的「梯子」。是自暴自棄，繼續流浪？還是振奮精神，掙脫困境？詩人的答復顯然是期望著流浪人「往上走」，朝著光明；而詩句以疑問的語氣作結，意在讓更多的人去作進一步的思考，留有餘韵，這從第四節較之前三節少了一句的設置，就可以看出詩人的匠心。

羅門，原名韓仁存，廣東省文昌縣人，一九二八年生。一九五四年開始寫詩，先加入紀弦的「現代派」，一年後退出，入「藍星」詩社，為「藍星」重要成員之一。出版了詩集《曙光》、《第九日的底流》、《死亡之塔》、《隱形的椅子》、《羅門自選集》及論文集《心靈訪問記》、《長期受著審判的人》等。羅門主張，「詩與藝術，是對人類內心與精神活動進行探索。」他把這叫做「第三自然」。他認為諸如日月星辰、江河大海、森林曠野、風雨雲霧、花樹鳥獸以及春夏秋冬等「交錯成的田園與山水型的大自然景象」「是人類存在所面對的第一自然」；而由於機器和電力的發明，「在那有電氣設備的冬暖夏涼、夜如畫的密封型巨厦內，窗外的太陽升與落，四季的變化，都多麼異於田園裏所感覺的，再加上人爲的日漸複雜的現實生活環境與社會形態」，這是「異於第一自然而屬於人爲的第二自然」；詩與藝術的創作，應以「構成大多數人生存範圍與終點世界的第一與第二自然」爲「起點」「向內心探索與開拓人類完美存在境界」，這就是「第三自然」。（《詩人與藝術家創造了「第三自然」》）這種三元論的世界觀，從哲學上來說是屬於唯心的觀點，從社會學來說則是基於資產階級的個人主義，但它注重探索與開拓現代人的內心世界，強調「靈視」，也會給詩的創作造成一定的深度，如《流浪人》等，僅此也有借鑒作用。

〔註〕本文收進廣州花城出版社出版的花城袖珍詩叢——臺灣新詩

# 向心靈世界崛進

## ——羅門詩歌淺析

潘亞暾

我有這樣的體會：與詩人作過一番無拘無束的交談後，能大大加深對他的作品的理解。秋高氣爽時節，著名臺灣詩人羅門和林耀德回大陸探親，途經廣州花城，應邀到暨南大學講學，我們得以聚首言歡。博學如羅門者，竟然不知「右派分子」爲何物？使我這個「老右」悵然若失，深感兩岸交流之重要。待依依惜別之後，便急匆匆拜讀羅門詩集，覺得對這位享譽世界的詩人的作品又有了新的認識。

### 一

羅門是一位銳意探索，詩風多彩多姿的現代詩人。他早期的詩以浪漫主義爲主調。他的第一本詩集《曙光》表現了一系列呼嘯奔放的「自我」形象，充滿了對自由、理想、生命的謳歌和對寧靜、柔和的大自然的讚美，詩的想像豐富，色彩瑰麗，帶有唯美主義色彩。請看《鑽石的冬日》中的一段：「經過保險的鑽石的冬日——靈魂的無波港呵！／生命的海，呈現在你面前，沈靜而均衡，／情感突出的懸崖全倒了，」／在你陽光的溫鄉，自由新生的歡望如飛鳥成羣」羅門早年寫的詩意象飛動，情彩斐然，喜於通過奇特的比喻、豐富的聯想，率直的抒情，展示瑰麗的詩情。

進入六十年代後，羅門的詩風有了很大的變化，但他並未脫盡浪漫的氣質，在他的詩集中還不時能看到熱情奔放之作，讀他的〈野馬〉令人不禁感到這位詩人身上早年洋溢著的浪漫氣質又復活了：「前腿舉成閃電／吼出一聲雷／然後放下來／竟是那陣／追／風／而／去／的／雨／奔著山水來／冲著山水去／一想到馬廐／連曠野它都要撕破／一想到遼闊／它四條腳都是翅膀／山與水一起飛／蹄落處花滿地／蹄揚起星滿天」，這是一首氣勢磅礴的抒情詩，鏗鏘激越的音步，明朗急促的節奏，駿馬狂放不羈的神采躍然紙上。在〈觀海〉中你也能看到羅門早年詩歌創作中的激情與想像力：「那純粹的擺動／那永不休止的澎湃／它便是鐘錶的心／時空的心／也是你的心／你收藏日月風雨江河的心／你塡滿千萬座深淵的心／你被水與火焚燒藍透了的心」海的壯濶、博大，海蘊含著的生命皆能令詩人驚歎，他情不自禁地聯想了人類世界和生命的眞諦。如果說五十年代羅門的詩，色彩是熱烈鮮明的單色調，那麼，六十年代以來，他的詩就是雜色的，而富於浪漫氣息的明朗色調。讀〈野馬〉、〈觀海〉之類的詩，我感到羅門仍不失浪漫派詩人的氣質，這些詩給人以健康的美的感染，促人奮發向上。

## 二

自六十年代以來，羅門的詩路不斷拓寬，刻意創造新的形象，營造新的意境，他很少披示熱烈的情懷了，而是潛心於追索人生、宇宙的奧秘。他的詩對現實生活的輻射，既有深度，又有廣度，善於從尋常的物體形象中挖掘其內涵的深邃哲理，早期詩中的奇特想像和浪漫色彩，常常化爲深沈、凝定之態，常常具有多義性和不確定性，深含象徵意義。

羅門說：「我始終強調心靈世界，是因爲『心靈』是詩人釀酒的『酒廠』，如果沒有『酒廠』，詩人幽美的情思、智慧與人生經驗，放到哪裏去『釀酒』呢？」（見《曠野》代序）由單純的主觀抒情到「向內轉」，向人的心靈世界掘進，這便是羅門後期詩的顯著特色。

追求精神質素，表現工業化帶來的種種現象，是羅門詩作中經常出現的題材，詩人凝神傾聽喧囂的工業文明聲浪，密切注視傳統的生活方式、倫理觀念、價值觀念所受到的挑戰，用詩的語言表達自己對於這一切的思考。〈塔形的年代〉是他的一首名作，詩中寫道：「人們爬上年代的塔 雲浮在腳下／沙漠睡在眼裏／我 香烟對象／構成一隻三腳架／停泊著手拉住手的對象香烟與我／在塔形的年代裏 寂寞似塔」這首詩展示了由多層次的情感、矛盾的心理所構成的立體主題，詩中由「香烟」和「我」以及共同構成三角關係的「對象」——現代都市，顯然是由詩人的自我感受出發的，你能從詩中感受到資本主義工業文明對都市的扭曲，還有詩人悵然若失的情緒。羅門的詩從不同的角度與層面，展現商業化社會風氣對人心的侵蝕和冷漠的人際關係：〈傘〉形象地描寫了傘下一個個孤獨的靈魂：「他靠著公寓的窗口／看雨中的傘／造成一個個／孤獨的世界／想起一大羣人／每天從人潮滾滾的／公車與地下道／裹著自己躲回家／把門關上」由一把傘，寫出了熙熙攘攘的世界裏人與人之間無法溝通的心靈。再請看〈卡拉 OK〉：「四肢是燃燒的高壓電路／都市在你光芒四射的身上跳動／將整座城的喧囂與冷漠／從高音喇叭的喉管中吐掉」哦，都市人沈湎於震耳欲聾的音響，原來是借以掩飾排遣內心古井似的冷寂。嚴酷的都市生活導致了人格的分裂，〈老處女型企業家〉中那個單身女強人，白晝頤指氣使「坐在旋椅上／把整座玻璃大厦／旋成一隻水晶球」好不威風；可到了夜晚，回到自己房裏，「燈熄後／只有那襲綢質透明睡衣／抱住一個越來越冷感的夜」現代都市人那種孤寂、煩鬱、憂戚，困擾著詩人，在詩的字裏行間，筆者彷彿看到激昂著一股股暖流，努力在冲擊那一堵堵隔絕人與人心靈的冷漠的牆。

從羅門的詩裏可以看到，瘋狂是城市流行的哲學。〈車禍〉寫「走進一聲急刹車裏去」釀成的車禍，「他不走了　路反過來走他／他不走了　城裏那尾好看的週末仍在走／他不走了　高架廣告牌／將整座天空停在那裏」。在〈都市·方形的存在〉中可以看到：「天空溺死在方形的市井裏／山水枯死在方形的鋁窗外」再看〈曠野〉：「洋灰道上　不見羊／馬路上不見馬／摩托車急成一根快鞭／鞭著衆獸在嘶鳴中奔動／綠燈是無際的草原／紅燈是停在水平線上的／落日」羅門的都市詩呈現多層次的時空結構，或將一瞬間的直覺和幻覺交雜、倒錯，或將不同感官的感覺交互作用，展示了一幅幅光怪陸離的都市畸型的圖景，使讀者清楚地看到現代文明破壞了人們心理平衡，以及生活的艱辛。看哪：「都市是一張吸墨最快的棉紙／寫來寫去／一直是生存這兩個字／在時鐘的硯盤裏／幾乎把心血滴盡」（〈生存這兩個字〉〈BB型單身女秘書〉揭示的那一幕更令人驚訝，那個接受總經理邀請，下班到玫瑰餐廳去的女秘書「忽然發覺自己／也是一種貨色／玫瑰色的／準時交貨」在拜金狂潮的冲擊下，社會中的一切，都被商品化了，人失落了自我，這正是現代都市的悲哀。羅門的都市詩在對生活的感受和觀照時，寫出的是詩人的主體感覺，在對詩人心靈的開掘過程中，使對象心靈化。他的詩植根於現實又能超越現實，每每表現出一種對生活橫向與縱向相結合的宏觀的哲理思考。這樣的詩，既是寫實的，又具有哲理的內蘊與象徵的因素，既刺激讀者的審美感性，又激發讀者的審美思考。這些詩由於提升到相當高的美學層面，就避免了一般寫實詩作膚淺、直露的弊病。

## 三

羅門的很多詩篇是寫鄉愁的，他的詩魂在夢中的故土找到了寄託。他的鄉愁是深沈的、細膩的、委婉的，一旦觸到感情的噴發口，他那遊子思親、流浪人思鄉的激情，便有如熾熱的溶巖一傾而出。

〈遙望故鄉〉寫的是詩人在金門島遙望離別了三十年的故鄉時的感觸：「一個浪對一個

浪說過來／一個浪對一個浪說過去／說了三十年只說一個字／家」鄉愁在詩中具體化、形象化了，它通過生動的藝術形象表現出來。〈遙指大陸〉展開了這樣一幅畫——一位祖父帶著孫子在海邊用手遙指大陸：「淚滿了雙目／海哭成三個／家遠出望外／而孫子卻說／那地方好近／把岸拉過來／一腳踩上去／不就是老家嗎？」無限江山，別時容易見時難，詩中那千迴百轉的鄉愁，讀來感人至深。

一些在別人看來是最平常不過的東西，在詩人的心靈中都具有特殊的意義：一杯茶、一盞燈、一曲鄉音，都能使他情牽萬縷，如醉如痴，他對故土、親人的懷念，眞是達到了魂夢縈繞的地步。喝茶時，詩人張開了想像的翅膀：「沈在杯底的茶葉全部醒成彈片／如果那是片片花開　春該回／家園也該在／而沈不下去的那一葉／竟是滴血的秋海棠／在夢裏也要帶著河回去」（〈茶意〉）在油燈展示會上，在詩人的眼裏，「每盞油燈在電燈光下／都有鄉愁」（〈觀燈記〉）。詩人在火車上看錶時，產生了奇特的聯想：「所有的車輪都是離家的腳／所有的車窗都是離家的眼睛／所有的錶面都是離家的臉」。（〈火車牌手錶的幻影〉）詩人每每先以白描手法狀物寫景，再用聯類比喻的方法，提煉出詩的意境，情思悠長，寫景、敍事、抒情、議論水乳交融，讀之使人神思飛越，回味無窮。街頭有一個素昧平生的老人，也能勾起詩人對浪迹天涯無所歸依的身世的感懷，〈賣花盆的老人〉寫道：「每天／他推著一車歲月／擺在巷口賣」、「坐在盆外／他也是一隻空了卅多年的／老花盆／直望著家鄉的花與土」。直接抒寫自己的胸臆是羅門鄉愁詩的突出特色，他的許多作品就是他主觀上那日漸濃重、揮之不去的思鄉情緒的眞實寫照。

歲月匆匆，人事滄桑，唯獨對故土的一份眷念無法抹消，以致一個錶、一杯茶、一盞燈，無不扣和著作者善感的心扉，牽動著他的思鄉情懷。這些撫今追昔的鄉愁詩，以其情牽萬縷骨肉之情，款款地打動了讀者的心。

## 四

就意象的經營而言，羅門稱得上是臺灣詩壇極有特色的一位詩人，他的很多詩篇激盪著跳躍性的情緒節奏，意象具有強烈的心理色彩。請看他的一首〈光穿著黑色的睡衣〉，詩中先展示了「紫羅蘭的圓燈罩下」、「藍玉的圓空下」、「邱吉爾的圓禮帽下」、「少女們旋動的花圓裙下」，那些流動、跳躍的光，進而寫道：「而在圓形的墳蓋下 連作爲天堂支柱的牧師／也終日抱怨光穿著黑色的睡衣」全詩由一圈圈令人目眩的圓的造型和一道道流動的光波組成，詩中各式各樣的圓可視爲人生的象徵，光則如同一曲無所不在高奏著的圓舞曲，它與生命、青春和美同在，只有當死神降臨，穿起「黑色的睡衣」時，那歡快的圓舞曲才告停止。

羅門的許多詩內部粘合力靠的不是事件的客觀情節性，作者時常將一些外表上無關聯的形象作蒙太奇式的並列處理，形象之間的類比不以言傳，而有待於讀者自已參與完成。〈曠野〉中有這樣一組組對應的畫面：「風裏有各種旗的投影／雨裏有各種流彈的投影／河裏有各種血的投影／湖裏有各種傷口的投影／山峰有各種墳的投影／樹林有各種鐵絲網的投影／峭壁有各種圍牆的投影」，在羅門筆下，生活的形象常常成爲發瀉情緒的一條傳送帶，〈曠野〉中的「風、雨、河、湖、山峰、樹林、峭壁」，這些被感情浸泡過的形象，依據詩人的情感，組合成一幅幅新的形象圖。〈觀海〉中那「飲盡一條條江河」「醉成滿天風浪」、「吞進一顆顆落日／吐出朵朵旭陽」的大海，也已成爲一種意象，化作詩人思想情緒的一種象徵。

羅門善於用想像的舢板，把讀者引渡到另一個世界——心靈的世界，使讀者在思想上得到啓廸，情緒上激起波紋，印象上獲得美感。〈燈屋的世界〉寫的是光，寫了「光的行踪」「光的作業」和「光的結局」，然而透過光卻折射出了自我的心靈，把自我的感情無遮攔地流泄出來，通過光顯現出在心靈的鏡面上的印象，詩中的光的暗示，意義盡在不言中。的確，詩歌過實比附，有時反而會閹割詩意。

羅門的詩充盈著主體對於對象的情感的投射，同時又常常打破時空的固有順序，多層次的時空結構和跳躍性的情緒節奏，是他的詩常用的手法，如〈窗〉、〈目·窗·天空的演出〉等作品，採用了超現實然而又具體形象的方式，通過主客易位，產生一種特殊的審美情趣。〈目·窗·天空的演出〉的第一段寫道：「臉一靠窗／目便與天空換了位置／天空總以爲用不著動／全都到了它下面」讀者可以看到，詩人的感覺外化出來，改變了對事物原有狀態的摹寫。

在羅門的新詩中，還有諸如〈馬路工人〉、〈曠工——光的牧者〉、〈地攤〉、〈垃圾車老李〉、〈一拳打通十六座山〉、〈玻璃工人〉等寫實感頗強的詩，這些作品謳歌了創造性的勞動，由衷地讚頌了改造山河的勞動者，有的詩揭露了社會的不合理現象，爲受剝削的勞動者鳴不平。〈建築工人〉一詩用鮮明的對比手法，寫出了社會的貧富不均、分配不公，建築工人「把樓頂與天頂／不斷拉近／讓發亮的皮鞋們／將電梯當天梯／踩上去」；他們成天「拖著泥漿的雙腳」，造的是高樓，自己則「低頭進土屋」。〈板門店・三八度線〉是一首有鮮明反戰意識的詩：「山谷是傷口挖的／山坡是坦克起伏的／山是屍體堆成的／星夜是彈頭與眼珠綴成的／月亮一出來便流淚／太陽一出來便淌血」和上述一些讚美勞動和勞動者的詩一樣，這首詩也具有深刻的人性。詩人並未發表議論，但他的愛憎情感在字理行間表露得十分明確。

## 五

羅門對其他的藝術門類，如現代繪畫、雕塑、乃至電影與音樂，都有相當的研究，這對於豐富他的詩歌表現力大有裨益。〈都市的旋律〉巧妙地借鑒了一種音樂的結構、節奏和韻律，詩的外在形式、語言及內容，詩人思想的軌迹融爲一體，天衣無縫。〈咖啡廳〉每句皆以「一排」、「排好」開頭，結構十分破格而大膽，全詩呈現鮮明的現代繪畫的構圖和效果。〈迷你裙〉、〈旅途上〉、〈茫茫〉等詩，彷彿是用攝影機攝下的一組組鏡頭，詩人運用的不是單一的長鏡頭，而是長短鏡頭結合、大小鏡頭結合，甚至有特寫鏡頭的穿插、變幻。由於廣泛滲入繪畫的線條、色彩，音樂的抽象、節奏，電影蒙太奇的剪接、迭加，乃至雕塑的立體感，爲羅門的詩平添了不少風采。

古人說：「觸物起情。」詩人心靈裏的感情輻射，往往以客觀物象爲媒介而引發的。在羅門看來，詩是表現，是創造，是生命的律動，是散發出一種會使精神沈醉不已的馨香，而不是簡單地反映或摹寫生活，他將自己眞摯、純樸、沈郁、悲憤以及歡樂、惆悵等等感情，融入了萬花筒般的大千世界的種種物象之中。讀羅門的詩會有一種特殊的審美體驗，並能給人以廣濶的聯想、啓廸和領悟。

圖文天地四卷九期—一九八九年二月

# 超越與回歸：從心靈到現實

## ——對羅門都市詩的再認識

王振科

羅門是臺灣著名的現代派詩人。我有幸做爲他這樣一位傑出詩人的讀者，從他的詩作中，我經歷了從未有過的審美愉悅，開闊了藝術的視野，懂得了許多過去不曾懂得（也不可能懂得）的東西。

在他的全部詩作中，我尤其矚目於他的都市詩，也許因爲我在上海這個大都市裏居住了幾十年，他的都市詩中所描繪的一切都令我產生共鳴和同感，而更重要的原因，是我認爲它們集中地體現了他的詩原理論和美學觀點；它們的文學意義和社會意義都遠遠地超過了它們自身的價値和魅力。難怪臺灣和海外的詩評家們對它們的評論也最多。我詳細地研讀了幾乎所有的評論，除了同意詩評家們的評價和意見之外，也還覺得自己有些感受和想法，想寫在這裏，算是對他的都市詩的一些再認識，或者也可以說是對以往某些評價的補充，期望得到他及同道的指正。

一

我的第一個想法是，他的都市詩乃是歷史、時代和社會的必然產物。這本來是不成問題的。但是，站在大陸讀者的角度，我以為，重新提出並指明這一點還是很有必要的。由於人為的藩籬所造成的隔閡，我們在相當長的時期內，對臺灣的社會現狀及詩歌的發展都缺乏了解。所以，如果脫離了臺灣近數十年來的社會變化而孤立地評價他的都市詩，就難免有「霧裏看花」和「隔靴搔癢」之感，自然不可能得出比較客觀的結論。

據資料表明，四十年代末乃至五十年代初，臺灣還一直是一個農業的社會，政治不夠穩定，經濟也不發達，各種社會矛盾也比較尖銳複雜。五十年代中期以後，進行了土地改革，當局採取了一些發展的措施，經濟才逐漸復甦。自六十年代，又推行「開放經濟」和「內外結合」的政策，大力發展加工出口業，組建加工出口工業區，使臺灣的經濟迅速起飛。資料統計顯示，至一九七八年，臺灣的工業總產值由一七・九%上升到四〇・三%，而農業則由三五・七%下降到一二%。這就清楚地表明，臺灣正由一個封閉的農業社會變成了一個開放的資本主義社會了。隨之而來的，便是生活的現代化程度日趨深化，以及整個文化的變遷與提升。其正面的突出表現是，大都市物質層面的發展：高聳入雲的樓羣、琳瑯滿目的商場、摩肩接踵的人潮與車流、工業的高度發達……而其負面影響卻也不容忽視：伴隨現代化而來的政治及經濟改革，瓦解了舊有傳統的生活模式與人際關係；在「都市文明」遮蓋下的各種光怪陸離、罪惡和醜陋；底層小人物的血與淚，上層貴族人的閒與淫，以及富豪們的罪生夢死……尤其是由於這種「負面影響」所造成的人性桎梏與變異。與此同時，由於實行經濟開放，各種資本主義的社會文化，包括各種精神垃圾、文化細菌、腐敗習俗便潮水般奔湧進臺灣社會，從而導致了臺灣文化的西化及人們思想精神人倫道德的「滑坡」。這似乎印證了一條資本主義社會發展的共同規律：在社會現代化進程中，物質的進步與道德的淪喪幾乎是同步出現的，人們在順應現代生活的發展與要求，享受科技進步帶來的種種利益的同時，又需在精神上付出享受的代價，包括受到各種腐敗現象與文化細菌的侵擾和毒害。這在邁向現代化的國家、地區或都市，都無一例外地存在著。這是那一個人也無法避免，也不能遏止的社會病像之一。

羅門做爲一位飽受傳統文化薰陶而又負有社會責任感的詩人，非常淸醒而又理性地認識到這種物質與現代化導致與精神世界錯位的現象，便自一九五七年起，開始了都市詩的創作，而且，始終對「都市文明」抱著懷疑和保留的態度，詩中充滿著對現實的批判精神，爲臺灣社會近幾十年來的發展，留下了眞實的記錄和生動的寫照。使我這個大陸的讀者，從中了解到臺灣社會某些方面的現狀與面貌，反過來，又加深了對他的都市詩的感受和理解。這不僅有利於啓發我們要加緊現代的步似，而且，也給我們在加緊現代化步伐中以省察自身的形像資料。這也許並非他寫都市詩的初衷；而他的都市詩竟能在大陸讀者中產生這樣的效果，恐怕也是他始料未及的。

由是，我便得出了我的第一個結論：沒有臺灣社會的資本主義化，沒有資本主義的「都市文明」，也就沒有羅門的都市詩。這同時也就再一次證明了一條藝術創作的規律：生活永遠是第一性的。如果說他的都市詩是出自於他所說的「第三自然」，那也必然是，而且只能是在「第一自然」與「第二自然」的前提和基礎上才有可能產生。

二

羅門是以寫現代詩而著稱於臺灣及海外詩壇的。而他的都市詩又正如我在上面說過的，充滿著對現實的批判精神。這兩點又恰恰符合了現代派文學的特徵之一：在個人與社會的關係上，表現出從個人的角度全面地指控與質疑社會的傾向。這就使我產生了第二個想法：從文學史發展的角度來看，他的都市詩的產生絕非一種偶然的現象，它除了與生活有著源流的關係，也有著對現代派文學傳統的淵源和繼承的關係。

衆所周知，現代派文學是西方進入資本主義時代以來的產物，它不可避免地反映了近八十年來西方社會的動盪和變化。重大的歷史事件、政治經濟運動及文化藝術思潮，當然都會在現代派文學中有直接間接的表現，尤其是對西方現代文明的危機意識、變革意識，以及在人與社會、人與人，人與自然（包括大自然、人性和物質世界）和人與自我等關係上的尖銳矛盾和畸形脫節，以及由之而產生的精神創傷和變態心理，悲觀絕望的情緒和虛無主義的思想等等。所有這一切，都標誌著資本主義社會中各種社會關係的異化，以及人們心理狀態的畸形扭曲，由此而決定了現代派文學富於批判精神的傾向和特質。另一方面，西方工業革命的成功，形成了以城市爲中心的社會生活格局。而現代城市對現代藝術在孕育、培養、發展和鑄煉等各方面，又提供了特有的條件。於是，艾略特和波特萊爾都先後在自己的詩作中，透過文字的表述，對現實的種種弊端，對時代的醜惡和黑暗的病態予以無情的揭露和批判。再後來，卡夫卡更在他的小說中，著力表現他生活著的那個時代和社會中，人與人之間極端隔膜的狀況，人因爲「失去自我」而悲哀以及爲「尋找自我」而痛苦的情境，人在異己而又強大的社會和自然力量面前的戰慄和無能爲力，由此而形成的個人孤獨感。他們的作品開創了現代派文學著重於揭露和批判現實的傳統。而現在，當我讀著羅門的都市詩的時候，我發現，他的都市詩與上述作家和詩人們的作品竟存在著某種內在的聯繫。我認爲，他的都市詩正是對這一傳統的繼承和發展。

另一方面，正如余光中先生所說：「臺灣的詩一開始就繼承了三十年代的傳統，到五十年代開始西化。」而羅門的都市詩恰恰正是在五十年代中期產生的。既受到了「西化」的影響，但同時也繼承了三十年代中國新文學中現代主義文學的傳統。

「五四」之後，隨著對西方科學與民主思潮的開放，西方現代主義文學思潮也隨之而傳入，對中國新文學的發展產生了影響。二十年代末，上海有幾位青年作家在這種文學思潮的影響下，對用現代派的技巧和手法表現現代都市生活的小說進行了試驗和探索，形成了一個流派。他們以吸收西方現代小說技巧爲手段，著重於反映現代都市的節奏，揭示現代都市人的生活方式、心態及其種種精神現象，對所謂「都市文明」也進行了揭露和批判。當時，寫這種「都市小說」的作家有劇吶鷗、穆時英、施蟄存等。他的作品開創了中國現代文學中以現代派手法描寫都市生活的「都市文學」的先河。在我看來，羅門的都市詩對所謂「都市文明」的醜惡本質的抨擊與剖析，與當年「都市小說」作家們對上海這個「十里洋場」的世相所做的揭露批判是如出一轍，異曲而同工的。所不同的是，他所反映的是當代臺灣資本主義社會的現代都市生活，而「都市小說」所描寫的二、三十年代的上海，還是只一個半封建半殖民地的都市。

站在大陸的角度來看，羅門的都市詩與二、三十年代的「都市小說」之間相隔了二、三十年，當中似乎發生了「斷層」。但我認爲，實際情況並非如此。應該指出的是，今天的臺灣資本主義社會正是以前那個半封建半殖民地社會的一脈相傳和延伸發展。特別重要的是，在文化傳統上，它一方面保持著開放的特點（不像大陸這樣的「自我封閉」），與世界文化的發展始終是同步的關係；另一方面，通過包括紀弦先生在內的一大批現代作家的傳導和接力的作用，使中國新文學中的現代主義傳統得以在臺灣文壇繼續發展而未致中斷。而羅門的都市詩，正是對西方現代派文學的「橫向移植」與對中國新文學中現代文化傳統的「縱向繼承」的結合物。從這一意義上說，我認爲，他的都市詩，不僅在臺灣文學史上，而且在中國現代文學發展史上佔有它所應該佔有的地位，也就是理所當然的了。

## 三

但隨之而來的是這樣一個問題：在臺灣詩壇爲什麼唯獨他繼承和發展了「都市文學」的傳統而成了「最具代表性的都市詩人」（張漢良先生語）？由這個問題又很自然地引出了我的第三個想法：他的都市詩是他的詩學觀點的實踐產物和直接的體現。

在《我的詩觀》一文中，羅門曾經說過：「詩與藝術幫助我超越『第一自然』（田園）與『第二自然』（都市）兩大現實生存空間，進而去建立起我內心無限地轉化與昇華的『第三自然』空間」。這就是說，他寫詩是爲了要「超越」現實。爲什麼呢？因爲在他看來，現實是醜惡的。自從「有了蒸汽機、汽車飛機，速度加快了，人從田園走進都市；建築物圍攏來，在街口，把天空與原野吃掉；一種存在的焦急感、緊張、動亂、與空間的壓迫感，使人內在產生潛意識的抑壓作用」①不僅如此，「當都市文明不斷把人放逐在腰下的物慾世界，將人的內心，從生機勃勃的『空靈』狀態，日漸推入蕭條、凋零的『靈空』狀態，造成心靈與精神貧血與趨於乾固枯萎的現象」，「人日漸被壓在物慾世界之下，有逐漸被物化成爲文明動物的可能」②「於是一種從內心激發出對人存在價值的探求與精神往深廣度提升」的願望，便促使他創作了都市詩。一方面，想借此「充分表現人對現實生存處境產生至爲強烈的抗力」③另一方面，則是爲了「對『人』的追蹤」，「甚至可把眼睛閉上，讓內心漂泊在沒有地址的時空之流上，緊追著那個從現實中超越而潛向生命深處的『原本』的人」。④

如果我的這一推斷不錯，那麼，透過上面這些話，我們還可以進一步看出他之所以創作都市詩的主觀願望與內在動機：他並非一般地全盤否定都市的物質文明，而是強調人必須站在物質文明之上，不要被物欲所支配和役使，淪爲物質的奴隸，成爲文明的動物；在享受著越來越豐富的現代物質生活的同時，更應保持並不斷提升美好的精神和健康的情操，使自己的心靈充實而不致由空虛而墮落。所以不惜對現實及「都市文明」進行猛烈的抨擊，企望擺脫現實的羈絆和騷擾而保持人的完美。

顯然，這種願望是善良的，動機也是積極的。但是，我認爲，想要以「超越」現實而實現這種願望與動機的想法，卻恰恰是不現實的。人生存於現實之中，無論現實是美是醜，是好是壞，都必須正視它，接受它，而絕不可能迴避，更不能超越。所以，他終於還是回到現實中來，寫出了既眞實地反映了現實，又把現實投影到人們心靈中予以折射和觀照的都市詩；儘管詩中充滿著誇張、變形、象徵乃至荒誕的意象，但它的本質及批判精神，從根本上來說還是現實的。也正因爲如此，它們才代表了他的詩藝的最高成就，而他也贏得了很高的聲譽。

應該指出的是，我所說的他「終於還是回到現實中來」的意思，絕不意味著他的詩是對現實的重複和倒退，更不是指對現實的原樣照搬和機械地摹寫。而是說以現實爲依據。通過藝術的創造，更深入、更集中、更眞實地反映現實，從而把現實提到更美、更典型、更具情感性和思想性的高度。這也正是他所主張的：「詩絕非是第一層次現實的複寫，而是將之透過聯想力，導入潛在的經驗世界，予以觀照、交感與轉化成爲內心中第二層次的現實，使其獲得更爲富足的內涵，而存在於更爲龐大且永恒的生命結構與形態之中。」他的這一主張恰好證明了我的上述想法，至少也說明了我們的觀點和看法是比較接近的。

我不想在這裏重複引證他的那些已經被許多人做過評價和分析的詩作（對那些評價和分析我大都表示同意），我只是覺得，從他的詩作中看來，他的這種從現實出發，想「超越」現實，而最後又回歸到現實的心路歷程和創作過程，確實是艱難而充滿痛苦的。然而，也正因爲如此，才眞正顯示出他的藝術功力非同尋常。所以，他的都市詩在對社會生活層面的表現上才更有廣度，在對現實本質的剖析上更有深度，在對人性變化和扭曲的揭露上才更有力度，在對「都市文明」的醜陋和罪惡的控訴上才更有強度。從他的詩作中，我同時還看到他爲「追蹤」人的本性、價值、尊嚴、地位和生存的自由權利而走過的足跡。看起來，他似乎走得很遠，但卻始終沒有半步離開過現實的土地。這也許就是他的詩作之所以具有藝術生命力的原因吧。

## 四

我上面所說的「回歸」除了是指「回歸現實」之外，還另有一層意思，也就是他所說的「回歸到東方自然觀」。

這種所謂「東方自然觀」的哲學內涵是中國傳統文化中的「天人合一」的思想。它構成了羅門都市詩的精神支柱，也是他創作都市詩的原發力。正如他所說「西方不斷追住二元性相對比中占優勢的一面，捕捉下一秒鐘新的事物……這種不斷的揚棄與動變，雖帶來人類更新穎更文明的生存環境；但同時也帶來人類精神與內心的緊張、不安、衝突、焦急、冷漠、孤獨與疲累的感覺，產生可見的負面；而東方自然觀，因一直在天人合一的情境中，擁有大自然和諧寧靜與圓渾之境，的確像是一張舒適而龐大的安樂椅，等著那直追著物質文明的「紐約」、「東京」與「臺北」累倒躺進來休息。⑤

爲了體驗和感受這種「大自然和諧寧靜與圓渾之境」，他「曾一大早當整座城正在睡時，試著靜靜的跑到樓頂，探望整個浮現在都市上的大自然，禁不住的寫出：『一呼吸，花紅葉綠，天藍山青……』好像我與自然萬物的生命於一瞬間，已脈動在一起，已歸向自然觀的純一之境，而趨於平靜與安定」⑥但實際上呢，他卻發現只有「在大自然的鄉下，你可以『靜』觀，進入天人合一之境；但在大都市的城裏，你便只好在『動』與『亂』裏去看了，看紅綠燈把路撕破，看支票把心撕破，看房地產與股票跌漲的起伏，看下一秒是否抓住什麼而不安……⑦正是這種「鄉下」與「城裏」；「平靜」「安定」與「動」「亂」的鮮明對比所形成的強烈反差，促使他在批判「都市文明」的同時，在另外一些詩作中竭力讚美和頌揚那種「天人合一之境」、「綠色的靜境與我的醉眼平行／凝眸伴夏日寧靜的園林遠渡／渡入煙雲／渡入不回首的蒼茫／時空以甜熟的睡姿叫我／我卻叫不醒藏在歲月葉蔭裏的鳥聲／一切都在無形的舒展中靜臥／世界失去負荷／除了呼吸太綠／聽覺太亮／視境太深」「南方請別用你靜謐的星夜推我／當六月的晚風灌我半醉」（《南方之旅》）像這一類詩作，從另一個側面，反映出他對「回歸東方自然觀」的努力和追求，也可成爲我們理解他的都市詩的一種反襯和參照。

這種「東方自然觀」還內蘊著深層的美學意義：「繼續開拓中國傳統詩物我觀照的內心與精神境界」，「把人類從物化狀態中，透過詩提升出來，轉化回到心靈美感與美感的生命世界裏來」⑧也就是說，在「物」與「我」的關係中，「我」是主體，「物」必須服從於「我」而不是相反。只有這樣，才能通過詩的途徑，使人的心靈與精神得以從「物化」中解脫出來，進入「天人合一」的美好境界。這種美學上的「物我觀照」與上述哲學上的「天人合一」，二者相輔相成辯證統一，實質上都體現了中國傳統文化的精神和特質，但可被他賦予了新的解釋和意義。

說到底，所謂「回歸東方自然觀」，也就是要回歸到中國的文化傳統。就詩的創作來說，也就是要「使詩繼承中國古詩的精純、音樂性、韻味與有詩質有意境的優良傳統」⑨這也就清楚地表明，他雖然是一位現代詩人，寫的也是現代派詩，而他從小就接受中國傳統文化的敎養和薰陶所形成的文化心理素質，價值判斷標準及審美意識卻還保留傳統的精神特點。或者還可以說，他恰恰是爲了保持，維護和發揚這些傳統才去寫都市詩，對現代都市文明蒙在傳統文化精神上的汙濁在塵垢進行抨擊和批判的。這同時也鑄就了他的都市詩的獨特個性和風格：外在的西方現代派詩歌的形式與內在的中國傳統文化精神的巧妙結合。它們是現代的，可是傳統的，更是屬於羅門的。

這就是我拜讀了他的詩作和詩論以及有關的評論之後的一些想法。既很膚淺，又不成熟，還可能荒謬。雖然我也同意其他的詩評家們對他的詩作所做的評價和分析，但我不願意去重複他們的話，我只想說我自己的想法，就當作一位讀者對他所鍾愛的詩人的一點敬意吧！

一九八九、九、四初稿一〇、二二修改於上海

①③《從我的〈第三自然螺旋型架構〉看後現代情況》

②《都市與都市詩》

④《我的詩觀》

⑤⑥⑦⑧⑨《心靈訪問》

「藍星詩刊」一九八九年元月

# 美的求索者

王春煜

仲秋十月，金風送爽。著名詩人羅門回大陸探親、講學的喜訊，一下子在詩人家鄉的——海南省的文化界傳開了。……

## 追尋「創造性的生命」

十月十九日。拜訪了這位飲譽國際詩壇的詩人。他中等身材，穿一件白衫，系領帶，蓄兩撇小鬍子，睿智的眼神，儒雅和藹。他是在香港大學演講結束之後，應邀回大陸的中山大學、復旦大學、北京大學等高校演講的。

羅門，原名韓仁存，一九二八年出生於海南島文昌縣。羅門的祖父曾是進士，父親則是擁有大木船來往南洋一帶的富商。羅門九歲那年，日軍打了進來，羅門同家人被迫開始過流浪生活。一九四二年，羅門入空軍幼年學校（在四川灌縣），畢業後再進杭州筧橋空軍飛行官校，一九四九年隨校去臺灣，後因踢足球傷腿，停飛。「藍天之夢」破滅了，他卻張開了詩的翅膀……

我問羅門是怎樣和詩歌結下不解之緣的。他說：「我喜歡詩是與愛好古典音樂同時開始的。在空軍幼年學校讀書階段，已經在學校的壁報和畢業刊物上發表過一些詩作。一九五四年，始於紀弦主編的《現代詩》發表第一首詩《加力布露斯》。第二年，與當時已經頗負盛名的女詩人蓉子結婚。從此，我便將生命之舟，對準詩的國度航行了。」說到這裏，他爽朗笑了起來。

「你第一次發表詩作，是用羅門這個筆名嗎？」我問。

「是的。因爲我母親姓羅，而「門」則可以令人想起桑德堡的話：「詩是一扇門，一開一閤，讓那些看過去想像那片刻間所見者如何。」

這是多麼富有詩意的筆名呵，我不由得點頭稱贊。從事詩創作三十多年的羅門，迄今已出版詩集十冊。

也寫詩評，已出版的詩論集有《現代人的悲劇精神與現代詩人》、《心靈訪問記》、《長期受著審判的人》、《時空的回聲》等。羅門的詩論，有點近乎紀德與愛默生的散文，富有啓示性，在臺灣詩壇有很高的評價。

羅門的談鋒甚健。他的聲音低沉但是快速，似乎有一種穿透力。「在我看來，詩與藝術在人類生命中所顯示的力量是偉大、永恒和不朽的，」他笑咪咪地說，「貝多芬的音樂，在那一些聲音裏，它究竟會有多少噸能計算得出來的知識學問、思想與感情？它能帶動人類的生命進入完美的境界。」

「這就難怪日本音樂界要讚美貝多芬是人類心靈世界中的第二位上帝了」，我接過話說，「你在一篇文章中說得很好：最美的人羣社會與國家，最後仍由詩與藝術而非由機器造的。」

詩人朝我溫和地笑笑，微微頷首。他說：「美國已故總統肯尼迪有一句名言：『詩與藝術使人的靈魂淨化，權力使人的靈魂腐化』。這說明了詩與藝術在人類生存的環境中，是具有深遠意義的。」

我們侃侃而談。羅門對詩與藝術所抱定的信念，使他產生了一種至爲虔誠的近似宗教徒的心情，長期樂此不疲。他告訴我：他原是臺北國際航空站薦任一級航務員（高級技術員）待遇很好，出國旅遊還可享受免費機票待遇。但是爲了有更多的時間創作，他只好放棄這一份令人羨慕的工作，於一九七四年便申請提早退休，開始專一性的詩與藝術的創作生涯。他充滿自信地說：「我發覺生命的存在是由「生存」發展至「生活」再發展至「創造性的生命」的最高層次，」而我的職業性的工作只能使人一輩子停留在生命的前兩種層次中，而無法使我進入『創造性的生命』層次，我便不能不對自己做這樣的決定與改變。」

「你常常把詩與藝術相提並論，其他的藝術是曾給你影響？」我問。

「是的，我也一直對其他的藝術如現代繪畫、雕塑乃至現代電影與音樂都有相當的愛好，並成爲它們熱心的觀賞者。

聽音樂、看電影給我的撞擊力不亞於詩。我企望從各種角度去探索『美』！與追踪

『美』」。

確實如此，羅門在現代詩的創作中，善於融合現代畫的構思、現代電影的蒙太奇及現代小說的意識流，交織成萬花筒般魔幻的世界。

「你如何理解詩的現代性呢？」我問。

「我在詩中強調的現代性，不是完全著重於現代生活的內容，而是着重於透過創作心靈『轉化』過後的呈現，這種『呈現』是必須具有強烈的『現代性』，含有新的創造力。」羅門停了停，又接著說：「如果我們確對現代生活具有深入的體會和感受，具有銳敏的透視力與判斷，則當我們看到一個少女穿著很短的迷你裙在街上走過，引起行人注目，我們會寫出：『它短得像一朵火花／一閃／整條街便燒了起來』（這不單純是意象的轉換，而是使人心潛在的感覺狀態都躍然紙上）；或者寫出：『它短得像踢躂舞的音響』（以聽覺表現視覺的效果）；而決不會寫來缺乏現代感）」他的話滔滔不絕，實際、詼諧、雋永。

## 和大學生談詩

十月二十二下午，羅門應邀到海南大學講演　詩人乘坐的皇冠牌汽車，徐徐駛進校園，映入眼帘的是海濱一座座雄偉建築物拔地而起，兩旁栽滿椰子樹的校道多麼筆直，遠處蔚藍色的大海閃著銀光……詩人不由得連聲贊嘆：「呵眞美，美極了！」

講演會在教學大樓舉行。聽衆大都是文學院和藝術學院的師生，早已把一個容納三四百人的階梯課室擠滿了。

羅門今天主講的專題是：《現代詩與視覺藝術的關聯性》。他在講演中說，詩人與藝術家的心象世界是相通的，因此詩與藝術在創作上，必有被此相照映與相呼應的地方。他認爲，如果沒有詩與藝術，我們勢必生活在一個非常有限且單調、呆板與近乎機械化的現實世界中，而不能擁抱美好的人生境界。他說，年輕人開始愛詩與寫詩，多是由於一種美感的誘惑力。譬如，你遇見一位美麗的少女，內心十分愛慕，於是說：「你的容貌好美呀，眞令我心動。」像這樣把心裏的意思平鋪直敍的說出來，就太平淡了。如果改成這樣說：「你的美貌是春天的化粧臺。」少女一聽，就開心地笑了。這時候，你會這樣說：「你笑得好迷人，它讓我看到我的未來生活的幸福。」但不夠好，你可以這樣說：「你的笑容是罩在天堂四周的燈光。」少女聽了，也許會默默地看你一眼，你便也因此向她奉獻出你美麗的贊詞：「坐在你美目的旋轉椅上，我重新校對天堂的方向。」他的結論說：「將詩與藝術從人類的生命裏放逐出去，那便等於將花朵殺害，然後來尋找春天的含義。」羅門的講演妙趣橫生，不時激起一陣陣的笑聲和掌聲，會場氣氛異常活躍。

羅門在講演中，十分重視視覺活動的轉化能力，把它視爲創作世界的變壓器。他認爲這種能力來自聯想力與想像力。他說：「譬如我們提到門這樣東西，現實世界裏的各種『門』我們一看就知道；可是有許多更奇妙的「門」，是肉眼看不見的，需要詩的聯想力去推開。如：花朵把春天的門推開了；炎陽與綠蔭把夏天的門推開了；果子與落葉把秋天的門推開了；寒流與風雪把冬天的門推開了……；鳥把天空的門推開了；泉水把山林的門推開了；河流把曠野的門推開了；海把天地的門推開了……到處都是開門的聲音……由此可見想像力在詩中是多麼的奇特與重要，所以詩人必須培養自己有優越與遼闊的聯想力與想像力。」

詩人結合自己豐富的創作經驗，進一步具體指出在寫詩過程中要注意「三個轉化」。一是名詞的轉化。如「獨釣寒江雪」，把「魚」轉化爲「雪」，所釣的是整個宇宙的孤寂與荒涼。二是形容詞的轉化。如「白鳥悠悠下」，白鳥本來就很美，用上「悠悠下」這一形容動詞，白鳥便顯得更美了；如果用上「飄飄下」，便使本來美的白鳥，反而變得不美了。三是動詞的轉化。他說：「動詞是詩生命的動力。我常常爲了琢磨一個動詞，花了不少時間。譬如我在《彈片·TRON 的斷腿》一詩中寫一個小女孩不幸被炮彈炸斷了一條腿，她長得漂亮，本來在長大後可以去參加游泳比賽，跳芭蕾舞，她未來生命的遠景，隨著鐘面旋轉，如唱一隻歌的唱盤，但因她斷了腿，放出的音樂便不再美妙了，於是我在詩中寫：「她唱盤般的磨在那支斷針下，這時用『磨』當動詞，便不但可表現出她今後生命的回聲，暗痖如磨在斷針下的音樂，而且「磨」出了人性與人道的聲音。」從這一番話，可以看出羅門是個相當重視文字的作家。美國女作家 Stein 不是曾說過：「寫作就是把恰當的字放到恰當的位置上」麼？

談及對大陸朦朧詩的看法時，他說：「所謂朦朧詩，在相當大的程度上也可說是現代詩（雖然在一些論者看來，這二者並不能完全劃等號）。它是伴隨著現代文明而來的。大陸的青年詩人不滿意於過去某些詩的直白空喊，想在藝術上銳意圖新。這誠然是可貴的，而且取得了鼓舞詩心的創造力。但從總體來，起步晚了一點，有些詩人對意象的把握尚未達到準確、圓融和穩妥。有些詩爲什麼會令人感到朦朧呢？他約略的分析原因：「詩人在創作上著缺乏準確地把握意象的能力，用『比喻』便不會準，用『象徵』，因加上暗示與朦朧的神秘性，便更看不清楚；因『超現實』又加上了一層超離面，便不但晦澀與走樣，甚至是胡言亂語了。譬如我們看到少女迷人的嘴唇，可把它寫成：『春天的兩扇紅門』，甚至寫成『兩行柔美的抒情詩』；但要把它寫成『兩片嫩綠的大煙葉』，就難免給人晦澀與畸形之感了。這樣現象，五、六十年代臺灣詩壇也曾出現過，不過不稱爲朦朧，叫做晦澀，實際是一樣。」

他說：「臺灣現代詩的詩風，現在已經從晦澀回歸明朗。以前寫難懂晦澀的詩，使詩脫離大衆，造成詩的危機。不過，我認爲寫眞正淡而平易，又能保留詩之質感與內涵的詩，比運用繁富意象的詩還難。步出繁富的意象世界，進入明朗的直抒世界之後，詩人若缺乏在心境與藝術上所必須的內省與轉化作用，流於平淡粗陋，就會帶來現代詩的一些新的危機。」

講演會進行了整整兩個小時，博得了聽衆熱烈的贊揚。一位女大學生走出會場時興奮地對我說：「聽羅門講演，不僅在思想受到啓迪，也是一種高層次的藝術享受呵！」

## 「一幅悲天泣地的大浮雕」

在海南省文聯大廳舉行的歡聚會上，詩人羅門和海南省詩人、作家、評論家濟濟一堂，共敍手足情誼，交流詩藝。會場溢著親切而熱烈的氣氛。臨了，羅門應青年作家韓少功的要求，起立朗誦他的名作《麥堅利堡》：

……

死神將聖品擠滿在嘶喊的大理石上
給升滿的星條旗看　給不朽看　給雲看
表堅利堡是浪花已塑成碑林的陸上太平洋
一幅悲天泣地的大浮雕　掛入死亡最黑的背景
七萬個故事焚毀於白色不安的顫慄
史密斯　威廉斯　當落日燒紅滿野芒果林於昏暮
神都將急急離去　星也落盡
你們是那裏也不去了
太平洋陰森的海底是沒有門的

詩人的聲音輕輕震撼著大廳。他用不著看作品，長達八九十行的《麥利堅堡》，從他低沉的嗓音中一字字清晰的吐出，抑揚頓挫，令人心弦震顫！

過了兩天，我又一次見到羅門。他和我談起《麥利堅堡》一詩的寫作經過。麥堅利堡（FORTMCKINLY），是在非律賓的美國軍人公墓。「爲了紀念第二次大戰期間七萬美軍在太平洋地區戰亡，美國人在馬尼拉城郊，以七萬座大理石十字架，分別刻著死者的出生地與名字，非常壯觀也非常凄慘地排列在空曠的綠坡上。」說著，他拿出一張麥堅利堡的照片指給我看。

羅門一九六〇年因公赴菲，往遊此地，時值黃昏，夕陽西下，遊客已散，只留下七萬座十字架在空曠的野外，被看不見的哭聲包圍著，被死亡的感覺低壓住。同到旅館，這種悲劇性的情景，迫使他拿起筆來，當夜便一氣呵成這首詩。

《麥堅利堡》發表後，即被選入英、日、韓等外文詩選。一九六七年，這首詩獲得國際桂冠詩人協會榮譽獎及菲律賓總統金牌獎。麥堅利堡這一題材，曾被臺灣、大陸以及外國不少詩人寫過，爲什麼羅門卻表現得如此成功呢？我請他談談創作這首詩的意圖和體會。他略爲沉思了一下，說：「一個詩人總是有深厚的人道精神與同情心的。戰爭，是人類所面對的一個含有偉大悲劇性的主題。我企圖在《麥堅利堡》這首詩中，透過戰爭造成的苦難，對於人的存在和尊嚴予以肯定，並對戰爭的價值觀作深入與雙向性的判視。在戰爭中，人類往往必須以一隻手去握住「偉大」與「神聖」，以另一隻手去握住滿掌的血。我在那首詩中，便是表現了這一強烈的悲劇性的感受。我認爲戰爭一直是用人命來製作的，它處在「血」與「偉大」的對視中。因此，我在詩中把「戰爭的偉大感」與「死亡的虛無感」兩種衝突的力量都擺出來，它所逼視出來的感人的『茫然之境』，正是我所追求的一種含而不露的藝術效果。」

我咀嚼著詩人的話，這時才眞正領悟到美國著名詩人希爾爲什麼說出『羅門的這首詩具有將太平洋凝聚成一滴淚的那種力量。』

我由《麥堅利堡》這一首詩具有某些偉大感的詩篇，想到如何才能成爲一個大詩人？當我一提出這個問題，羅門似胸有成竹，不假思索地回答：「依我看，起碼應具備三個條件：一是要有卓越的智慧。因爲詩是一切存在的深知與遠見。二是要把才能提升爲才華。在詩與藝術的世界裏，沒有才華等於是大胖子跑百米。三是要有偉大的心境。一切偉大的非凡的作品，都是透過作者內心偉大非凡的感受與轉化而呈現的。除此而外，還有更重要的一條，就是對自己所從事的這種『心靈作業』具有深入的認知，獻身於它像獻身於宗教，必須全心全力，愼重投入那種永恒的美的追索之中。」

年屆花甲的羅門，仍壯心未已。問到這次大陸之行在創作上有何打算時，他謙遜地笑了笑，說：「我這次主要是回來講學的，日程安排很緊。我想借此機會，順便到大陸的一些地方走一走，會晤詩人朋友，參觀我國的名山勝水……但願不虛此行，回臺灣後寫出的作品能有所突破。」

我相信，憑著詩人那顆不曾疲倦、不捨晝夜追求的心，該會開拓出現代詩的新天地。我也這樣深深期望著。

「文學世界」一九八九詩四月八日

華夏年報一九八九年九月三八期

# 飛成一幅幅風景

## ——羅門詩歌生命主題論析

汪　智

繼承和發展了惠特曼詩風的美國詩人卡爾·桑德堡（一八七八——一九六七）曾經給詩下過這樣的定義：「詩，是風信子花和餅的合成體。」（《桑德堡：詩的十條定義》之九）這並非說這位出身貧苦而終生爲美國人民吟唱的傑出詩人，只是將詩作爲心靈的魅惑和饑餓的呼喊，而是說，詩應是感情的、物質的、審美的、現實的；是生活抽象的，又來自生活實體的。那麼，這「合成體」又體現爲何物呢？當可理解爲生命主體的顯示。

風信子，生命的希望，色彩的繽紛，春天的指代，早已同衆多花卉步入詩歌的原型意象無「風信子」只有「餅乾」，那是靈的死滅，生的乾涸，是乾旱的風在沙海拂蕩。羅門，詩便是他青春蓬勃歲月的風信子，他的詩又是奉獻於詩壇的一叢「洋水仙」（風信子別名）。請看寫於同他的處女作《加力布露斯》同年的《小提琴的四根弦》：「童時，你的眼睛似蔚藍的天空，／長大後，你的眼睛如一座花園，／到了中年，你的眼睛像海洋多風浪，／晚年來時，你的眼睛成了憂愁的家，／沈寂如深夜落幕後的劇場」。這是一首意象詩。年輕的羅門，尚未與蓉子結爲伉儷的羅門，無意以「提琴」、「弦」、「眼睛」等等，羅織一幅司芬克斯之謎，將他舉步前行的生活之途樹起層層壁壘，使望之艱危，行之困窘。他是以詩歌栽植人間花樹，爲人生四歷程驅散「憂愁」、「沈寂」，在人生預視中以生命之光燭照來途。這「童時」、「長大」、「中年」、「晚年」，是實在而不容回避的。開啓生命窗扉的「眼睛」，應該永遠有「蔚藍」的純淸與「花園」的明麗。卽使身歷浪之危巓波之深谷或已屆人生歸宿，亦應不失琴音溢流之曼美。《小提琴的四根弦》預示了羅門詩歌生命主題的詩思走向。

聖——琼・佩斯曾這樣論及詩與生命的關係：「詩歌不僅是一種認識手段；詩歌首先是一種生活手段，而且是完整的生活手段。旣然詩人曾存在於史前穴居人之身，詩人也必將存在於原子人時代之身，因爲這是人的個性中不可分割的部分」。（引自《國際詩壇》第四輯四七頁）那麼危及「生活」與「人的個性」的，也必危及詩的，因此，詩歌便調動起自己特有的種種「手段」捍衞生命，表述關切與鍾愛。羅門以生命爲主體的詩歌其第一特色便是直面戰爭的災難：它無花的春天，它失血的慘白。

戰爭，這個專職於褻瀆生靈，毀棄生命的無常，曾用它邪惡之鏈，鎖鑰多少美之靈異，人類無以忘懷。戰爭與生命兩相背反，對戰爭給予人類心靈巨創的深層開掘，便也是對生命至理的高度弘揚。在羅門此類詩表現中，莫過於《麥堅利堡》。以「麥堅利堡」爲詩題，常見的還有《初訪「麥堅利堡」》（張默）、《白色墓園——訪菲律賓美軍公墓》（洛夫）、

《美堅利堡》（蕭蕭）。羅門這首寫於一九六〇年十月，是較早的。筆者無意於將四篇詩作相較，因每談及，難言的酸楚和瞠目中的悲抑，確使筆者無暇廣思。單就羅門詩而論，詩的開篇便是用戰爭痛悔戰爭，令讀者驚詫，來初示生命主題的。麥堅利堡是馬尼拉海濱安葬陣亡於二戰太平洋戰區七萬美軍將士的公墓。一萬七千多座十字架，數十座大理石牆，鐫刻亡者名姓，結成連天的白色，「展覽著太平洋悲壯的戰況，以及人類悲慘的命運。七萬個彩色的故事是被永遠埋住了。」（羅門原註）而發動並鑄成那場劫難的「戰爭」目視人間寰宇的哀慟，歷經歷史的痛懺，「坐在此哭誰」？這自然有幾分荒誕，但這景象便造成這景象的戰爭本身竟也由目瞪口呆而心神搖顫，可見災難之慘烈。詩人以「史密斯」和「威廉斯」作爲七萬將士的代表，寫出戰爭給予生命的傷逝之痛：「煙花節光榮伸不出手來接你們回家／你們的名子運回故鄉 比入多的海水還要冷／在死亡的喧噪裏 你們的無救 上帝的手呢」。上帝的手，本應濃聚生命的情熱，而戰爭卻將生命冷浸於冰水之中，對人類廣博的愛與對命運的關切，如雄強的歌呼，震響著生命的主題，回蕩於詩的主旋律中。

與生命凝立並存的，除戰爭導至其淪亡枯寂外，另一對立形式是災難、死亡及諸遭不幸。前者表現在突發驟現，後者爲恆在與頻仍，它們是生命的災星。羅門的詩《小提琴的四根弦》，始折芳馨贈人間以所思，三十多年來在他琴弦的協奏中從未停歇給他的詩世界以人類命運的震顫，他的詩歌張力在生命與死亡的抒情兩極間。《升起的河流——悼詩人屈原》則是偉大生命必跨越時空「飛越永恆」的頌歌。而這一意義中的死亡，爲使生命「芬芳到花之蕊／深遠到海之心／聳高到天之頂／遼闊到地之外」，「成爲星海」，「劃入神話中的故事」。像一切偉大者生之捐棄，死之抉擇一樣，心的重負使他的血肉之軀無限沈重，他（或他們）是生命的載體，心和被絞曲的歷史一起痛苦。「冰層裂開的聲響裏／春天反而往下陷／春天被傾斜的太陽說不成春天／你怎麼也扳不回太陽的斜度／便將心碎成汨羅江上的浪花」。在羅詩生命主題的呈現中，詩聖屈原不再是歷史的「憔悴」，不再是正義的「枯槁」（二辭引自《楚辭·漁父篇》），而是生命的精義，理想的清芬。請看詩人筆下的屈原怎樣顯現生命最高值：「潛入最深最靜的江底／將臉貼著最清最潔的水流／風鈴聲劃過原野／寧靜了滿天的藍／你以光的姿勢睡在銀河上／睡成歲月／睡成純淨的時間之軀／睡成一面鏡」難怪詩人似覺詩聖與他爲伴，而且不是瞬間的幻影，猶如分明可見。詩的開端我們即見詩聖崛立於汨羅之濱，「臉與峭壁相望」。在衆多悼念屈原的詩歌中，羅門的這一首，境界卓異，原於其能使讀者具有對生命的開拓型理解：在生之奮求，死之存想，以及雖死猶生的理念中穎悟。

但生命之與死亡也可能在現代生活的另一類情境中抗衡，並因失敗，退卻，偃息生之奮爭的旗鼓。考之似有兩種情境：一是令人悲辛的雖生猶死，二爲猝然地輕賤地對人世作生之永別。《單身漢》之「單身」，《流浪人》之「流浪」，詩人是有其對社會的暗示性、批判性的。在反諷的戲謔與情趣的幽默中，兩首詩欲哭無淚地深惋生命在黯然灰色中消去。《單身漢》前兩段寫出生命與生命意義之兩極分離：「門已鎖上／他摸不清是在門內／還是在門外」，「巷子走出大街／大街走回巷子／他把周末走成一個漩渦／非把自己空出來不可」。靈魂已與肉體離異，而心在呆滯僵死中：「手與鑰匙搶著去開那把鎖／打開門／也打開自己／是進去是出來／都錯如用玻璃來隔離看見／反正天空已被雙目釘在天花板上／那條河也死到湖裏去／眼睛較那支煙往灰燼裏走還靜／他的影子忍受不了／便叫成懸崖上的斷石」。此處雖然不是寫戰爭，但何以令如此的有生命亦如麥堅利堡十字架般的慘白。在《麥堅利堡》中還竟有「戰爭」引咎自泣，而面對「單身漢」世界的灰茫，可曾聽到人間多少歎息？生命價值趨向負面，人生深義被虛耗，作爲當代人，應該讓琴弓在「小提琴的四根弦」的哪一根爲他們奏響？詩人以生命主題召喚著人類的自省與社會的完善。那首《流浪人》同樣寫出生命的可悲可憐。世界之於他何等冷清孤單：「帶著隨身帶的那條動物／讓整條街只在他的腳下走著／一顆星也在很遠很遠／帶著天空在走」，「明天當第一扇百葉窗／將太陽拉成一把梯子／他不知往上走還是往下走」。生活的不可思議，構成詩句反邏輯表達：「整條街」和「他的腳」，「天空」與他，完全顛倒。加之新奇巧設下暗喻：百葉窗把陽光分成陰陽相間的梯形，於是，心已失落的流浪人望之，難以預知人生的升沈浮降。此爲前者——生命，在無望的雖生猶死中。

《車禍》寫一個沒有死於戰爭，卻因生活無著，魂魄漂離而「走進一聲急刹車裏去」的老兵。終至「路反過來走他」。死者的深值歎惋載《單身漢》與《流浪人》尤甚。那一聲尖利的急叫之前他們相似，刹間的噪音結束則是一個不幸的生命向不幸終極的墜落。這屬於另一類——偶然猝發的生之永別，卻同樣蓄含著羅門對生死無定，人生短暫這生命畸形的同情與人道主義的深蘊。

羅門詩歌生命主題的第二特色是對現代人生活的特定空間（都市）的揭示。

作爲詩歌本源的人類社會生活，在他漫長的發展史上，城市的出現無疑標誌著人類社會聚居形式的一大飛躍。如果將城市的發展略分爲古代與現代兩大階段，則我們的現代城市當從近代工業革命發端。在古代階段，我們無法將城市內，包括帝宮、皇苑中所生一切不合人意處，均歸之於城市生活之弊害。卽使詩歌中有所揭示，讀者亦難作如是思考。倒是現代詩歌已敏感地預見出現代城市給予現代人生存的普遍困擾，並在現代詩濫觴期已作強烈的表現英國傑出詩人布萊克（一七五七——一八二七）的《倫敦》之成爲彌久不衰的傳世佳品，因其能以三個典型意象：「掃煙囪的人」、「不幸的兵丁」和「妓女」作爲其所生活時期城市罪惡的代表形象，而爲詩歌史所銘記。法國象徵派詩歌的先驅，西方現代派詩歌的鼻祖波德萊爾（一八二一——一八六七）劃時代的詩作《惡之花》，六部中的第二部卽名爲《巴黎風光》。之中的《巴黎之夢》抒寫了詩人擬消除憂鬱步入現實世界的觀察。他看到了「恐怖的陋室」而「大夢初醒」，「心中感到／該詛咒的憂傷的尖刺」，「擺鐘敲起陰鬱的聲音」，「空中飄過昏暗的愁雲，／罩住淒涼麻木的世界」。凡爾哈侖（一八五六——一九一六）的《城市》，桑德堡的《芝加哥》則把現代城市對生存環境的破毀、對人性的踐踏、與科學的背逆等，作更深刻更尖銳的剖露。羅門的「都市詩」是他詩作重要組成部分，詩人將其對現代人生活境遇、心態情感、命運運行的關注思考，滙入他的詩領地——他呈獻人們的另一類「風信子」和「餅乾」。

《都市的五角亭》組詩第一首詩《送早報者》的首句，卽道出對都市歲月的厭憎：「『昨日』沒有被斃掉／『昨日』坐印刷機偸渡回來了」。可厭的「昨日」竟花枝招展地被今日的都市人鑒賞：「『昨日』像花園被他搬了回來／人們的眼睛擦亮成瓶子／等著種各式各樣的花／文明開的花炸彈開的花／上帝愛看或不愛看的花」，都將由無數的「昨日」變成今日，變成「送早報者」所送的該被「斃掉」的一切：它的無奇不有與荒唐怪誕。第二首《擦鞋匠》有寓意深摯的意象羣。它的表層含義是對擦鞋匠這樣低微人物的同情，但這首詩其意不在於直接映射生活實感，卻是更深層地將擦鞋匠作爲都市現代人的表徵，全詩所寫便是他們與都市。「他與他的工具箱／坐成L型的吸塵器／坐成一小小沙漠。」擦鞋匠於樓彎路角，周身蒙附著塵沙。而「沙漠」所封裹的又何嘗不是這城市？心靈的沙漠、情感的沙漠、文化的沙漠給予都市人，特別是深懷零余感的廣大敏感的知識階層，不也像「他已分不出自己的手／是帆／還是仙人掌」的擦鞋匠一樣，周身襲擾著荒涼、雜蕪、冷寂嗎？那都市，已不是海濤上高揚的帆篷，卻只如沙海中孤立與不協調的仙人掌。《餐館侍者》、《歌女》寫出都市人際與世相，它有現代城市的辛酸。「白蘭地與笑聲」、「滿廳紊亂的食盤」是「侍者」外在世界，而她的內心卻自赧自賤在燈紅酒綠之後。都市外在律與內在律處於分離中。《歌女》雜取的夜生活的每一物事，無一不夠「現代」的，而這現代城市給予她的，便是使令她成爲「按摩」器、「電療」儀、「打火機」、「大蔴煙」。她被異化爲現代垃圾，人們在她的「聲喉」中去尋「花園」、「噴水池」，而她的生存與生命卻被「廢墟」般地「荒涼」著，像「脂粉遺棄的臉」。她和她們的犧牲，換來都市的奇光異影、斑駁陸離。《拾荒者》所《拾》之《荒》，是艾略特《荒原》的城市變形，羅門意在尋出「拾」的清醒與悟識，召喚生命的新義。

《都市的落幕式》是於《都市的五角亭》創作二年後一九七二年寫出的，是更深層的都市批判。那些交通事故、疾疫蔓延、車流擁塞，使城市「哮喘」、「癱瘓」、「痙攣」、「癲狂」。世風沈淪，黃色泛流，以至詩人不得不憂戚地發出歷史性的問詢：「誰也不知道你坐那輛垃圾車往哪裏去」。城市，斷送了現代人的精神而獲取其物質文明的高度發展，詩歌的生命主題在對現代人現實及未來深切思慮中凝聚與噴發。

如果將《都市之死》（一九六一）到《「麥當勞」午餐時間》（一九八四）都市詩綜觀則正如羅門在《麥》詩「後記」中所述：「現代文明，像是頭也不回地向前推進的齒輪，冷漠而無情，文化則是對存在時空產生整體性的關懷與鄉愁。從文明的窗口看此詩……人必須自覺地從文明層面轉化到文化層面上來，否則，人將被冷酷的機械文明不斷地進行切片。讀者被懾於令人驚駭的詩句：「都市」，「一隻裸獸在最空無的原始／一扇屏風遮住墳的陰影／一具雕花的棺裝滿走動的死亡」）《都市之死》），詩人與讀者愕然同視著文明的不文明，現代的非現代，希冀生命赤漿的提純、美善，祝禱都市在「死」中再生！

有一層應予論及，對於都市文明中轉化「到文化層面上來」的一切，對於生命「存在時空產生整體性的關懷與鄉愁」的文化，羅門詩歌的「風信子」則具別一風情，煥出迷人的光彩。一九八七年羅門曾用色的幻化和彩的奇麗描摹都市現代文明中的文化靈光：「坐著火車出城／看玻璃大厦／在飛馳的車窗外／很快解體／飛成一幅幅風景」（《玻璃大厦的異化》）。這「風景」的主題是生命的，唯願人類生命中所有「飛成」的，都展翼高揚為「一幅幅風景」——羅門四十年詩祈願的「風景」。

論析羅門詩歌的生命主題，若輕忽下述論題，評析必是殘缺的：卽由於對孤絕寂寞的審視而弘揚的人生價值。筆者認為當為羅門詩歌生命主題的第三特色。寂寞之與詩歌，大概生來便是相容組合結構。人說「憤怒出詩人」，其實「寂寞出詩人」也早被詩史證明。寂寞以至孤絕，卻可說只那些詩家絕唱方永留人間。因為那詩不搖撼到讀者心，讀者詩思之海也不會湧起什麼波瀾，至多不多「風乍起」而被吹皺，之後，頃刻就平息了。寂寞與孤絕，數十年來於詩壇有影響的表現，名篇迭出，羅門自然不甘寂寞。如果說余光中此類詩格調在柔婉眞純，洛夫在痛切深摯，蓉子在幽邃淡遠，席慕蓉在纖纖清麗，那麼羅門則在奇峭哲思。請看羅門的《傘》：「他靠著公寓的窗口／看雨中的傘／走成一個個／孤獨的世界／想起一大羣人／每天從人潮滾滾的／公車與地下道／裏住自己躲回家／把門關上」。若僅讀至此，似乎平常，生活的外觀，淡淡的，似無甚情致可言。但特定的外在世界，由於詩對寂寞峭絕心態的哲思而陡然奇峭地變形：「忽然間／公寓裏所有的住屋／全都往雨里跑／直喊自己也是傘」。由此看來，詩人視域中的孤寂不僅是傘下「孤獨」的「一個個」，不僅是「只喊自己也是傘」的「公寓裏所有的住屋」，那傘大極了，由視野所及以至無限，而「傘」下落著雨，雨使「孤獨的」「一個個」小「世界」更廣闊地孤獨，共同的無限的孤獨，以至淡化孤獨，接受靈幻神異的「傘外無雨」。現實與假想，內在與外化，目視與變形，瞬忽同現。當人們驅遣牢據心頭的那般感受之後，重見華燦光美的豔陽麗照，該何等欣悅地感念羅門的「風信子」！

再看羅門的《窗》：「猛力一推／雙手如流／總是千山萬水／總是回不來的眼睛」，這是令人戀而不返的沒有孤寂的廣闊世界，且只在「一推」卽至的心神頓爽中。推窗者亦被「望成千翼之鳥」，「聽成千孔之笛」，形美、聲美在人與空間的對視中。千山雖遙，萬水雖遠，也自有限，人們的孤寂感更渾然，更茫遠，詩云：「窗」卽推開，人「竟」被反鎖在走不出去／的透明裏。古人把寂寞可置於「碧院鎖清秋」的狹仄環境中，而羅門所言卻是高接天宇，下達人寰。這首詩寫於一九七二年，彼時詩中那種落莫空疏，今日不難作出多解的吧！

一九八三年羅門寫了詩采華美的《給蓉子》的愛情詩，那是爲了紀念「一九五五年四月十四日星期四下午四時」，他與蓉子「一同走過教堂的紅毯」的美好時刻。羅門在「後記」中說「踏著燈屋裏的燈光，走進詩的漫長的歲月，我心底向你說的都在這首詩中」。那麼羅門「都在這首詩」說了哪些「心底」話呢？他說他和蓉子共同理解的人生和詩的生命，否則，羅門何以把這首詩又喚作《詩的歲月》呢？詩人像愛蓉子一樣地愛著他的詩 他情願「焚化成火鳳凰」，或如「楓樹」般「把輝煌全美給秋月」，或如「天鵝」在「靜野」，「留下最後的一朵潔白／去點亮溫馨的冬日」。那情那詩是「給蓉子」的，也是給讀者的，給詩的，都已閃射在羅門詩的生命主題的灼灼光輪，都已「飛成一幅幅風景」。

（寄自安陽市）

「藍星詩刊」一九九一年七月

# 都市人深重孤寂感的生動展示

## ——羅門三首詩賞析

古遠清

### (一)光，穿著黑色的睡衣

紫羅蘭色的圓燈罩下　光流著
藍玉的圓空下　光流著
邱吉爾的圓禮帽下　光流著
唯有少女們旋動的花圓裙下
　那塊春日獵場　光是跳著的
而在圓形的墳蓋下　連作為天堂支柱的牧師
　也終日抱怨光穿著黑色的睡衣
　　　　　　　　　　　　一九五八年

和「塔」一樣，「圓」是羅門城市詩中經常碰到的一個意象，它和中國傳統文化中認爲「圓」意味著渾融、完滿、無缺陷的意思相接近。具體在此詩中，「圓燈罩」可供看書寫作，從事精神文明的建設；萬物在藍玉的「圓空」映照下，顯得更加生氣勃勃；邱吉爾在「圓禮帽下」，思考著戰爭與和平；「少女們旋動的花圓裙」，則給人們帶來歡快，帶來春天。如果說，前面寫光的流轉和跳躍，是對人類所存在的時間和空間整體運轉變異的一種形象描寫的話，那後面寫「圓形的墳蓋」，則是對人類面臨死亡威脅的情境的追蹤。在作者看來，人一旦和死神靠近，不管是偉大的政治家還是平凡的舞場少女，都不得不從光明走入黑暗，在墳墓中穿起「黑色的睡衣」。什麼「圓燈罩」、「圓禮帽」、「花圓裙」，都不再溢光流采而化爲塵埃。

用「光」作爲人類生命的存在與活動的象徵，以及用「圓」作爲人類一切生存時空的縮影，無疑是羅門的獨特創造。在羅門其他詩作中，伴隨著「圓」的還有「塔」作爲其「時空」與「死亡」主題中的兩個重要造形。其中「圓」又產生出多重複合的象徵系統。關於這些，青年詩評家林耀德在《羅門論》中均有詳盡的論述，這裏不再重複。

### (二)都市，方形的存在

天空溺死在方形的市井裏
山水枯死在方形的鋁窗外
眼睛該怎麼辦呢

眼睛從車裏
方形的窗
看出去
立即被高樓一排排
方形的窗
看回來
眼睛從屋裏
方形的窗
看出去
立又被公寓一排排
方形的窗
看回來
眼睛看不出去
窗又一個個瞎在
方形的牆上

便只好在餐桌上
　在痲將桌上
　找方形的窗
找來找去　最後
全都從電視機
方形的窗裏
　逃走

鋼鐵的都市及圍攏過來的高樓大廈，在羅門眼中是能把遼闊的天空與原野吃掉的「方形的存在」。現代都市人口高度集中，住房十分擁擠，不僅空氣遠未有鄉村新鮮，而且人情也遠比農村淡薄。人們原是純潔的心靈，在日漸物化的都市環境中被放逐、被腐蝕，在方形的框框中被禁錮，被污染。讀了這首詩，我們好似聽到作者在呼喊：「方形」是窒息生靈的大陷阱，它溺死天空、枯死山水。人們的眼睛雖然可以從方形的窗看出去，但很快又被外面同樣一排排方形的窗看回來。這正是人際關係對立的折射反映，也是人厭倦都市生活的具體表現。人們在形如鳥籠狹窄市井中，找不到出路，只好在吃喝玩樂中痲醉自己。不幸的是，餐桌、痲將桌、電視也呈「方形」。不錯，電視機裏有並非方形的天空、山水，可是這些天空山水，仍逃不脫方形的電視機的控制，所謂「逃走」云云，不過是人們的自我安慰罷了。這和羅門在另一首詩《窗》裏所寫的「猛力一推，竟被反鎖在走不出去的透明裏」所謂是同工異曲。

方形的存在以及由此產生的被扭曲的方形的心靈，有待「詩的偉大的聯想力」（羅門：《時空的回聲》）去開啓一道眞正走出困境、通向自由的大門，而羅門，正是開啓這一大門的先行者。

### ㈢傘

他靠著公寓的窗口
　看雨中的傘
走成一個個
　孤獨的世界
想起一大羣人
每天從人潮滾滾的
　公車與地下道
裹住自己躲回家
　　把門關上
忽然間

公寓裏所有的住屋
　全都往雨裏跑
　　直喊自己
　　　也是傘
他愕然站住
把自己緊緊握成傘把
而只有天空是傘
　雨在傘裏落
　　傘外無雨

一九八三年

用白描的直敍手法，寫現代人生活在大都市所引起的極爲深重的孤寂感作品中的「他」，百無聊賴地靠著公寓的窗口看雨天人們撐著一把把五顏六色的傘，以致看花了眼，錯把正遭雨淋的公寓中的住屋也當作傘。「他」爲此感到愕然，以致站成一條直線，成握緊的傘把狀這樣天空便成了一把大傘。傘，是全詩的中心意象，它對構成孤獨世界及比喻人的孤寂、落寞、無聊的心情，起到了重要的作用。

此詩純用生活口語化與行動性的語言寫成。但作者的目標決不是追求大衆化，而是企圖用平易的語言寫出具有現代感與動作化的詩，其中有四個緊密相連的實視空間：從開頭到

「把門關上」爲「現實」中與「記憶」中的實視空間，從「忽然間」到「也是傘」爲「超現實」中的實視空間，最後爲「禪悟」中的實視空間。作者設置這多向空間，是爲了將過去過分密集的意象語鬆弛開來，以求得更大的張力去抓住表現對象的要害。

（寄自武漢）

「藍星詩刊」一九九一年四月

# 刻畫都市人生的聖手

## ——羅門詩作賞析

古遠清

**城裡的人**

他們的腦部是近代最繁華的車站，
有許多行車路線通入地獄與天堂，
那閃動的眼睛是車燈，
隨時照見惡魔與天使的臉。

他們擠在城裏，
如擠在一隻開往珍珠港去的船上，
慾望是未納稅的私貨，良心是嚴正的關員。——一九五七年

鋼鐵的都市，以它圍攏過來的高樓大厦，把遼闊的天空與原野吞掉，同時又將人的腦袋和眼睛異化爲賺錢發財的工具。這裏寫的「他們」，自然不是一般的城市貧民和工人，而是

指那些以城市爲賭場的冒險家，爲了獲得更多的財富，擁有更多的財產，他們絞盡腦汁，用盡各種明裏暗裏的手段，與「最繁華的車站」毫無區別。然而等待他們的不都是天堂，造物主爲他們準備的還有十八層地獄。只要他們不與「天使」打交道，而與「惡魔」掛上了鈎，良心就將會受到嚴正的審判。他們得到的就不是什麼「珍珠」而是鐐銬。

這首詩對冒險家心靈的透視，既準確又深刻。尤其是在當時臺灣還沒有從西方資本主義的高速公路邁進時，就敏銳地觀察到了都市的一切都將被金錢所滲透。正因爲是羅門在透視都市人的心態，挖掘城市題材，以及使用燃燒且灼及人類心靈的意象方面作出了突出的成績所以他才被譽爲在文明塔尖造塔的思想家，被詩人陳煌稱爲「都市詩國的發言人」。（見「明日世界」一二〇期，一九八四年十二月出版）。

**送早報者**

「昨日」沒有被斃掉
「昨日」坐印刷機偷渡回來了

那是在牛乳瓶的聲響之前
安娜還未游出臂彎之前
他的兩輛車衝在太陽的獨輪車之前
「昨日」像花園被他搬了回來

人們的眼睛擦亮成瓶子
等著插各色各樣的花
文明開的花　炸彈開的花
上帝愛看或不愛看的花

羅門是刻劃都市人生的聖手。無論什麼職業的人，在他筆下均得到生動深刻的展現，這首「送早報」者，是他有名的「都市五角亭」（一九六九）中的一首。

早報刊登的都是「昨日」的新聞，因而作者抓住「昨日」二字做文章。「昨日」發生的大小事件沒有隨著時間的消逝而「槍斃」，而被早報記錄了下來。然而這記錄，並不是像照相機那樣作純客觀的反映，而經過了記者的剪裁和編輯的加工，這就難免失眞或與「昨日」的歷史有一定的距離，故詩人用了「偷渡」。這「偷渡」與上句「槍斃」一詞聯繫起來，可見早報上登的新聞大都是聳人聽聞的，這種新聞，反映了人間的紛擾和世間的不太平。

第二段寫送早報工作的艱苦和辛勞之狀。那時，家家戶戶還緊鎖著房門，牛奶未送上門，主婦還躺在夫君的懷中酣睡，可是送早報的人爲了趕在太陽出來之前把早報搬回，已工作了多時。這裏的「安娜」，在羅門的另一首城市詩「流浪人」中寫作「娜娜」，它們均爲泛指。既可理解爲妻子，也可理解爲賣春女。那些出賣肉體的少女，正好似一條魚，還未游出男人的臂彎。這是以醉生夢死者的安逸反襯送報者的勞累。

第三段將筆觸由送報者轉向讀報者，用揶揄的手法諷刺他們盲目地接受這些「愛看或不愛看」的新聞，作者把人們的眼睛喻爲「瓶子」，顯得大膽、新鮮，極富於獨創性。人們早上起來要擦眼洗臉，詩人正是從這裏找到了「眼睛」與「瓶子」的共同點。另方面「瓶子」是透明的，「眼睛」經擦後也閃閃發亮。故這個比喻雖奇險但仍未失卻眞實性。「眼睛」旣然成了「瓶子」，那將看各類報紙閱讀前喻爲「揷各色各樣的花」，也就是順理成章的了。値得注意的是，這「文明開的花」使我們聯想到巨大的建築，精美的印刷品，笑容可掬的商業服務，也使我們聯想到槍械、手銬、口紅、廸斯可、迷幻藥乃至用來製作燦白奶粉的工業酪業。而「炸彈開的花」，雖壯麗但難免給人恐怖感。總之，愛看和不愛看的新聞都一古腦兒塞給你，而吃得飽撐得慌的人也正等待著這些五花八門的新聞去充實自己空虛的腦袋，細心的讀者，不難從這守句背後體會到對毫無選擇地接受資訊的現代人的嘲諷，由對賣報者的同情過渡到對讀報者的揶揄，正是這首詩選材嚴，挖掘深的表現。

窗

猛力一推　雙手如流
　總是千山萬水
　　總是回不來的眼睛
遙望裏
你被望成千翼之鳥

棄天空而去 你已不在翅膀上
聆聽裏
你被聽成千孔之笛
音道深如望向往昔的凝目

猛力一推 竟被反鎖在走不出去
的透明裏——一九七二年

在「羅門自選集」中，此詩名列榜首，作者深愛這首詩，讀者也對它有濃烈的興趣。原因在於它表現了現代都市文明高度的發展和進步，帶來尖銳與急劇的變化；在生活的重壓下，人的精神與形體產生了巨大的衝突，企圖到大自然中去減輕這種重壓。

全詩重點寫了推窗、遙望、聆聽這三種動作。之所以要推窗——且是「猛力一推」，是因爲屋內（乃至整個世界）的空間太沉悶了，該換換新鮮空氣了，該從大自然的眺望中鬆弛一下原先繃得過緊的工作的弦了。只要一推窗，便感到雙手得到了解放，如流水般的暢快。由於千山萬水盡納眼中，感到未有過的舒暢，所以視線總不願意收回來。第二節寫遙望者於全神貫注，已與千山萬水融爲一體。「你被望成千翼之鳥」，是說觀者沉醉在良辰美景中，有如千翼鳥在天空集體而飛地翺翔。「你被聽成千孔之笛」，是說聽者又化作音質深邃感人的千孔笛，其音道就像思念過去而入神的眼睛一樣深邃。這種由肉質形體到無形精神的蛻變，淋漓盡緻地表現了人的精神獲得解放後的無限快樂。

最後一節充滿了張力。這一張力由「欲速則不達」這一矛盾做法所造成。之所以會被「反鎖」住，是因爲開一扇窗，並不能完全解決生活重壓下產生的精神危機，另方面也由於世界周圍存在著許多打開窗戶的阻力。但詩人並不因此消極。他認爲即使不能突破，脫出困境，但對周圍的一切從內心上來說都瞭如指掌（即：「透明裏」）。

厭倦都市就是厭倦生命，嚮往千山萬水就是渴望能進入一個更寬廣、更自由的理想境地。作者用超現實手法來揭示都市人的心靈奧秘，比直接白描人物的外部形態無疑具有更大的吸引力。玆舉羅門長詩「2比2·20比20」中的兩節爲例加以說明。

人穿衣服
衣服口袋裏放著一張護照
鳥穿天空
天空口袋裏什麼也不放（選自其中第二節）

牧笛是一條河
流出乳般的晨光　酒般的晚霞
槍管也是一條河

流出白色的淚　紅色的血（選自其中第十五節）

前一首詩通過人與鳥的對比，暗示出作爲人失去自由的悲哀，以及嚮往大自然的心境。人本來身要穿衣服，有衣服必然有口袋，這均是常識。但這首詩裏寫的「衣服」和「口袋」帶有象徵味，是人在精神上受到束縛，壓抑的一種形象展現。「護照」，本是出國的憑證，有了它便可自由來往，通行無阻。但對比下一段寫的鳥，它口袋裏什麼也不放，想往哪裏飛就哪裏飛，從不受什麼「護照」之類的束縛，就可見這衣服，這口袋所起的反作用。在這裏，詩人並不是一般的反對護照，更不是反對人們穿衣服，而只不過是借人與鳥的對比，表示對獲取更大自由的嚮往。

此詩的技巧除來源於對比和頂眞修辭手法的適用外，還在語言質樸，但不是大白話而是含意深長。像「鳥穿天空」的「穿」字，除表示飛行外，還表示鳥以天空爲衣，這也是一種特殊穿法。

後一首批判正義戰爭對人類生存的威脅和危害。作者從幼年起就碰到戰爭，十二歲時，隨家人逃難到廣東曲江，親眼見日寇的奔霆飛鏢，造成千百萬人流離失所，無家可歸。對戰爭構成人類生存困境這一點深有體會，只不過作者沒有將這體會赤裸裸表現出來，而是用牧笛的動人來反對戰爭的殘酷。作者用以物擬物的方法，將他們同樣喻爲「一條河」，但前者流出的是招人喜愛的「乳般的晨光」，和令人陶醉的「酒般的晚霞」，而後者溢出的是叫人心痛的「白色的淚」，使人恐怖的「紅色的血」。通過這種觸目驚心的對比，造成詩的張力和反諷效果。

**咖啡廳**

一排燈
排好一排眼睛
一排杯子
排好一排嘴
一排椅子
排好一排肩膀
一排裙子
排好一排腿
一排胸罩
排好一排乳房
一排眼睛
排好一排月色
一排嘴
排好一排泉音

一排肩膀
　排好一排斷橋
一排腿
　排好一排急流
一排乳房
　排好一排浪
　　夜
　便波動起來——一九七六年

這首詩値得重視的是它的獨特結構：一排A／排好一排B。這種寫法，反復運用了十次之多。弄不好，很容易使人感到平板乏味。但羅門通過換喩的暗喩的手法，使這種串聯句收到出奇制勝的效果。

第一段按時間順序展開，稍有不同的是將裙子與胸罩的順序顚倒了一下。之所以要這樣做，是爲了突出性對都市人的刺激，將充滿肉感的都市夜景展現得更加栩栩如生。

第二段以空間爲序，不再用寫實手法歷數咖啡廳裏的物體，而是用超現實的手法安排了月亮、斷橋一系列的風景。由於這種變化，咖啡廳不再是陳設的僵死的展覽，整個夜由寂靜到波動了起來。

臺灣詩評家張漢良敎授曾用下列圖表分析羅門詩作結構的靈巧調動，其中A、B、C、

D、E分別代燈、杯子、椅子、裙子、胸罩；A1、B1、C1、D1、E1分別爲眼、嘴、肩、腿、乳房。

A→B→C→D→E——（換喻）

——（暗喻）

A1→B1→C1→D1→E1——（換喻）

第二段也比照辦理。

這種以無生命之物來比喻有生命之物，以及反過來照有生命之物來比無生命之物的超現實寫法，同樣可以反映現代都市墮落的夜生活。

「新詩學報」一九八一年二月

# 詩人競技

周粲

話說在臺灣的名詩人羅門，有一次到香港去，見到了在那裏當教授的另一位名詩人余光中。羅、余是老朋友，爲了盡地主之誼，余光中便帶羅門到九龍去觀光。就在那時候，兩位詩人不但都童心未泯，一起玩起扔石片的遊戲來，而且過後詩興大發，分別寫了一首題爲《漂水花》的詩。一位陳寧貴先生，曾針對這兩首詩，寫了一篇評介的文字。我讀了該篇文字之後，覺得還有一點意見可以提出來，就寫了這篇短文。

現在先讓我們來看看羅門的詩：

我們蹲下來
天空與山也蹲下來
看我們用石片
對準海平面
削去半個世紀

一座五十層高的歲月
　倒在遠去的炮聲裏
　　　　　沉下去

六歲的童年
跳著水花來
找到我們
不停的說
石片是鳥翅
　不是彈片
要把海與我們
　都飛起來
　一路飛回去

一開始，羅門就使出他的生花妙筆來了。兩句「我們蹲下來／天空與山也蹲下來」。不但寫出了玩扔石片的遊戲之前一個重要的動作，同時把這個動作寫得形象生動。最妙的是一方面寫人，一方面也寫天空與山。寫人蹲下來，稀鬆平常；寫天空與山蹲下來，卻是神來之筆。這一來，眼前的景象便不是死的，而是活的了。我們也可以這樣理解：當詩人在開始扔石片時，天空與山，彷彿也要參加他們的遊戲。但是天空與山最終並不曾參加他們的遊戲，它們只是作爲觀衆，好奇的觀衆。一個「看」字，便把這種身分交代得很淸楚了。「看」什麼呢？詩人說是看石片，「削去半個世紀／一座五十層高的歲月」，所謂「半個世紀」，和「五十層高的歲月」，意思其實是一樣的。詩人爲什麼這麼說？原因之一十分明顯；因爲羅門和余光中都是年過半百的詩人，他們都生活了「半個世紀」以上的時間了。另一個原因可能是在他們面前的水中，出現了高樓大廈的倒影，所以詩人就地取材，以五十層的高樓來比喩五十年的時光。石片攪亂了水中建築物的倒影，所以說「削去」了。建築既可謂被「削去」，也可以由於影子的支離破碎，如七寶樓臺跌碎後的不成片段，而說它「倒」下來，「沈下去」。倒在哪裏？詩人說「倒在遠去的炮聲裏」。這裏的「遠去炮聲」，寫的究竟是一些兵荒馬亂的回憶，還是眼前的事情，只有詩人自己才能回答這個問題了。再想想，其實沉下去的何只是石片和建築物的影子，這裏面也包括詩人青春的歲月啊！

第二段的第一行「六歲的童年」跟第一段的「五十層高的歲月」，有連帶關係。詩人是沿著時間這條線寫下來的。「六」與「六十」兩個數目字，形成強烈的對照。也許上一次玩扔石片遊戲時，大家都是剛進學校唸書的小童，轉眼之間，到了再玩這種遊戲時，彼此竟已「垂垂老矣」了。歲月是多麼不饒人哪！它跟水面上的石片一樣，也是「行動」如飛的。這是一點。另一點在第一段裏，詩人把天空與山擬人化，到了第二段裏，詩人則把「童年」擬人化；所以它不但能「跳著水花來／找到我們」，還能「不停的說／石片是鳥翅／不是彈片」。本來石片就是石片，是一樣東西，經過「童年」這麼「不停的說」，就一變而爲三樣東西：石片、鳥翅、彈片。「彈片」當然是配合前面的「炮聲」說的。不過，無論石片也好，彈片也好，都會「沉下去」；不會沉下去的，就只有鳥翅了。如果石片是鳥翅，那麼，它不但不會沉下去，而且還會「也要把海與我們／都飛起來／一路飛回去」。飛回哪裏呢？按理說，這個問題應該留給讀者去思考，去猜想，但是，如果羅門跟余光中一樣，也是個許多鄉愁的詩人，那麼，石片的鳥翅，當然是飛回到他的故鄉去了。

當我們回頭再讀這首詩的時候，我們將不難發現：扔石片雖然是一件小小的事，一種普普通通的遊戲，但是詩人卻通過這首「記事詩」，來抒發他對歲月如流、青春不再的興嘆，以及他懷鄉的感情。詩的內涵是相當豐富的。

接下來，再看看由余光中寫的同名的詩：

在清淺的水邊俯尋石片
你說，這一塊最扁
那撮小鬍子下面
綻開了得意的微笑
忽然一彎腰
把它削向水上的童年
害得閃也閃不及的海

連跳了六、七、八跳
你拍手大叫
搖晃未定的風景裏
一隻白鷺貼水
拍翅而去

羅門的詩是一開始就把讀者的注意力緊緊地抓住了，余光中卻有他自己另一套招數。他在詩的開頭時，表現得似乎漫不經心。如果我們要給這首詩分段落，那麼，從「在清淺的水邊俯尋石片」到「把它削向水上的童年」，是一大段落。在這一大段落裏，可以說初無驚人之句。他只是「淡淡說來」。見過詩人羅門或看過他的照片的人，都知道「那撮小鬍子」是羅門相貌上的一個標誌。所以「那撮小鬍子下面／綻開了得意的微笑」說的當然是羅門。羅門爲什麼得意？爲什麼微笑？顯然是因爲他撿到了「一塊最扁」的石片了。我不知道羅、余二詩人在動筆之前，是不是已經講好了要在詩裏放進一些什麼內容，如果不曾，那麼，就是「詩人所見略同」了。因爲羅門寫童年，余光中也寫童年。也許從扔石片遊戲想到童年，原是很自然的事。「把它削向水上的童年」，是詩漸入佳境的句子。「水上的」三字，給童年分門別類，也給它畫出了一個界限，值得注意。所謂「好戲在後頭」，可以借用來形容這首詩。從「害得閃也閃不及的海」這一行詩開始，一直到詩的最後一行，寫得有聲有色，熱鬧得不得了。所以說「有聲」，指是的石片與水面撞擊的聲音，羅門拍手大叫的聲音，浪化跳躍的聲音，白鷺拍翅的聲音等。所以說「有色」，指的是海的顏色，浪花的顏色，搖晃的風景的顏色，白鷺的顏色等。所以說熱鬧，因爲海在石片的「攻擊」下，左避右閃，而且跳躍起來，詩人羅門見了，禁不住忘了自己的年齡，拍手大叫；而風景動了，白鷺飛了，看得人眼花撩亂。羅門在詩裏把天空與山等擬人化，余光中也在詩裏把海擬人化。海「看見」石片削了過來，趕快閃開，可是已經來不及了，只好跳了又跳，「連跳了六、七、八跳」。這一句，不知道是在寫海呢，還是在寫石片？或者既是寫海，也是寫石片，如果能海、石兼顧，那就一箭雙鵰了。本來「清淺」而平靜的水面，經過石片一番攪擾之後，勢必搖晃起來，這一句，跟前面描寫的閃避與跳躍那兩行，一樣生動，是大手筆底下的「產物」。「風景」二字，把什麼都包容進去，可見出詩人選詞之精當。讀這一句，水光山色，歷歷如在眼前。「風景」一時尚「搖晃未定」，而白鷺一隻，已貼水拍翅飛去。石片下沉，白鷺高飛，二者畢竟大有不同。風景儘管搖晃未定，最終仍要靜止下來，但是白鷺越飛越遠，究竟何時方停息下來，一時卻是無從知道的。這一來，詩中所展現的景，並不因詩句的結束而結束，所謂「餘音繚繞」，就是這個意思。我們也可以說：詩人本來在寫石片，寫海，寫風景，忽然間竟把筆鋒一轉，寫起「毫不相干」的白鷺來了。這不是不切題了嗎？不知道這正是詩人刻意的佈局。他是想借「顧左右而言他」，使詩留下綿綿不斷的情意。從「爲賦新詞強說愁」，到「卻道天涼好個秋」，也是這類筆法之一種。

羅門和余光中，都是詩壇的高手。「高手一出招，便知妙不妙」。我們可以這麼說，兩首《漂水花》的詩，都是各擅勝場的。不過羅門在幾經憂患之後，詩中難免帶幾分沉鬱之氣；余光中雖也憂思忡忡，卻表現得十分瀟洒。以這首小品式的詩來說，他的詩能以「淺語」寫深情，氣度舒緩，不急不躁，已經進入化境了。

「藍星詩刊」一九八五年七月

# 二十世紀末的東方騎士

## ——他的意象燃燒且灼及人的心靈，我被他詩中的力量所擊倒

鹿翎 熊景春

初識羅門先生大名，是在流沙河編的《臺灣詩人十二家》中，印象最深的是那首獲菲律賓總統金牌獎的《麥堅利堡》，或者當時由於年少之故，並不能完全理解詩的深刻含義，只覺得那一份不動聲色而又無邊無際的悵然網住自己，怔忡了許久不能卸去。

十月十九日，在無甚準備的情境下見到回鄉探親的羅門先生，已是忽略詩很多時日之後了，窗外打樁機的聲音不懈地擾動著我們的心態，室內卻一片寧靜，似乎連空氣也爲羅門先生帶入詩化的宗教氛圍，聽他在摯誠地宣稱「只有詩同文學，能夠使我們從各種生存狀態回到我們內在的世界，眞正感到生命的存在與世界萬物融爲一體，成爲自然的有機構成。是詩與藝術幫助人類打開了生命的混沌實體，使我們看到一個奇妙而又眞實的世界，使生命變成透明的建築。排除詩與藝術去尋找生命的價值就如同殺害所有的花朵而後去尋找春天的定義」。

正如著名作家葉蔚林所說：「羅門先生的演講，把我重又帶入藝術的教堂。」人類生存

與繁衍的需要，使我們陷溺於對物質的征服與利用之中，但隨著各種機械逐步進入人類的生存空間，高樓大厦阻斷了人們的視野，人類在歡呼物質進化的同時，卻不能不時時覺察巨大的失落，古人「獨釣寒江雪」的蒼茫與博大，似乎已成爲了遠古神話。而羅門先生，正是在喧噪的現代世界中，執著地追求生存的詩意境界。爲了詩，羅門先生放棄了唾手可得的更爲優厚的生活待遇，他說：「生命太短了，我只能以藝術作爲我精神的事業。」「詩人的生命應該是時刻醒覺的，他通過感知脈搏的跳動而感知時間的流逝。」正是因爲用全部生命的燃燒去錘煉語言，使羅門先生被臺灣詩評界譽爲「具有靈視」的詩人，美國詩人威廉·高漢教授讀了羅門先生的《麥堅利堡》後寫道：「羅門是一位具有驚人感受性與力量的詩人，他的意象燃燒且灼及人類的心靈……我被他詩中的力量所擊倒。」

對於語言的觸角如何伸向現代都市的心臟，羅門先生有一個很精采的說明——形容一個美麗的女孩穿著的可愛的迷你裙，你可以說「彷彿顫動的鳥尾」，這比喻堪稱恰切，但由於鳥類的自然景觀已難於在現代文明中感知，所以這一意象仍顯隔膜；你還可以說「猶如踢它舞的音響」，以聽覺感受描繪視覺形象，且借現代人生活常境作比，眞切感便進了一層；則你更可以說那條迷你裙「像火苗一閃，整個街道便燒起來了」，這就不單純是意象的轉換，而是使人心潛在的感覺狀態都躍然紙上，語言的容量在此擁有了最大的彈性。羅門先生認爲，人們習慣於把語言只認作表意的媒介，這是不夠的，尤其對於詩來說，語言本身就是一種思想，語言本身就建構了感覺，即使最日常的口語，也可用來表達人類生存的哲學命題，關鍵在於詩人組建語言時如何喚出隱匿其間的最大張力。如是應該說，每個出色的詩人，同時也是一個哲學家。

臺灣著名文學評論家，臺灣國家文藝獎文學理論獎獲得者鄭明娳教授在其詩論《中國新詩一甲子》中，對羅門先生及其詩作作了一個比較全面的評價；「羅門是都市詩及戰爭詩巨擘，也是至八十年代以來臺灣最具思想家氣質的前衞詩人，他深受西方各種現代主義思潮以及當代前衞藝術的影響，另一方面也掌握了東方人本主義文化的圓融與和平，他的詩語言以犀利、精確見稱，意象驚人，詩思包容的層面既廣且深，是中國知性詩派的代表性人物。他一九五八年出版的處女詩集《曙光》不脫浪漫抒情習性，但在六十年代後連接推出的幾部詩集《第九日的底流》、《死亡之塔》、《曠野》，及一九八四年的《羅門詩選》，一再向現代人處身現代文明而產生的繁複心理活動，進行深沉的探索。他採取的表現手法縱跨寫實白描、象徵、超現實、魔幻寫實。透過了精密的思維和組織，使得它超越六十年代超現實主義潮流下產生的反理性、無秩序的病態詩風，呈露出一種意象繁複繽紛而意旨不失直接有力的面貌。羅門主張現代詩在表現技巧及內涵上都應有多向性，他試圖透過都市文明、戰爭、死亡，以及各種生存情境來追踪人的存在，也認爲現代詩人應不斷尋求語言新的可能性，注意現代詩新語言空間環境的擴建與藝術設造。羅門爲當代批評家譽爲具有『靈視』的詩人。八十年代『掌握都市精神的一代』崛起，受到羅門很大的啓廸。」

八歲離家。五十年後的今日回返故裏的羅門先生，雖因詩心而精力不衰，卻也不免歲月蠶蝕的皺紋，一片思鄉之心時時流露，令人心顫。在《遙望廣九鐵路》中，詩人曾寫道：「只要你眼睛碰它一下／天空都要回家」／「車走後／連土地都不知道在哪裏上下車。」述盡人生葉落思歸根的常情。

羅門先生說：「生命就像大海一樣，人類的日常活動如同不息的海浪，而詩是海中藏有的美妙景觀，詩人所以爲詩，是因爲只有在詩中，才能達到美與情的極致。」在都市的轟鳴中，侃侃而談的羅門先生，猶如一位風采綽約的騎士，以語言的矛，拓展著人類精神的翺翔空間。

海南日報一九八八年十月二十四日

# 山海浪和風雲鳥的童話

## ——析臺灣詩人羅門的《山》

紀少雄

### 山

那乳房
在天空透明的胸罩裏裸著
它幽美的線條與體形
一直被海浪高談闊論
它靜靜的
從不說什麼
風雲鳥
畫過它
但筆觸太輕飄都沒有留下來

倒是它簡單的一筆
把風的飄逸
雲的悠游
鳥的飛翔
全畫在那裏

這是一首被讀者熱烈喝采的名詩，作者是臺灣十大詩人之一的羅門。《山》是一首迷人的童話作品，潛在的夢幻幅射出眞實色彩，象徵化了詩中的自然物。但由於這些自然物的客觀特徵，與詩人賦予它們主觀形態異常的通契，讀者對它們滲透的從感性到理性的過渡便自然而然，毫無阻隔感。波浪從四周永不止息地拍打山腳，擊起高高的聲音，這和「一直在高談闊論」的浮夸者的形象很一致，做爲自然物的山，它本身就是靜穆而穩定的，特別是身處澎湃的大海之中，你更難聽到它會有什麼聲音發出來，因此，「它靜靜的/從不說些什麼」既是山的自然特徵的準確寫，又不知不覺地刻畫了一種沉著、穩重的性格；而風、雲、鳥本身就具有輕飄不穩的性質，它們掠過天空，往往是轉瞬卽逝，不留任何痕迹，因此「筆觸太輕飄/都沒有留下來」同時寫出了風、雲、鳥的客觀流動情態和無能、生命短暫者的形象。最後一節中的「倒是它簡單的一筆」不是別的，正是「山」自己那被人贊嘆的優美地起伏的曲線條，這曲線是「山」「簡單」地一揮而得到的，它在空中具有了「飄逸」、「悠游」、「翔飛」之勢，這曲線是不朽的「一筆」，將永恒地留在天空中。於是，富於力量，智慧者的形象便呈現了。

羅門是屬於現代派的，過分追求獨句的奇異而蔑視句和句之間的必然聯繫和情緒邏輯，難免造成了某些現代派詩歌有句無篇的弊病。與此相反，在《山》中，意象的登場是連鎖反應式的，不同意象的遞移和同一意象的回轉都有內在的必然因素，連成一條環形的意象鏈。第一節先寫「山」的外形美，由於比喻的奇巧（山——乳房，天空——胸罩，兩個本體和喻體合並得多麼和諧而順理成章），使「裸著」一詞成爲伏筆。因爲「山」的美是在天之下海之上「裸著」的，所以「海浪」和「風雲鳥」才能看見而去「高談闊論」它，「畫」它。對「山」的美，先是「海浪」高談闊論，然後才是「風雲鳥」畫，卽反應者的行爲是從語言到動作的漸漸深入；而「山」呢，先是「不說什麼」，然後才下「簡單的一筆」，卽對反應者的行爲的反應是從靜到動，步步推進，使最後「山」的動態美（行爲）和開頭「山」的靜態美（外形）達成完整的境界。

形象和形象的對比，也是《山》的一大特色。實際上，從第二節開始，詩的展開和推進都是在對比中完成的，正負形象接踵而來成偶出現第二節中是「高談闊論」和「不說什麼」的衝擊緊接著又是第三節中的「都沒有留下來」和第四節中的「全部畫在那裏」的碰撞，從而產生的震蕩的幅度漣漪般擴展，充實蘊涵，深化意境。

《山》是一首抒情化的哲理詩。對外貌美、人格美、智慧兼備的「山」的歌唱，是詩的第一主題，體現了「新的理想主義者」羅門對理想境界的向往。這是情，鋪滿詩的表層，易感而不淺露。而輕薄，無能的生命，是短暫的，難於獲取美，只有智慧和美才能永恒，這是詩的第二主題，體現了「人的精神與生命的探索者」羅門對生命與存在的窮究。這是理，沉入詩的內核，隱含而不晦澀。

（海南日報一九八八年一月十六日）

# 歷史的悖論　悲劇的超升

## ——《麥堅利堡》論

人類歷史的行進，在「麥堅利堡」留下了一個深深的印迹：

麥堅利堡(Fort Mckinly)是紀念第二次世界大戰期間七萬美軍在太平洋地區戰亡；美國人在馬尼拉城郊，以七萬座大理石十字架，分別刻著死者的出生地與名字，非常壯觀也非常淒慘地排列在空曠的綠坡上，展覽著太平洋悲壯的戰況，以及人類悲慘的命運。（羅門《麥堅利堡．註》）

面對著七萬座十字架，面對著七萬名的亡靈，詩人的整個身心爲之震懾，爲之顫慄：

七萬朵十字花圍成園　排成林　繞成百合的村。

這裏，詩的核心意象由隱而顯。「百合」，這一浸染著濃郁的悲劇意味之花，這一積淀著亘久的悲劇內涵的原型意象，一旦在詩人的筆下浮現，便以它聖潔而淒寂的情調彌漫於全詩，構成詩作的基調。

它是「冷」的，是一種透進骨髓的冷意：

「太陽已冷 星月已冷 太平洋的浪被炮火煮開也都冷了 史密斯 威廉斯 煙花節
光榮伸不出手來接你們回家 你們的名字運回故鄉 比入冬的海水還冷

太平洋戰爭的炮火停息了，勝利的煙花升上雲空，但是，死亡卻給此地帶來了永恆的冷寂。不僅是夜空的星月透著冰涼，連火熱的太陽也變得陰冷。七萬個像史密斯、威廉斯一樣的強健、旺盛的青春生命，沉入「太平洋陰森的海底」，死亡使他們的名字「比入冷的海水還冷」。詩中透出的那一股陰森的冰涼透骨的冷意，會使你每一根神經都因之顫慄不已。

它是「靜」的，是一種連鬼神都噤聲不語的淒寂：

麥堅利堡 鳥都不叫了 樹葉也怕動
凡是聲音都會使這裏的靜默受擊出血

在死亡陰影的籠罩之下，一切是「永恆無聲」的靜默，四周是使人悚然驚魂的沉寂。「七萬個靈魂陷落在比睡眠還深的地帶」，不能，不能，不能有任何一點聲響驚動他們。讓他們安息吧！這裏連一聲鳥的啼鳴也會撞擊得人心出血。

麥堅利堡是浪花已塑成碑林的陸上太平洋
一幅悲天泣地的大浮雕 掛入死亡最黑的背景

洞悉立體藝術奧秘的詩人，以他浩大的氣魄、驚人的手筆，爲世人刻出了一幅驚天地、泣鬼神的詩的「死亡大浮雕」，一座「碑林的陸下太平洋」。無怪乎，美國著名女詩人凱仙蒂．希兒贊嘆道：「羅門的詩有將太平洋凝成一滴淚的那種力量。」這一滴淚是羅門對戰爭帶來了死亡的控訴，凝聚著詩人以人道主義的立場對戰爭批判的偉力。

百合花般的麥堅利堡披復著死亡的陰冷淒寂的氛圍，但它又閃射出聖潔的光準：

美麗的無音房 死者的花園 活人的風景區
神來過 敬仰來過 汽車與都市也都來過

死神將聖品擠滿在嘶喊的大理石上
給升滿的星條旗看 給不朽看 給雲看

七萬名亡靈又是不朽的，因為他們是為和平而戰，是為人類整體向自由境域邁進而戰的；他們是神聖的，因為他們進行的是一場反侵略的戰爭，是為正義的重鑄而光榮地獻身。由此，神為七萬名亡靈祈禱，生者也向七萬座十字架虔誠地獻上了「敬仰」。

對此，是歌頌、讚美，還是批判、否定？這逆反而又統合一體的兩極，使羅門陷入了歷史悖論的困境。迄今為止的人類歷史的發展都是在矛盾的形態中進行的，正如當代生產力的飛躍是以人的物化、人的個體自由喪失而取得的一樣，歷史的進步往往是以人類付出沉重、巨大的犧牲做為代價的。正義的戰爭推動了歷史的進步，但戰爭也同時帶來了非人道的痛苦與犧牲，文明的每一步前進都要付出相應的倫理道德的代價。以「現代精神掌旗人」而傲立的詩人不能不為之深思：「也許對正在進行中的偉大戰爭，為加強鬥志，我們不得不去歌頌；但站在淒涼的墳地上，做為一個詩人，該如何去對已過去的戰爭只管歌頌呢？的確當戰爭進行中，無論是穿軍服的，穿聖袍的，穿童裝的，都難免一齊死於炸彈的半徑裏，而我們仍不能不去歌頌那偉大的戰爭；可是爲何戰爭一過去，我們竟不忍心去殺死一個俘虜呢？透過人性與人道精神活動的深境，我敢相信就是當年殺死七萬美軍的日本軍閥，此刻站在麥堅利堡墳地，面對那無限孤寂與淒涼的情景，也會反悔往日之惡行而黯然神傷的。」①詩人以人性與人道精神獨照戰爭，審視戰爭，這場戰爭便從歷史的現象層面上升到歷史哲學的高度。

詩人曾把「戰爭」和「愛欲」、「回歸純我」、「死亡」並列爲人類存在的四大困境。詩人認爲：爲了自由、眞理、正義與生存，人類不能不勇敢的接受戰爭。但當我們看到在戰爭中失去父母的孤兒，看到被戰爭弄成殘廢的人，我們又不能不產生同情，在人類心靈深處，具有上帝施給的仁慈、博愛與人道。人類爲了生存，不能不將槍口去校對敵人的胸口，同時也讓敵人的槍口來校對自己，這種難於避免的互殺的悲劇，的確是使上帝也不知道該用那一種眼神來注視了。②詩人的自白道出了自我精神深處的困惑，這也就是該詩「題引」部份的潛在內涵：

超過偉大的
是人類對偉大已感到茫然

詩人因在戰爭中，「人類往往必須以一隻手去握住『偉大』與『神聖』，以另一隻手去握住滿掌的血」，而徬徨失衡，陷入迷惘與恍惚之中。戰爭，它時而是推動歷史巨輪前進的蒼神，時而又是披著黑色長袍的死神，對著它那變幻不定的影象，誰能不感到「茫然」？而這種對理想主義範疇內的「神聖」的目的與「偉大」的情狀產生「茫然」的精神反應，正是詩作的悲劇魅力的凝聚點。

悲劇性的產生，在黑格爾的美學體系中是這樣表述的：做爲超然的普遍的倫理力量，在歷史發展的某一階段的某一事件中，外化、分裂成互相對立、互相排斥的矛盾著的雙方，而沖突對立中的任何一方，就其自身來說，都有著合理的、正當的一面，但它在追尋實現的過程，卻又都有片面性與過錯。這樣，雙方在沖突中，顯示差異，否定對方，乃至各自隨之而被摧毀，鑄造了悲劇；但同時在相互否定的揚棄中又呈示新質。如果我們假定宇宙、人世的本原果眞存在著黑格爾的「理念」，那麼由它外化、演進而生的戰爭與人道的對立、歷史主義與倫理主義的分峙，亦如羅門所做的形象描述：「血」與「偉大」的對視，其雙方便都有合理的一面，又有片面的過錯。以《西方的沒落》一書轟動歐美的斯賓格勒曾說過：「十九世紀是自然科學的世紀；而二十世紀則屬於心理學的世紀。我們不再相信理性的能力高於生命，反之，我們覺得生命統治著理性。對人的認識遠較一些抽象和普遍的理想爲重要。」從這種極端的人本主義的歷史觀著眼，當然無論何種性質的戰爭均需否定，因爲它對生命都是一場摧殘與消滅。象海明威這樣的硬漢子，在《戰地春夢》裏也以抨擊的語調寫道：「神聖、光榮、犧牲等等字眼，一直使我覺得非常窘迫……然而我卻從未見過任何神聖的東西……所謂犧牲也只好像是芝加哥的屠宰場。」從戰爭的慘痛，死亡的恐怖，個體生存的毀滅，乃至人類可能遭遇的滅頂之災（如核彈的威脅）的角度來看，你不能說海明威對戰爭、對理想主義的否定是不合理的，因爲它符合人道的精神。但是，它又是片面的，因爲人類如果對非正義的，帶有侵略、奴役性質的戰爭也無動於衷、漠然視之的話，那麼人類社會勢必倒退，退到獨裁與暴政的血腥統治，人類將陷入另一種過錯。所以羅門認爲：「自海明威悲劇世界所發的過激論調，它雖較某些空泛的歌頌接近人類眞實性靈的活動面，但他對偉大不朽與神聖進行過份的否定，我在《麥堅利堡》詩中，雖不敢說是糾正了他偏激的觀點，至少態度較其客觀與公平，我是將人類從慘重的犧牲與恐怖的死亡中，接過來的贈品——『偉大與不朽』仍不被否定地留在那裏，然後叫人類站在悲劇命運的總結局上去注視它。」③既寫出戰爭的慘痛、恐怖的罪過的一面，又不否定它「偉大與不朽」的意義，這便是《麥堅利堡》一詩悲劇力量產生的動因。

羅門對詩有著一種宗教崇拜的狂熱，他的詩歌觀念也是「超然」的：「詩是使一切屬於精神性的『美』，在其活動中凝聚且超升成爲一種純然的本質之存在，……使人類的內心達到那完美存在的『頂點』」。④那純然、完美的美之存在的頂點，那上帝賜予的精神樂園，是羅門所心馳神往的。因此，他從未像斯賓格勒一類極端人本主義者那樣，放棄了對理想之美的終極目的的追尋；但他又與教條、僵滯的古典主義信徒不同，他不像他們一樣，有意地迴避、背對人類生存的陰暗、慘痛的一面。他主張人們堅定地活著，勇敢地正視人生負面，「傾聽它究竟向人類生命傾訴了一些眞實的什麼；使我們透過存在的悲劇性而接融到那更爲莊嚴的生之根源」。這種直面慘淡人生的美學態度，是自魯迅以來既經受過現代人本哲學洗禮」又未喪失對人類理想前景追尋的一類中國知識分子所共有的，他們的作品展示了中國文學中最爲精深宏遠、剛毅韌健的一個層面。可以說，羅門以他的《麥堅利堡》一詩的遞交，也加入了這個行列。

不廻避價值判斷的歷史性與倫理性兩者之間的衝突，並把由之產生的悲劇性痛感，導引、昇華至某種超越性的精神層次，是這類文學作品獨特的審美意旨。對此，羅門的領悟很值得重視：「我相信沒有人不厭惡那些對著人類生命投擲過來的灰暗與虛空的東西，而我們當中之所以有人偉大與不凡，就是因爲他能在醒覺中面對它、不逃避它、且能對付甚至轉化它帶來的痛苦，成爲生命的另一種新的光輝與另一種新的富足，正像孕婦生產前感到的痛苦是爲了另一個新的生命之誕生一樣。」⑤這和以往的悲劇美感理論有所不同。傳統的悲劇美感模式是以亞里士多德解說爲規範的，那悲劇是喚起悲憫與悟懼之情，再使這類感情得到淨化，也就是，悲劇美感是由哀痛淨化爲平靜、舒暢的感受。古典悲劇理論強調痛苦體驗與緊張情緒的緩解，並把這種正性的心理進程絕對化；但它忽略了負性情感直接激發生命機體的積極功效，因爲機體也能把痛苦的緊張作爲積極體驗加以接受，而不必通過緩解的過程。奧地利著名心理學家弗蘭克爾指出：擔當苦難，會使我們的人格更加深邃精微。趨樂避苦當然是理所應當的，但厄運、災難、逆境無法避免時，人就應勇敢地承受它。厄運會使人更深地認識到自己的本質。很明顯，羅門的悲劇美觀念是和他相似的。死亡的痛感帶來了不安、困惑、悲憤，但痛感也激發了生命體的反思、奮起與追求，激發了生命體對自身價值實現的能動性。

那麼，《麥堅利堡》一詩反思、追尋的是什麼呢？羅門希冀的「新的光輝」、「新的富足」又是什麼呢？這在詩中語詞的概念平面是很難找到的，因爲詩中旣有著肯定性價值判斷的趨向，但歌頌與讚美尙未明晰地顯示，又一下沉溺於哀憫之中。所以，該詩的美學意旨不在於語詞概念的表層，而是超然於語詞之上的一種意境。它是詩的一種新質，卽是西方格式塔心理學派所揭示的「格式塔質」。它如同音樂的曲調，決非各個音符相加所得，而是飄浮於諸音符之上的一種新的獨立的質，《麥堅利堡》一詩的詩質，羅門在一次關於該詩的論爭中解答說明了它，『詩中仍埋著一個更爲感人的『去向』，那便是由『戰爭的偉大感，與『死亡痛苦的悲劇性，兩種衝突的力量，所迫視出來的，感人的『茫然之境』。……『茫然，本身也是一個堅實強大的價值之體，它能自然引領人心在覺醒中去抓住生命之根源，去面向永恒的人性與人道而且對人類遭受的苦難，）產生無限同情與博愛的精神。卽使是在爲自由與正義而戰之中，也必須以這種深遠的人道精神做基礎。」⑥這是一種以特定的時空中超越，以具體的歷史事件中昇華，並帶有基督那樣對人類悲憫的偉大同情心的永恒的人道精神！人類不能沒有審視現實與歷史的價值準則，否則它所建立起來的一切都行將崩潰。這種價值準則的選擇，也是人對自我的選擇，卽對人類本性的自我探索，人將隨著對他自己的認識的加深，變得更加偉大。而藝術和歷史哲學便是人對自身探索與認識的最好的途徑。當羅門把歷史的哲學思考與永恒的人道精神滙融於詩的深層，把哲理的疑重與情感的醇鬱化溶於詩的內質，詩便發出了閃電的藝術光亮，以而在更高的層次燭照人類本性，炫示了當代人心靈的覺醒，也透露出人類走向終極自由時那種尊貴的精神自覺的曙光。

該回到「本文的自覺」上來了。《麥堅利堡》在詩藝創造上最大的特色是：有如交響樂中的第一主題與第二主題的對比、交替、鬪爭和旋律的應和，而產生一種「詩情的復調」。例如，詩的首段爲「戰爭坐在此哭誰／它的笑聲曾使七萬個靈魂陷落在比睡眠還深的地帶」，詩人以移情的感應、擬人的手法，使「戰爭」這一抽象的概念「人化」了。戰爭在當年勝利的笑，在今天悲痛的哭，兩者強烈的對比，使讀者的心弦在矛盾狀態中爲之一陣陣地抽緊。又如「血已把偉大的紀念沖洗了出來／戰爭都哭了　偉大它爲什麼不笑」，「戰爭的哭」與「偉大的笑」形成了對峙著的情感效應。類似的還有：蒼白如百合花的墓園和史密斯、威廉斯童幼時玩的「春日的錄音帶」、「彩色的幻燈片」的對比，「睡醒了一個死不透的世界」與「睡熟了麥堅利堡綠得格外憂鬱的草場」的對比，「七萬個故事焚毀於白色不安的顫慄」與「落日燒紅滿野芒果林於黃昏」的對比……一組組對立的意象，形成了詩中強烈的情感性的衝突，就像羅門所做的形象描述那樣：用「人類內在性靈沉痛的嘶喊」這把尖銳的鋼鋸壓在「偉大與不朽」的石柱上，不斷地拉動，濺起精神巨痛的火花。矛盾的對抗、感情的撞擊，萌生出一種復雜，豐繁的詩意的張力，它在雙方的交織，應和中，帶著顫慄的音調，不斷地迴旋、湧動，構成了一股厚重、深邃而又相互抗衡的詩施律的復調，使詩的悲劇氣氛不斷增強，不斷向極點擴展，逐漸佔領了廣濶深遠的悲劇世界的空間。

特色之二是：詩情哲理的感覺化。中國著名的科學家錢學森曾說過：「在藝術裏最高層次是哲理性的藝術作品。」可以這麼說，羅門的《麥堅利堡》在中國文學史上（假定將來兩岸會有那麼一部統一的《中國當代文學史》）是一首不可多得的哲理詩。這首詩的哲理光焰穿透歷史時空，燭照人類性靈，已不必贅言。但詩中藝術哲理的成功不在於概念的直白，它應含蘊於感性具象的內理，應成爲一種形象、情感、理性熔鑄一體的審美解悟，才能取得美學意義上的存在。《麥堅利堡》在這點追求上是成功的，像「血已把偉大的紀念沖洗出來」句，富有哲理的抽象詞「偉大」與感性的具象詞「血」嵌合在同一語境之中——麥堅利堡象一張由「血」當顯影、定影溶液沖洗出來的偉大的紀念性的照片。這樣，一方面傳示哲理的抽象詞（偉大）爲具象詞（血）所修飾，獲得感性，形象的外觀，迎合了審美判斷力的特殊需求；另一方面，直觀感受的具象詞（血）也爲抽象詞（偉大）所規範，延伸了自身的內涵。羅門曾在《〈麥堅利堡〉詩寫後感》一文中談到了「詩情哲理感覺化」的問題，他指出：現代詩人要注重追尋一種戰慄性的「心感」活動，它是詩人內在「心感」的全面展望，純粹精神往來的佳境，它極端自由，不受觀念與理念世界的束縛，也不受學問與知識的拖累，更不受主知或主情等無關緊要的問題干擾。「《麥堅利堡》詩便是在心理與意識都來不及設防的情況下，觀念還未張目之前，便去將這個『戰慄的性靈世界』，擒住不放的作品。這個『戰慄的性靈世界』，原來便是躲在麥堅利堡那『偉大』，與『不朽』的紀念裏邊，被死亡、空漠、冷寂的力量控制住，被我們習慣上的歌頌遮蓋住，最後終也被我內心的透視力，將它奧秘中的眞境全部揭露出來。」在臺灣詩人中，羅門是最能詳盡地披露自己詩的創作過程與內容涵義的，（這有利也有弊）他的這段話，道出了《麥堅利堡》一詩誕生的實況：當詩人迎向籠罩著死亡、空漠、冷寂的麥堅利堡時，在物我交相往復之際，首先湧起的是「戰慄性的心感活動」，而後才透視出「偉大」、「不朽」的內在奧秘。也只有這樣，帶有哲理的詩才能進入「詩情哲理感覺化」的「化境」，即錢鐘書所說的：「理之在詩，如水中鹽，蜜中花，體匿性存，無痕有味，現相無相，立說無說。所謂冥合圓顯者也。」⑦

特色之三是：時空交感的渾茫與超升。《麥利堅利堡》是一首透視人類歷史與精神價值的詩篇，而整部歷史就是時間與空間纏合運行的進程。時間因空間的限囿而凝定，顯現於某一剎那，而空間則隨著時間的運行呈示，透露出意義與價值，因而創造這類詩篇的詩人必須有著博大的心懷和把握時空的非凡魄力。麥堅利堡——這一使人悚然驚魂的時空交滙點便使羅門的詩的才力得到酣暢的發揮。首節的「戰爭在哭」與「戰爭曾經笑過」便以時間的隔離所形成的截然對立的感應，製造了一種世事輪廻，茫然無定的迷亂困惑的氛圍。而「太陽已冷、星月已冷」，如百合花般的麥堅利堡「在風中不動在雨裏也不動」等，則以時空間物的觸感與動感的接受，暗示了隨著時間的流逝，戰爭已使這裏的一切陷入了陰冷、死寂。當然，更爲驚心動魄的是時空交感的滙聚點。「靜止如取下擺心的錶面 看不清歲月的臉／在日光的夜裏 星滅的晚上／你們的盲眼不分季節地睡著」，應該像春日一樣喧鬧的靜寂了，應該像星月寒暑般運轉的止息了。在死亡陰影的籠罩之中，「過去、現在、將來這「歲月的臉」模糊了；在悲劇氣氛的重壓之下，偉大、正義、永恒，「陷在沉痛的昏迷中」。無聲世界的寂寥，靜止世界的空漠，使人們的神情在這悲慘痛切、孤寂渾茫的時空交感中，由茫然而顫慄，由顫慄而反思，由反思而超昇，向著終極自由的極地趨近。

一九九一年十月於　廈門大學北村

①②④⑤⑥羅門《時空的回聲》第二四一頁、第一七頁、第七〇頁、第一五三頁、第二四二頁。

③羅門《第九日的底流》第七一頁。

⑦錢鐘書《談藝錄》第二三〇頁，一九八四中華書局版。

# 細聽羅門的「歲月的琴聲」

丁平

## 一　羅門的詩「歲月的琴聲」

——聽名胡琴家黃安源演奏有感

你的弓
動開來
是頭也不回地流去的
　長江與黃河
你胡琴上的兩根弦
　是河的兩岸
也是中國人歲月的雙軌
運不完的憂患與苦憶
每一拉

都可看到土地與同胞身上
　劃過的刀痕與彈痕
每一頓挫
都是千慨萬嘆
快弓　急來兵荒馬亂
慢弓　痛苦都感到累了
將血與山色
　淚與江水
拉在一起
春天如何戴花回江南
冬日如何披雪回江北
歲月是哭是笑
琴聲也說不清
而文化仍以輝煌
　山河仍以錦繡
直等着回音
臺上　琴聲淌淚叫着家

臺下的黑髮望白髮

附記：聽黃安源先生表演其中的某些樂曲，覺得他的弓一直不放的壓在中國人苦難的心靈、歲月與土地上。

## 二　細聽粗嚼

過去兩年間，我向青年人講〈羅門〉的詩大約已超過十首了。也許有人或明或暗地在責難說：「丁平，你太偏愛羅門的詩了！」

是的，近年來我對他的詩作，突然地喜歡起來，這也許就是所謂偏愛和偏見吧。

在整個六十年代，再加上整個七十年代的長長二十多年中，我總覺得他的詩作，在主題、結構，甚至語言上，都跟歐洲大陸上掀起的一股「超現實」詩潮跟得太緊了，讀起來總覺有點不是味道，好像作者不是中國人，或作者的抒洩太歐化了。我這種感覺，不少中年的文學工作者，尤其是愛詩和寫詩的朋友都有同感。

可是，羅門在近五年來，詩作的產量固然多了，最重要的是他的詩風有了急劇的改變（應該說是演變才對），改變得變成主題明確，題材廣濶，語言淡樸，在情素的婉婉委委伸展中，總吐出一絲一縷，屬於遊子老來常生的人性本質上底故人故國之幽情與苦思。過去常在他詩中出現的主題晦暗，結構特殊，語言苦澀的現象都不見了。

羅門近年的詩作，總在掌握着現代都市人，終日跳躍在生活的主弦上底焦點，或明或暗，或徐或疾地，抒發他潛藏豐富的「今古癡情」。不信，你可細聽粗嚼他近作中較突出的《歲月的琴聲》。

羅門在副題中已書明是詠名胡琴家黃安源的琴音的一首小詩。詩雖小，但氣量卻大，大到可在一把弓的一拉，卻拉出故國兩條大動脈所流出的血淚，而血淚已不知流過幾許荒原，也不知流逝多少歲月了！

這是詩的主題，也是作者的主情。

主題明確，主情深沉。明確與深沉，已構成這首詩的風格了，再加上使用的語言，全是吾族長遠流傳的聲音，凡我族類，應可聽懂，雖只粗嚼，也可嚼出歲月流過斑駁土地後，所產生的苦澀。

詩的演進是由樂音到中國文化的源流，然後轉入吾人的苦難和思念故土之情；這種結構，已經遠遠越出傳統詠物詩的境界了。

琴的弓一拉，就
是頭也不回地流去的
長江與黃河
琴的兩根弦
是河的兩岸

　　也是中國人歲月的雙軌
　　　運不完的憂患與苦憶

在詩的第一節，已點題，也已把詩人潛存在內心的感受和思想，不疾不徐地伸展開來。

在詩的第二節的六、七兩行；

快弓　急來兵荒馬亂
慢弓　痛苦都感到累了

不但「痛苦都感到累了」是句創作性的，也是民族屬性的詩語，而且就以兩句一半傳統，一半現代的語言，已把全詩的高潮推到頂峯去，眞高手之作。

到了詩的第三節是；

將血與山色
淚與江水
拉在一起

以此三短句，仍把第二節產生的張力支撐着在高潮的頂點水平上，

到了同節的；

　　歲月是哭是笑
　　琴聲也說不清

直到末句；

「直等着回音」時，詩人才把高潮從頂點水平線上，向下斜斜地拉下來，構成詩人在樂曲透過「弓」的本能直壓在吾人苦難的心靈、歲月、和土地上的痛楚，低低地，婉委地訴說出來。

臺上　琴聲淌淚叫着家
臺下　黑髮望白髮

詩由凄切演爲無奈的委婉，就像琴聲由疾而徐，而低，而沉，而滅；多凄切的申訴啊！一曲，就此告終。

我說，羅門此詩已成「新古典的中國風」。

這是一首以「民族血淚」塗抹出來的現代詩。

原載世界華文詩刊三、四期，一九一九年九月。

# 羅門簡介

本名：韓仁存

籍貫：海南省文昌縣

學歷：空軍飛行官校肄業，美國民航中心畢業，
考試院舉辦的民航高級技術員考試及格。

職業：曾任交通部民航局國際機場高級技術員。
民航局民航業務發展研究員。

## ◎詩的經歷與活動：

(1)曾爲國際詩人協會榮譽會員（一九八六年）
(2)曾任中國文協詩歌創作班主任（一九八七年）
(3)中國新詩學會常務監事（一九九一年）
(4)中國青年寫作協會値年監委（一九九一年）

(5)藍星詩社社長

(6)曾選派爲中國五人代表團出席由五十多國家在菲馬尼拉召開的第一屆世界詩人大會（一九六九年）

(7)曾應大會主席卜納德博士（Dr. PLATTHY）特函邀請以貴賓身份出席在美召開的第三屆世界詩人大會（一九七六年）

(8)曾出席在韓國召開的第四屆世界詩人大會，並代表中國朗讀發表作品：「麥堅利堡」（一九七九年）

(9)曾應韓國作家筆會會長邀請赴韓訪問（一九七六年）

(10)曾擔任國家文藝獎評審委員與不少次擔任全國傑出詩人獎決審委員

(11)曾不少次擔任大專學生文藝營指導老師及全國性的巡廻講演。

(12)應聘爲全國首屆戶外藝展顧問團副主席，並爲該展出寫宣言與主題詩（一九八四年）。

(13)曾以詩配合何恒雄雕塑家的雕塑，碑刻入臺北新生公園，是現代詩首次發表在國家土地上（一九八二年）。

(14)應邀同名雕塑家楊英風、光電科學家胡錦標博士、張榮森博士以及前文建會主委陳奇祿博士等，擔任中國雷射協會籌備委員，曾與蓉子參加第一屆國際雷射藝術景觀展，以詩、音樂與雷射綜合演出。（一九八一年）

(15)曾擔任私立國學院現代詩專題講座兩學期（一九八一——八二年）東海大學文學院（與文建會）主辦文學研習會講座，兩學期（一九八二年）。師大文學院文學研習班講座及指導一學期（一九八七年）。

(16)曾接受香港大學黃德偉教授邀請赴港做三場演講。並在中大文藝班與余光中教授主持現代詩座談。香港大學圖書館第一位設置「中國當代詩人羅門資料專櫃」（一九八四年）

(17)應邀參加國內名雕塑家楊英風、何恒雄與尖端科學家胡錦標博士張榮森博士等所舉辦的國內首屆科藝展，並爲展出寫「光」的主題詩與感言，發表於商工日報（一九八四年）

(18)應邀赴菲中正學院與文藝界做三場現代詩的演講（一九八八年）

(19)以詩配合何恒雄教授雕塑，碑刻入臺北動物園，爲現代詩第二次發表於國家土地上（一九八八年）

(20)爲唯一以現代畫進入故宮且享譽國內外的名畫家林壽宇畫展畫册寫序（一九八四年二月）；爲不少國內著名的現代畫家寫畫評；爲國內最前衞的「異度空間」展（一九八四年八月）與「超度空間」展（一九八五年五月）寫畫册序言。

(21)著作《羅門詩選》、《整個世界停止呼吸在起跑線上》曾於一九八八年與一九八九年兩度列入中國青年寫作協會秘書長鄭明娳博士策劃之第一屆與第二屆文學鑑賞研習營研習課程。

(22)曾應邀往大陸廣州、上海、北平、厦門、海南島等地各著名大學、中國社會科學院、各大學中文系、中文研究所、臺灣文學研究所、中國文聯、中國作協、中國現代文學館、中國文論、詩刊編輯部等學術與文藝團體機構進行廿多場之演講與座談。（一九八八年）

(23)擔任由青協與中國時報文化出版公司主辦的「八十年代臺灣文學研討會」主持人（一九九〇年九月廿九日）；擔任由青協與行政院陸委會協辦的「兩岸文化、文學研討營」主講人（一九九一年六月八日）；擔任青協與中國時報文化出版公司主辦的「臺灣通俗文學研討會」主持人（一九九一年十月廿七日）。

(24)盛況空前的國際藝術大師米羅作品大展，在臺灣擧行，應臺北市立美術館邀請以「詩眼看米羅」爲題，做一場專題演講（一九九一年十月十九日）

〔附〕應邀往臺大、師大、政治大學、中央大學、中山大學、淡江大學、輔仁大學、文化大學、臺北醫學院、清華大學、東海大學、中興大學、臺中醫學院、成功大學、大同工學院、海洋學院、中正理工學院、高雄醫學院、高雄師範學院、國立藝專、世界新專、臺北師專、臺北女師、實踐家專、苗栗聯合工專、明志工專、民權商專、新竹師專、屏東師專、新埔工專、市政專校、彰化教育學院……等卅餘所大學院校做詩的專題演講。

◎獲獎部份：

(1)一九五八年獲藍星詩獎與中國詩聯會詩獎

(2)一九六六年「麥堅利堡」詩獲非總統金牌獎

(3)一九六九年在馬尼拉舉辦的第一屆世界詩人大會上，與蓉子獲大會「第一文學伉儷」獎，頒發非總統大綬勳章

(4)（一九七〇年）獲美國奧克立荷馬州州長頒發榮譽公民狀

(5)一九七二年獲巴西哲學院頒發榮譽學位

(6)一九七六年，在美國舉辦的第三屆世界詩人大會上，與蓉子獲特別獎，並接受大會加冕，以及美國之音記者之專訪。

(7)（一九七八年）獲中華文化復興委員會「鼓吹中興」榮譽獎

(8)一九八七年詩人節獲教育部頒發「詩教獎」

(9)一九八八年「整個世界停止呼吸在起跑線上」獲得時報文學獎—新詩推薦獎。

(10)一九九一年獲中山文藝獎

# 羅門著作及作品被選被譯入選集部份

## ●詩集

1. 曙光（藍星詩社，一九五八年五月）
2. 第九日的底流（藍星詩社，一九六三年五月）
3. 死亡之塔（藍星詩社，一九六九年六月）
4. 日月集（英文版，與蓉子合著／美亞出版社，一九六九年六月）
5. 羅門自選集（黎明文化公司，一九七五年十二月）
6. 曠野（時報文化出版公司，一九八一年）
7. 羅門詩選（洪範書店，一九八四年）
8. 隱形的椅子（抽頁裝訂本，一九七六年）
9. 日月的行蹤（抽頁裝訂本，一九八四年）
10. 整個世界停止呼吸在起跑線上（光復書局，一九八八年四月）
11. 有一條永遠的路（尚書文化出版社，一九九〇年）

## ●論文集

1. 現代人的悲劇精神與現代詩人（藍星詩社，一九六四年）
2. 心靈訪問記（純文學出版社，一九六九年十一月）
3. 長期受著審判的人（環宇出版社，一九七四年二月）
4. 時空的回聲（德華出版社，一九八二年一月）
5. 詩眼看世界（師大書苑出版社，一九八九年）

## ●作品選入中文選集

1. 中國詩選（大業書店，一九五七年）
2. 中國當代名作家選集（文光圖書公司，一九五九年）
3. 十年詩選（明華書局，一九六〇年）
4. 七十年代詩選（大業書店，一九六七年）
5. 中國現代詩論選（大業書店，一九六九年）
6. 中國新詩選（長歌出版社，一九七〇年）
7. 中國現代文學大系（巨人出版社，一九七二年）
8. 中國現代散文選集（文馨出版社，一九七三年）
9. 八十年代詩選（濂美出版社，一九七六年）
10. 廿世紀中國現代詩大展（大昇書庫，一九七六年）

11. 中國現代文學年選（巨人出版社，一九七六年）
12. 當代詩人情詩選（濂美出版社，一九七七年）
13. 中國當代十大詩人選集（源成出版社，一九七六年）
14. 文藝選粹（幼獅文化事業公司，一九七七年）
15. 中國現代文學的回顧（龍田出版社，一九七八年）
16. 當代情詩選（濂美出版社，一九七九年）
17. 現代名詩品賞集（聯亞出版社，一九七九年）
18. 小詩三百首（爾雅出版社，一九七九年）
19. 當代中國文學大系（天視出版公司，一九八〇年）
20. 中國當代新詩大展（德華出版社，一九八一年）
21. 情詩一百首選集（爾雅出版社，一九八二年）
22. 現代詩入門選集（爾雅出版社，一九八二年）
23. 中國新詩選（長安出版社，一九八二年）
24. 中國當代散文大展（德華出版社，一九八二年）
25. 中國現代文學選集（爾雅出版社，一九八二年）
26. 七十一年詩選（爾雅出版社，一九八三年）
27. 七十二年詩選（爾雅出版社，一九八四年）
28. 一九八三臺灣詩選（前衞出版社，一九八四年）

29. 七十三年詩選（爾雅出版社，一九八五年）
30. 七十四年詩選（爾雅出版社，一九八六年）
31. 一九八五年臺灣詩選（前衛出版社，一九八六年）
32. 七十五年詩選（爾雅出版社，一九八七年）
33. 中國現代海洋詩選（號角出版社，一九八七年）
34. 七十六年詩選（爾雅出版社，一九八八年）
35. 七十七年詩選（爾雅出版社，一九八九年）
36. 七十八年詩選（爾雅出版社，一九九〇年）
37. 臺灣詩人十二家（重慶出版社，一九八三年）
38. 臺灣朦朧詩賞析（花城出版社，一九八九年）
39. 臺灣詩選（人民文學出版社，一九八二年）
40. 臺灣創世紀詩萃（浙江文藝出版社，一九八八年）
41. 臺灣現代詩四十家（人民文學出版社，一九八九年）
42. 當代臺灣詩萃（湖南文學出版社，一九八九年）
43. 臺灣新詩發展史（人民文學出版社，一九八九年）
44. 臺灣現代詩選（瀋陽春風出版社，一九八七年）
45. 中國新詩鑒賞大辭典（江蘇文藝出版社，一九八八年）
46. 臺灣百家詩選（江蘇文藝出版社，一九九〇年）

47. 臺灣現代詩賞析（河南人民出版社，一九九一年）

48 七十九年詩選（爾雅出版社一九九一年）

## ●作品選入外文選集及名列名人錄

### 英文版

1. 中國新詩選集 New Chinese Poetry（余光中教授編譯，一九六〇年）
2. 中國現代詩選集 Modern Chinese Poetry（葉維廉博士編譯，一九七〇年）
3. 臺灣現代詩選集 Modern Verse from Taiwan（榮之穎編譯，一九七一年
4. 當代中國文學選集 An Anthology of Contemporary Chinese Poetry（國立編譯館編譯，一九七五年）
5. 亞洲新聲 Voices of Modern Asia（美國圖書公司出版，一九七一年）
6. 世界詩選 World Anthology（美國 Delora Memorial Fund基金會出版，一九八〇年）
7. 當代中國詩人評論集 Essays on Comtemporary Chinese Poetry（林明暉博士Dr. Julia C. Lin 著，一九八五年）
8. 臺灣現代詩選 Modern Chinese Poetry from Taiwan（張錯博士編譯，一九八七年）
9. 世界詩人辭典 International Who's Who in Poetry（倫敦劍橋國際傳記中心選編，一九七〇年）
10. 中國名人錄（英文版新聞局委託漢光出版社出版的一九八六、一九八七、一九八八年中華民國年鑑）

11.「亞洲名人錄」(Asia's Who's Who of Men & Women of Achievement 1989-90) 印度傳記中心出版。

12.世界名人傳記 (Biographical Historiette of Men & Women of Achievement & Distinction 1990) 印度傳記中心出版。

13.一九九〇世界詩選 (World Poetry 1990) Editor: Dr. Krishna Srinivas India.

法文版：

1.中國當代新詩選集La Ktesie Chinoise（胡品清教授編譯，一九六三年）

日文版：

1.華麗島詩選集（日本若樹書房編選，一九七一年）

2.臺灣詩選（世界現代詩文庫土曜美術社出版一九八六年）

韓文版：

1.廿世紀世界詩選（韓籍李昌培博士編譯，一九七二年）

2.世界文學選集——中國詩部分（韓籍許世旭博士等編譯，一九七二年）

3.中國現代文學史（韓籍尹永春博士編譯，一九七四年）

4.中國現代代表詩人五人選（湖西文學特輯，韓國湖西文學會編選，一九八七年）

# 評論者簡介（按姓氏筆畫為序）

丁　平：詩文、文學評論家，香港廣大學院中研所教授。

方　明：詩人兼寫散文與詩評，曾是藍星詩社同人。

王春煜：海南大學中文系主任從事文學研究與評論。

王振科：上海第二工業大學教授，從事文學研究與評論。

古遠清：武漢中南財經大學中文系教授，從事文學研究與評論。

古繼堂：文學評論家、臺港文學研究室副主任、著有臺灣新詩發展史、現任教北京大學。

汪　智：河南安陽大學中文系教授，從事文學研究與評論。

李瑞騰：中文研究所博士中央大學中文系教授，文學評論家，古典文學學會會長。

李　弦：（本名李豐楙）中文研究所博士、國立政治大學中文系教授，文學評論家。

呂錦堂：詩人、畫家、兼寫詩評與畫評。

林文義：散文家、兼寫小說與評論、現任臺灣筆會秘書長。

林　野：詩人兼寫詩評，「陽光小集」詩社同人，在美攻讀博士學位。

林興華：詩人、畫家、兼寫評論，曾任「詩季刊」社主編。

林燿德：詩人、評論家、設計家，並從事小說，散文與戲劇等創作，現任青協秘書長。

季　紅：（本名齊道旁）詩人、詩評家、創世紀詩社同人。

和伯乃：詩人、詩評家，文藝副刊主編。

和　權：（本名陳和權）詩人、兼寫詩評，菲華萬象詩刊主編。

周　粲：詩人、兼寫詩論、任職新加坡大學。

洛　楓：港大研究所畢業、詩人，並從事文學批評。

苦　苓：（本名王裕仁）詩人、兼寫散文、詩評與專欄。

紀少雄：文藝評論家，並從事詩與散文創作。

俞兆平：厦門大學中文系教授，美學家、文學評論家

鹿　翎：詩人、專欄作家兼寫文藝評介。

翁光宇：暨南大學中文系教授，文學評論家。

張雪映：詩人、兼寫散文與評論、曾任「陽光小集」詩社社長。

張　健：詩人、評論家、兼寫小說、散文與專欄，國立臺灣大學中文研究所教授。

張漢良：比較文學博士、文學批評家、國立臺灣大學外文系教授。現任臺灣比較文學學會會長。

張　默：詩人、兼寫詩評、創世紀詩社發起人。

陳瑞山：詩人、並從事詩的評論與翻譯，任教文化大學外文系。

陳　煌：（本名陳輝煌）詩人，並從事散文、小說與評論寫作，雜誌主編。

陳寧貴：詩人、並寫散文、小說與詩評，現任殿堂出版社總編輯。

陳慧樺：（本名陳鵬翔）比較文學博士、詩人，文學理論家兼寫散文，國立師範大學外文系教授。

賀少陽：空軍上校機械官，研究科學、哲學與文學有年，寫詩也寫詩論。

葉立誠：詩人、從事文藝理論創作與美術設計，在文化大學研究所就讀。

鄭明娳：國家文學博士、散文家、文學批評家、國立臺灣師範大學中文系教授

潘亞暾：暨南大學中文系教授，文學評論家。

蔡源煌：英美文學博士、文學批評家、國立臺灣大學外文系教授。

劉龍勳：臺大中文研究所畢業，文學批評家，現任教交通大學。

蕭　蕭：（本名蕭水順）詩人、詩論家、尚寫散文，創世紀詩社同仁，在大學任教。

羅　青：（本名羅青哲）詩人、畫家、文藝評論家、國立師範大學外文系教授。